D0235081

L'ÉDUCATION

UN TRÉSOR EST CACHÉ DEDANS

Rapport à l'UNESCO
de la Commission internationale sur l'éducation
pour le vingt et unième siècle,
présidée par

JACQUES DELORS

L'ÉDUCATION

UN TRÉSOR EST CACHÉ DEDANS

IN'AM AL MUFTI
ISAO AMAGI
ROBERTO CARNEIRO
FAY CHUNG
BRONISLAW GEREMEK
WILLIAM GORHAM
ALEKSANDRA KORNHAUSER
MICHAEL MANLEY
MARISELA PADRÓN QUERO
MARIE-ANGÉLIQUE SAVANÉ
KARAN SINGH
RODOLFO STAVENHAGEN
MYONG WON SUHR
ZHOU NANZHAO

ÉDITIONS UNESCO

Les membres de la Commission sont responsables du choix
et de la présentation des faits contenus dans ce rapport,
ainsi que des opinions qui y sont exprimées ;
celles-ci ne sont pas nécessairement celles de l'UNESCO
et n'engagent pas l'Organisation.

15, RUE SOUFFLOT, 75005 PARIS

ISBN UNESCO 92-3-203274-0
ISBN ÉDITIONS ODILE JACOB 2-7381-0381-2

Sommaire

L'éducation ou l'utopie nécessaire *par Jacques Delors*

première partie

Horizons

chapitre 1

De la communauté de base à la société mondiale

chapitre 2

De la cohésion sociale à la participation démocratique

chapitre 3

De la croissance économique au développement humain

deuxième partie

Principes

chapitre 4

Les quatre piliers de l'éducation

chapitre 5

L'éducation tout au long de la vie

troisième partie

Orientations

chapitre 6

De l'éducation de base à l'université

chapitre 7

Les enseignants en quête de nouvelles perspectives

chapitre 8

Choix pour l'éducation : le rôle du politique

chapitre 9

La coopération internationale : éduquer le village-planète

épilogue

annexe

Au terme de nos travaux, nous souhaitons adresser l'expression de notre profonde gratitude à Federico Mayor, directeur général de l'UNESCO. Nous admirons ses convictions et nous partageons sa volonté de ranimer l'enthousiasme grâce auquel cette Organisation a été créée, pour servir la paix et la compréhension internationale par la diffusion de l'éducation, de la science et de la culture au profit de l'ensemble de l'humanité.

Il a conçu l'idée de ce rapport et a, en nous confiant ce mandat, placé notre mission dans le cadre général de l'action qu'il mène à la tête de l'UNESCO. Il nous a permis, grâce à un soutien constant, de conduire nos travaux dans les conditions les meilleures, et en toute indépendance intellectuelle. Nous osons espérer que le résultat est fidèle à l'inspiration qui le guide. Si, comme nous le souhaitons, ce rapport contribue à susciter un débat, qui nous paraît essentiel, dans chaque pays et au sein de la communauté internationale, sur l'avenir de l'éducation, nous estimerons alors avoir répondu, au moins partiellement, à la confiance dont nous a gratifié le directeur général de l'UNESCO.

Les membres de la Commission

L'éducation ou l'utopie nécessaire

par Jacques Delors

Face aux multiples défis de l'avenir, l'éducation apparaît comme un atout indispensable pour permettre à l'humanité de progresser vers les idéaux de paix, de liberté et de justice sociale. La Commission tient donc, à l'issue de ses travaux, à affirmer sa foi dans le rôle essentiel de l'éducation dans le développement continu de la personne et des sociétés. Non pas comme un « remède miracle », non pas comme le « sésame ouvre-toi » d'un monde parvenu à la réalisation de tous ces idéaux, mais comme une voie, parmi d'autres, certes, mais plus que d'autres, au service d'un développement humain plus harmonieux, plus authentique, afin de faire reculer la pauvreté, l'exclusion, les incompréhensions, les oppressions, les guerres...

Cette conviction, la Commission souhaite, au travers de ses analyses, réflexions et propositions, la faire partager au plus grand nombre, à un moment où les politiques d'éducation se heurtent à de vives critiques ou bien sont reléguées, pour des raisons économiques et financières, au dernier rang des priorités.

Est-ce nécessaire de le souligner ? Mais la Commission a pensé, avant tout, aux enfants et aux adolescents, à ceux qui, demain, prendront le relais des générations adultes, lesquelles ont trop tendance à se focaliser sur leurs propres problèmes. L'éducation est aussi un cri d'amour pour l'enfance, pour la jeunesse que nous devons accueillir dans nos sociétés, avec toute la place qui leur revient, dans le système éducatif, certes, mais aussi dans la famille, dans la communauté de base, dans la nation. Ce devoir élémentaire doit être constamment rappelé, afin que même les choix politiques, économiques et financiers en tiennent davantage compte. Pour paraphraser les mots du poète, l'enfant est l'avenir de l'homme.

Au terme d'un siècle marqué autant par le bruit et la fureur que par les progrès économiques et scientifiques – d'ailleurs inégalement répartis –, à l'aube d'un siècle nouveau à la perspective duquel l'angoisse le dispute à l'espoir, il est impératif que tous ceux qui se sentent une responsabilité accordent leur attention aux finalités comme aux moyens de l'éducation. La Commission considère les politiques de l'éducation comme un processus permanent d'enrichissement des connaissances, des savoir-faire, mais aussi, et peut-être surtout, comme une construction privilégiée de la personne et des relations entre les individus, entre les groupes, entre les nations.

En acceptant le mandat qui leur a été confié, les membres de la Commission ont explicitement adopté cette perspective et voulu souligner, arguments à l'appui, le rôle central de l'UNESCO, dans le droit-fil des idées fondatrices qui reposent sur l'espoir d'un monde meilleur, parce que sachant respecter les Droits de l'Homme, pratiquer la compréhension mutuelle, faire des progrès de la connaissance un instrument, non de distinction, mais de promotion du genre humain. Tâche sans doute impossible, pour notre Commission, que celle qui consistait notamment à surmonter l'obstacle de l'extraordinaire diversité des situations dans le monde, pour aboutir à des analyses valables pour tous et à des conclusions également acceptables par tous.

Néanmoins, la Commission s'est efforcée de raisonner dans un cadre prospectif dominé par la mondialisation, de sélectionner les bonnes questions qui se posent à tous et de tracer quelques orientations valables tant au niveau national qu'à l'échelon mondial.

Le cadre prospectif

De remarquables découvertes et progrès scientifiques ont marqué ce dernier quart de siècle, de nombreux pays – dits émergents – sont sortis du sous-développement, le niveau de vie a continué sa progression selon des rythmes très différents selon les pays. Et pourtant, un sentiment de désenchantement semble dominer et contraste avec les espoirs nés au lendemain de la dernière guerre mondiale.

On peut donc parler des désillusions du progrès, sur le plan économique et social. L'augmentation du chômage et des phénomènes d'exclusion dans les pays riches l'atteste. Le maintien des inégalités de développement dans le monde le confirme[1]. Certes, l'Humanité est plus consciente des menaces qui pèsent sur son environnement naturel. Mais elle ne s'est pas encore donné les moyens d'y remédier, malgré de nombreuses réunions internationales, comme celle de Rio, malgré de sérieux avertissements consécutifs à des phénomènes naturels ou à des accidents technologiques. Il n'en demeure pas moins que la « croissance économique à tout-va » ne peut plus être considérée comme la voie royale qui permettrait de concilier progrès matériel et équité, respect de la condition humaine et du capital naturel que nous devons transmettre, en bon état, aux générations futures.

En avons-nous tiré toutes les conséquences, tant en ce qui concerne les finalités, voies et moyens d'un développement durable que pour de nouvelles formes de coopération internationale ? Certes non ! Et ce sera donc un des grands défis intellectuels et politiques du prochain siècle.

Cette constatation ne doit pas conduire les pays en développement à négliger les moteurs de la croissance classiques, et notamment l'entrée indispensable dans l'univers de la science et de la technologie, avec ce que cela comporte en matière d'adaptation des cultures et de modernisation des mentalités.

Autre désenchantement, autre désillusion pour ceux qui ont vu, avec la fin de la guerre froide, la perspective d'un monde meilleur et apaisé. Il ne suffit pas, pour se consoler ou se trouver des alibis, de répéter que l'Histoire est tragique. Chacun le sait ou devrait le savoir. Si la dernière grande guerre a fait cinquante millions de victimes, comment ne pas rappeler que, depuis 1945, il s'est produit environ 150 guerres qui ont entraîné vingt millions de morts, avant et aussi après la chute du mur de Berlin. Risques nouveaux ou risques anciens ? Peu importe, les tensions couvent et explosent entre nations,

[1] D'après les études de la CNUCED, le revenu moyen des « pays les moins avancés » (560 millions d'habitants) est en recul. Il s'établirait, par habitant, à 300 dollars par an contre 906 pour les autres pays en développement et 21 598 pour les nations industrialisées.

entre groupes ethniques ou à propos des injustices accumulées sur les plans économique et social. Mesurer ces risques et s'organiser pour les conjurer, tel est le devoir de tous les responsables, dans un contexte marqué par l'interdépendance croissante entre les peuples et par la globalisation des problèmes.

Mais comment apprendre à vivre ensemble dans le « village planète » si nous ne sommes pas capables de vivre dans nos communautés naturelles d'appartenance : la nation, la région, la ville, le village, le voisinage. Voulons-nous, pouvons-nous participer à la vie en communauté ? c'est la question centrale de la démocratie. Le vouloir, ne l'oublions pas, dépend du sens de la responsabilité de chacun. Or si la démocratie a conquis de nouveaux territoires jusque-là dominés par le totalitarisme et l'arbitraire, elle a tendance à s'affadir là où elle existe institutionnellement depuis des dizaines d'années. Comme si tout était sans cesse à recommencer, à renouveler, à réinventer.

Comment les politiques de l'éducation ne se sentiraient-elles pas interpellées par ces trois grands défis ? Comment la Commission ne pourrait-elle pas souligner en quoi ces politiques peuvent contribuer à un monde meilleur, à un développement humain durable, à la compréhension mutuelle entre les peuples, à un renouveau de la démocratie concrètement vécue ?

Les tensions à surmonter

À cette fin, il convient d'affronter, pour mieux les surmonter, les principales tensions qui, pour n'être pas nouvelles, sont au cœur de la problématique du XXIe siècle.

La tension entre le global et le local : devenir peu à peu citoyen du monde sans perdre ses racines et tout en participant activement à la vie de sa nation et des communautés de base.

La tension entre l'universel et le singulier : la mondialisation de la culture se réalise progressivement, mais encore partiellement. Elle est en fait incontournable avec ses promesses et ses risques dont le moindre n'est pas l'oubli du caractère unique de chaque personne, sa vocation à choisir son destin et à réaliser toutes ses potentialités, dans la richesse entretenue de ses traditions et de sa propre culture, menacée, si l'on n'y prend garde, par les évolutions en cours.

La tension entre tradition et modernité relève de la même problématique : s'adapter sans se renier, construire son autonomie en dialectique avec la liberté et l'évolution de l'autre, maîtriser le progrès scientifique. C'est dans cet esprit qu'il convient de relever le défi des nouvelles technologies de l'information.

La tension entre le long terme et le court terme, tension éternelle, mais nourrie aujourd'hui par une domination de l'éphémère et de l'instantanéité, dans un contexte où le trop-plein d'informations et d'émotions sans lendemain ramène sans cesse à une concentration sur les problèmes immédiats. Les opinions veulent des réponses et des solutions rapides, alors que beaucoup des problèmes rencontrés nécessitent une stratégie patiente, concertée et négociée de la réforme. Tel est précisément le cas pour les politiques de l'éducation. La tension entre l'indispensable compétition et le souci de l'égalité des chances. Question classique, posée depuis le début du siècle aux politiques économiques et sociales comme aux politiques de l'éducation. Question parfois résolue, mais jamais d'une manière durable. Aujourd'hui, la Commission prend le risque d'affirmer que la contrainte de la compétition fait oublier à beaucoup de responsables la mission qui consiste à donner à chaque être humain les moyens de saisir toutes ses chances. C'est ce constat qui nous a conduits, pour ce qui concerne le domaine couvert par ce rapport, à reprendre et à actualiser le concept d'éducation tout au long de la vie, de façon à concilier la compétition qui stimule, la coopération qui renforce et la solidarité qui unit.

La tension entre l'extraordinaire développement des connaissances et les capacités d'assimilation par l'homme. La Commission n'a pas résisté à la tentation d'ajouter de nouvelles disciplines, comme la connaissance de soi et des moyens d'assurer sa santé physique et psychologique ou encore l'apprentissage pour mieux connaître et préserver l'environnement naturel. Et pourtant les programmes scolaires sont de plus en plus chargés. Il faudra donc, dans une claire stratégie de la réforme, opérer des choix, mais à condition de préserver les éléments essentiels d'une éducation de base qui apprend à mieux vivre, par la connaissance, par l'expérimentation et par la construction d'une culture personnelle.

Enfin, et il s'agit là aussi d'un constat éternel, la tension entre le spirituel et le matériel. Le monde, souvent sans le ressentir ou l'exprimer, a soif d'idéal et de valeurs que nous appellerons morales, pour ne heurter personne. Quelle noble tâche pour l'éducation que de susciter chez chacun, selon ses traditions et ses convictions, dans le plein respect du pluralisme, cette élévation de la pensée et de l'esprit jusqu'à l'universel et à un certain dépassement de soi-même. Il y va – la Commission pèse ses mots – de la survie de l'humanité.

Penser et construire notre avenir commun

Un sentiment de vertige saisit nos contemporains, écartelés qu'ils sont entre cette mondialisation dont ils voient et parfois supportent les manifestations et leur quête de racines, de références, d'appartenances.

L'éducation doit affronter ce problème, car elle se situe, plus que jamais, dans la perspective de l'accouchement douloureux d'une société mondiale, au cœur du développement de la personne comme des communautés. Elle a pour mission de permettre à tous, sans exception, de faire fructifier tous leurs talents et toutes leurs potentialités de création, ce qui implique pour chacun la capacité de se prendre en charge et de réaliser son projet personnel.

Cette finalité dépasse toutes les autres. Sa réalisation, longue et difficile, sera une contribution essentielle à la recherche d'un monde plus vivable et plus juste. La Commission tient à le souligner fortement, à un moment où le doute s'empare de certains esprits quant aux possibilités offertes par l'éducation.

Certes, il y a beaucoup d'autres problèmes à résoudre. Nous y reviendrons. Mais ce rapport est établi alors que l'humanité hésite entre la fuite en avant ou la résignation, devant tant de malheurs causés par les guerres, la criminalité et le sous-développement. Offrons-lui une autre voie. Tout invite donc à revaloriser les dimensions éthiques et culturelles de l'éducation et, pour cela, à donner les moyens à chacun de comprendre l'autre dans sa particularité et de comprendre le monde dans sa marche chaotique vers une certaine unité. Mais encore faut-il commencer par se comprendre soi-même, dans cette sorte de voyage intérieur jalonné par la connaissance, la méditation et l'exercice de l'autocritique.

Ce message doit guider toute la réflexion sur l'éducation, en liaison avec l'élargissement et l'approfondissement de la coopération internationale sur laquelle s'achèveront ces réflexions.

Dans cette perspective, tout se met en ordre, qu'il s'agisse des exigences de la science et de la technique, de la connaissance de soi-même et de son environnement, de la construction de capacités permettant à chacun d'agir en tant que membre d'une famille, citoyen ou producteur.

C'est dire que la Commission ne sous-estime nullement le rôle central de la matière grise et de l'innovation, le passage à une société cognitive, les processus endogènes qui permettent d'accumuler les savoirs, d'ajouter de nouvelles découvertes, de les mettre en application dans les divers domaines de l'activité humaine, aussi bien la santé et l'environnement que la production de biens et de services. Elle sait aussi les limites, voire les échecs, des tentatives pour transférer les technologies aux pays les plus démunis, précisément à cause du caractère endogène des mécanismes d'accumulation et de mise en œuvre des connaissances. D'où la nécessité, entre autres, d'une initiation précoce à la science, à ses modes d'application, à l'effort difficile pour maîtriser le progrès dans le respect de la personne humaine et de son intégrité. Là encore, la préoccupation éthique doit être présente.

C'est aussi rappeler que la Commission est consciente des missions que doit remplir l'éducation au service du développement

veauté qui surgit dans la vie privée comme dans la vie professionnelle. Cette exigence demeure, elle s'est même renforcée. Elle ne peut être satisfaite sans que chacun ait appris à apprendre.

Mais un autre impératif se fait jour, celui qui, après la modification profonde des cadres traditionnels de l'existence, nous astreint à mieux comprendre l'autre, à mieux comprendre le monde. Exigences de compréhension mutuelle, d'échange pacifique et pourquoi pas d'harmonie, ce dont précisément notre monde manque le plus.

Cette prise de position conduit la Commission à mettre davantage l'accent sur l'un des quatre piliers qu'elle a présentés et illustrés comme les bases de l'éducation. Il s'agit d'apprendre à vivre ensemble en développant la connaissance des autres, de leur histoire, de leurs traditions et de leur spiritualité. Et à partir de là, de créer un esprit nouveau qui, grâce précisément à cette perception de nos interdépendances croissantes, à une analyse partagée des risques et des défis de l'avenir, pousse à la réalisation de projets communs ou bien à une gestion intelligente et paisible des inévitables conflits. Utopie, pensera-t-on, mais utopie nécessaire, utopie vitale pour sortir du cycle dangereux nourri par le cynisme ou la résignation.

Oui, la Commission rêve d'une éducation créatrice et fondatrice de cet esprit nouveau. Elle n'en a pas négligé, pour autant, les trois autres piliers de l'éducation qui fournissent, en quelque sorte, les éléments de base pour apprendre à vivre ensemble.

Apprendre à connaître, tout d'abord. Mais, compte tenu des changements rapides induits par le progrès scientifique et les formes nouvelles de l'activité économique et sociale, il importe de concilier une culture générale suffisamment étendue avec la possibilité de travailler en profondeur un petit nombre de matières. Cette culture générale constitue, en quelque sorte, le passeport pour une éducation permanente, dans la mesure où elle donne le goût, mais aussi les bases, pour apprendre tout au long de sa vie.

Apprendre à faire, aussi. Au-delà d'un métier dont on poursuit l'apprentissage, il convient plus largement d'acquérir une compétence qui rende apte à faire face à de nombreuses situations, dont certaines sont imprévisibles, qui facilite le travail en équipe, dimension actuellement trop négligée dans les méthodes d'enseignement. Cette compétence et ces qualifications deviennent plus accessibles, dans de nombreux cas, si les élèves et étudiants ont la possibilité de se tester et de s'enrichir en prenant part à des activités professionnelles ou sociales, parallèlement à leurs études. Ce qui justifie la place plus importante que devraient occuper les différentes formes possibles d'alternance entre l'école et le travail.

Apprendre à être, enfin et surtout. Tel était le thème dominant du rapport Edgar Faure publié en 1972 sous les auspices de l'UNESCO. Ses recommandations sont toujours d'une grande actualité, puisque le XXIe siècle exigera de tous une plus grande capacité d'autonomie et de jugement qui va avec le renforcement de la responsabilité personnelle dans la réalisation du destin collectif. Et aussi, en raison d'un autre impératif que le présent rapport souligne : ne laisser inexploré aucun des talents qui sont, comme des trésors, enfouis au fond de chaque être humain. Citons, sans être exhaustifs, la mémoire, le raisonnement, l'imagination, les capacités physiques, le sens de l'esthétique, la facilité de communiquer avec les autres, le charisme naturel de l'animateur... Ce qui confirme la nécessité de mieux se comprendre soi-même.

La Commission a évoqué cette autre utopie : la société éducative fondée sur l'acquisition, l'actualisation et l'utilisation des connaissances. Telles sont les trois fonctions qu'il convient de mettre en exergue, dans le processus éducatif. Alors que se développe la société de l'information, multipliant les possibilités d'accès aux données et aux faits, l'éducation doit permettre à chacun de se servir des informations, les recueillir, les sélectionner, les ordonner, les gérer et les utiliser.

L'éducation doit donc constamment s'adapter à ces mutations de la société, sans négliger de transmettre l'acquis, les bases, les fruits de l'expérience humaine.

Enfin, comment faire en sorte que, devant cette demande de plus en plus grande, mais aussi de plus en plus exigeante, les politiques de l'éducation remplissent un double objectif :

la qualité de l'enseignement et l'équité ? Telles sont les questions que s'est posées la Commission à propos des cursus, des méthodes et des contenus de l'enseignement, comme des conditions nécessaires à son efficacité.

Repenser et relier les différentes séquences de l'éducation

En centrant ses propositions autour du concept d'éducation tout au long de la vie, la Commission n'a pas voulu signifier que ce saut qualitatif dispenserait d'une réflexion sur les différents ordres d'enseignement. Bien au contraire, elle entendait, tout à la fois, confirmer certaines orientations majeures dégagées par l'UNESCO, comme l'importance vitale de l'éducation de base, ou inciter à une révision des fonctions assumées par l'enseignement secondaire, ou encore répondre aux interrogations que ne manque pas de susciter l'évolution de l'enseignement supérieur, et notamment le phénomène de massification.

Tout simplement, l'éducation tout au long de la vie permet d'ordonner les différentes séquences, d'aménager les transitions, de diversifier les parcours, tout en les valorisant. Ainsi échapperait-on à ce funeste dilemme : ou bien sélectionner, mais en multipliant les échecs scolaires et les risques d'exclusion ; ou bien égaliser, mais aux dépens de la promotion des talents.

Ces réflexions n'enlèvent rien à ce qui a été si bien défini, lors de la Conférence de Jomtien en 1990, sur *l'éducation de base*, sur les besoins éducatifs fondamentaux.

« Ces besoins concernent aussi bien les outils d'apprentissage essentiels (lecture, écriture, expression orale, calcul, résolution de problèmes) que les contenus éducatifs fondamentaux (connaissance, aptitudes, valeurs, attitudes) dont l'être humain a besoin pour survivre, pour développer ses facultés, pour vivre et travailler dans la dignité, pour participer pleinement au développement, pour améliorer la qualité de son existence, pour prendre des décisions éclairées et pour continuer à apprendre. »

Cette énumération peut paraître impressionnante. Elle l'est effectivement. Mais on ne doit pas en induire qu'elle conduit à une accumulation excessive des programmes. Le rapport entre l'enseignant et l'élève, l'apprentissage de l'environnement où vivent les enfants, une bonne utilisation des moyens modernes de communication (là où ils existent), peuvent contribuer ensemble au développement personnel et intellectuel de chaque élève. Les savoirs de base y trouvent toute leur place : lire, écrire, calculer. La combinaison de l'enseignement classique et des approches extérieures à l'école doivent permettre à l'enfant d'accéder aux trois dimensions de l'éducation : éthique et culturelle ; scientifique et technologique ; économique et sociale.

En d'autres termes, l'éducation est aussi une expérience sociale, au contact de laquelle l'enfant se découvre, enrichit ses rapports avec les autres, acquiert les bases de la connaissance et du savoir-faire. Cette expérience doit débuter avant l'âge de la scolarité obligatoire sous des formes différentes selon la situation, mais où doivent être impliquées les familles et les communautés de base.

Deux remarques, importantes aux yeux de la Commission, doivent être ajoutées à ce stade.

L'éducation de base doit être étendue, à travers le monde, aux 900 millions d'adultes analphabètes, aux 130 millions d'enfants non scolarisés et aux plus de 100 millions d'enfants qui abandonnent prématurément l'école. Ce vaste chantier est une priorité pour les actions d'assistance technique et de partenariat à mener au sein de la coopération internationale.

L'éducation de base est un problème qui se pose naturellement à tous les pays, y compris les nations industrialisées. Dès ce stade de l'éducation, les contenus doivent développer le goût d'apprendre, la soif et la joie de connaître, et donc l'envie et les possibilités d'accéder, plus tard, à l'éducation tout au long de la vie.

Et nous en venons à ce qui constitue l'une des difficultés majeures de toute réforme : les politiques à mener pour les jeunes et les adolescents, sortant de l'enseignement primaire, pour toute la période allant jusqu'à l'entrée soit dans la vie professionnelle, soit dans les enseignements supérieurs. Oserait-on dire que ces *enseignements dits secondaires* sont, en quelque sorte, les « mal-aimés » de la réflexion sur l'éducation ? Ils cristallisent bien des critiques, ils engendrent bien des frustrations.

Parmi les facteurs qui perturbent, citons les besoins accrus et de plus en plus diversifiés de formation qui aboutissent à une croissance rapide du nombre des élèves et à un engorgement des programmes. D'où il résulte des problèmes classiques de massification que les pays peu développés ont du mal à résoudre, tant sur le plan financier que sur celui de l'organisation. Citons également l'angoisse de la sortie, ou des débouchés, angoisse accrue par l'obsession d'accéder aux enseignements supérieurs, comme une sorte de tout ou rien. La situation de chômage massif que connaissent de nombreux pays n'a fait qu'ajouter à ce malaise. La Commission a souligné combien était inquiétante une évolution conduisant, tant dans les milieux ruraux que dans les villes, tant dans les pays en voie de développement que dans les nations industrialisées, non seulement au chômage, mais aussi au sous-emploi des ressources humaines.

Il paraît à la Commission que l'on ne peut sortir de cette difficulté que par une très large diversification des parcours offerts. Cette orientation est dans le droit-fil d'une préoccupation majeure de la Commission qui est de valoriser tous les talents, de manière à limiter les échecs scolaires et d'éviter, chez beaucoup trop d'adolescents, le sentiment d'être exclus, d'être sans avenir.

Les différentes voies offertes devraient comprendre celles, classiques, qui sont plus tournées vers l'abstraction et la conceptualisation, mais aussi celles qui, enrichies par une alternance entre l'école et la vie professionnelle ou sociale, permettent de révéler d'autres talents et d'autres goûts. En tout état de cause, des passerelles seraient à établir entre ces voies, de manière que puissent être corrigées de trop fréquentes erreurs d'orientation.

Au surplus, la perspective de pouvoir retourner dans un cycle d'éducation ou de formation changerait, aux yeux de la Commission, le climat général, en assurant chaque adolescent que son sort n'est pas définitivement scellé entre quatorze et vingt ans.

Les enseignements supérieurs sont à voir également dans cette même perspective.

Observons tout d'abord qu'il existe, dans de nombreux pays, à côté de l'Université, des établissements d'enseignement supérieur dont certains participent au processus de sélection des meilleurs, dont d'autres ont été créés pour délivrer, sur une période de deux à quatre ans, des formations professionnelles bien ciblées et de qualité. Cette diversification répond indiscutablement aux besoins de la société et de l'économie, tels qu'ils sont exprimés tant au niveau national qu'au niveau régional.

Quant à la massification, observée dans les pays les plus riches, elle ne peut trouver de solution politiquement et socialement acceptable dans une sélection de plus en plus sévère. L'un des principaux défauts d'une telle orientation est que de nombreux jeunes hommes et jeunes femmes se trouvent exclus de l'enseignement avant d'avoir obtenu un diplôme reconnu, et donc dans une situation désespérante, puisqu'ils n'ont ni l'avantage du diplôme ni la contrepartie d'une formation adaptée aux besoins du marché du travail.

Il faut donc gérer un développement des effectifs qui sera cependant limité, grâce à une réforme des enseignements secondaires, telle que la Commission en a proposé les grandes lignes.

L'Université y contribuerait en diversifiant son offre :

– comme lieu de la science, comme source de connaissance, conduisant à la recherche théorique ou appliquée, ou à la formation des enseignants ;

– comme moyen d'acquérir, en conciliant à un niveau élevé savoir et savoir-faire, des qualifications professionnelles, selon des cursus et des contenus constamment adaptés aux besoins de l'économie ;

– comme carrefour privilégié de l'éducation tout au long de la vie, en ouvrant ses portes aux adultes souhaitant soit reprendre leurs études, soit adapter et enrichir leurs connaissances, soit satisfaire leur goût d'apprendre dans tous les domaines de la vie culturelle ;

– comme partenaire privilégié d'une coopération internationale permettant l'échange des professeurs et des étudiants et facilitant, grâce à des chaires à vocation internationale, la diffusion des meilleurs enseignements.

Ainsi l'Université dépasserait-elle l'opposition entre deux logiques que l'on oppose à tort : celle du service public et celle du marché du travail. Elle retrouverait aussi le sens de sa mission intellectuelle et sociale au sein de la société, comme, en quelque sorte, une des institutions garantes des valeurs universelles et du patrimoine culturel. La Commission y voit des raisons pertinentes pour plaider en faveur d'une plus grande autonomie des universités.

La Commission, ayant formulé ces propositions, souligne que cette problématique revêt une dimension particulière dans les nations pauvres, où les universités ont un rôle déterminant à jouer. Tirant les leçons de leur propre passé pour analyser les difficultés auxquelles ces pays se trouvent aujourd'hui confrontés, les universités des pays en développement se doivent d'entreprendre les recherches susceptibles de contribuer à la solution de leurs problèmes les plus aigus. Il leur appartient en outre de proposer de nouvelles visions du développement qui permettent à leurs pays de construire effectivement un avenir meilleur. C'est à elles aussi qu'il incombe de former, dans le domaine professionnel et technique, les futures élites et les diplômés de niveau supérieur et moyen dont leurs pays ont besoin pour parvenir à sortir des cycles de pauvreté et de sous-développement où ils se trouvent actuellement pris. Il importe en particulier d'élaborer de nouveaux modèles de développement pour des régions telles que l'Afrique subsaharienne, comme cela s'est déjà fait pour les pays de l'Asie de l'Est, en fonction de chaque cas particulier.

Réussir les stratégies de la réforme

Sans sous-estimer la gestion des contraintes à court terme, sans négliger les adaptations nécessaires aux systèmes existants, la Commission veut souligner la nécessité d'une approche à plus long terme pour réussir les réformes qui s'imposent. Elle insiste, par là même, sur le fait que trop de réformes en cascade tuent la réforme, puisqu'elles ne donnent pas au système le temps nécessaire pour se pénétrer de l'esprit nouveau et pour mettre tous les acteurs en mesure d'y participer. Par ailleurs, comme le montrent les échecs passés, de nombreux réformateurs, dans une approche trop radicale ou trop théorique, font abstraction des utiles enseignements de l'expérience ou rejettent les acquis positifs hérités du passé. De ce fait, les enseignants, les parents et les élèves s'en trouvent perturbés et donc peu disponibles pour accepter, puis mettre en œuvre la réforme.

Trois acteurs principaux contribuent au succès des réformes éducatives : en tout premier lieu la communauté locale, notamment les parents, les chefs d'établissement et les enseignants ; en deuxième lieu, les autorités publiques ; en troisième lieu la communauté internationale. Bien des exclusions ont été dues, dans le passé, à l'engagement insuffisant de l'un ou l'autre de ces partenaires. Les tentatives d'imposer du sommet, ou de l'extérieur, des réformes éducatives n'ont eu, de toute évidence, aucun succès. Les pays où le processus a été, dans une mesure plus ou moins importante, couronné de succès sont ceux qui ont suscité un engagement déterminé de la part des communautés locales, des parents et des enseignants, soutenu par un dialogue continu et une aide extérieure sous diverses formes, à la fois financière, technique ou professionnelle. La primauté de la communauté locale dans une stratégie de mise en œuvre réussie des réformes est manifeste.

La participation de la communauté locale dans l'évaluation des besoins, grâce à un dialogue avec les autorités publiques et les groupes concernés à l'intérieur de la société est une première étape essentielle pour élargir l'accès à l'éducation et pour son amélioration. La poursuite de ce dialogue par l'utilisation des médias, par des débats à l'intérieur de la communauté, par l'éducation et la formation des parents, par la formation sur le tas des enseignants, suscite en général une meilleure prise de conscience, une meilleure faculté de discernement et un développement des capacités endogènes. Lorsque les communautés assument une responsabilité accrue dans leur propre développement, elles apprennent à apprécier le rôle de l'éducation, à la fois comme un moyen d'atteindre des objectifs sociétaux et comme une amélioration souhaitable de la qualité de la vie.

La Commission souligne, à ce propos, tout l'intérêt d'une sage décentralisation permettant d'accroître la responsabilité et la capacité d'innovation de chaque établissement scolaire.

En tout état de cause, aucune réforme ne peut réussir sans le concours des enseignants et leur participation active. C'est, pour la Commission, une manière de recommander qu'une attention prioritaire soit portée au statut social, culturel et matériel des éducateurs.

On demande beaucoup à l'enseignant, trop même, lorsque l'on attend de lui qu'il remédie aux défaillances des autres institutions, en charge elles aussi de l'éducation et de la formation des jeunes. On lui demande beaucoup, alors que le monde extérieur pénètre de plus en plus l'école, notamment par les nouveaux moyens d'information et de communication. Ce sont donc des jeunes à la fois moins bien encadrés par les familles ou par les mouvements religieux, mais plus informés, qui se présentent devant le maître. Or celui-ci doit tenir compte de ce nouveau contexte pour se faire entendre et comprendre des jeunes, leur donner le goût d'apprendre, leur signifier que l'information n'est pas la connaissance, que cette dernière exige effort, attention, rigueur, volonté.

Le maître a le sentiment, à tort ou à raison, d'être seul, non seulement parce qu'il mène une activité individuelle, mais en raison des attentes que suscite l'enseignement, et des critiques souvent injustes dont il fait l'objet. Il souhaite avant tout voir respecter sa dignité. Par ailleurs, la plupart des enseignants appartiennent à des organisations syndicales souvent puissantes et où existe – pourquoi le nier – un esprit corporatif de défense des intérêts. Il n'empêche que le dialogue doit être renforcé et éclairé d'un nouveau jour, entre la société et les enseignants, entre les pouvoirs publics et leurs organisations syndicales.

Reconnaissons-le, ce n'est pas une tâche aisée que de renouveler le genre de ce dialogue. Mais c'est indispensable pour rompre le sentiment d'isolement et de frustration de l'enseignant, pour que les remises en question soient acceptées, pour que tous contribuent au succès des réformes indispensables.

Dans ce contexte, il convient d'ajouter quelques recommandations concernant le contenu même de la formation des enseignants, leur plein accès à l'éducation permanente, la revalorisation du statut des maîtres responsables de l'éducation de base, une plus grande implication des enseignants dans les milieux sociaux démunis et marginalisés là où ils peuvent contribuer à une meilleure insertion des jeunes et des adolescents dans la société.

C'est aussi un plaidoyer pour doter le système éducatif, non seulement de maîtres et de professeurs biens formés, mais aussi des outils nécessaires à une éducation de qualité: livres, moyens modernes de communication, environnement culturel et économique de l'école...

La Commission, consciente des réalités concrètes de l'éducation d'aujourd'hui, a beaucoup insisté sur les moyens, en quantité et en qualité, classiques — comme les livres — ou nouveaux — comme les technologies de l'information — qu'il convient d'utiliser avec discernement et en suscitant la participation active des élèves. De leur côté, les enseignants doivent travailler en équipe, notamment dans le secondaire, de manière notamment à contribuer à la flexibilité indispensable des cursus. Ce qui évitera bien des échecs, fera émerger certaines qualités naturelles des élèves et donc facilitera une meilleure orientation des études et des parcours individuels, dans la perspective d'une éducation dispensée tout au long de la vie.

Vue sous cet angle, l'amélioration du système éducatif requiert du politique qu'il assume toute sa responsabilité. Il ne peut laisser aller les choses comme si le marché était capable de corriger les défauts ou encore comme si une sorte d'autorégulation y suffisait.

La Commission a mis d'autant plus l'accent sur la permanence des valeurs, les exigences de l'avenir, les devoirs de l'enseignant et de la société qu'elle croit à l'importance du politique ; lui seul peut, en prenant tous les éléments en compte, susciter les débats d'intérêt général dont l'éducation a un besoin vital. Puisque c'est l'affaire de tous, puisque c'est notre avenir qui est en cause, puisque l'éducation peut contribuer à ce que précisément le sort de chacun et le sort de tous s'en trouvent améliorés.

Et cela nous conduit inévitablement à mettre en évidence le rôle des autorités publiques, auxquelles incombe le devoir de poser clairement les options et, après une large concertation avec tous les intéressés, de faire les choix d'une politique publique qui, quelles que soient les structures du système (publiques, privées ou mixtes), trace les directions, pose les fondements et les axes du système, en assure la régulation au prix des adaptations nécessaires.

Toutes les décisions prises dans ce cadre ont, bien entendu, des retombées financières. La Commission ne sous-estime pas cette contrainte. Elle pense, sans entrer dans la diversité complexe des systèmes, que l'éducation est un bien collectif qui doit être accessible à tous. Ce principe étant admis, il est possible de combiner argent public et argent privé, selon différentes formules qui tiennent compte des traditions de chaque pays, de leur stade de développement, des modes de vie, de la répartition des revenus.

Le principe de l'égalité des chances doit, en tout état de cause, dominer tous les choix à effectuer.

Au cours des débats, j'ai évoqué une solution plus radicale. Puisque l'éducation tout au long de la vie va peu à peu se mettre en place, on pourrait envisager d'attribuer à chaque jeune, qui va débuter sa scolarité, un crédit-temps lui donnant droit à un certain nombre d'années d'enseignement. Son crédit serait inscrit à un compte dans une institution qui gérerait en quelque sorte, pour chacun, un capital de temps choisi, avec les moyens financiers adéquats. Chacun pourrait disposer de ce capital, selon son expérience scolaire et ses propres choix. Il pourrait conserver une partie de ce capital, pour être en mesure, dans sa vie postscolaire, dans sa vie d'adulte, de bénéficier des possibilités de formation permanente. Il aurait également la possibilité d'augmenter son capital, en faisant des versements financiers – une sorte d'épargne-prévoyance consacrée à l'éducation – au crédit de son compte à la « banque du temps choisi ». La Commission, après un débat approfondi, a soutenu cette idée tout en étant consciente des dérives possibles, aux dépens même de l'égalité des chances. C'est pourquoi, dans l'état actuel des choses, on pourrait expérimenter l'octroi d'un crédit-temps pour l'éducation à la fin de la période de scolarité obligatoire, permettant ainsi à l'adolescent de choisir sa voie, sans hypothéquer son avenir.

Mais au total, s'il fallait, après l'étape essentielle constituée par la Conférence de Jomtien sur l'éducation de base, signaler une urgence, c'est l'enseignement secondaire qui devrait retenir notre attention. En effet, entre la sortie du cycle primaire et soit l'entrée dans la vie active, soit l'accès aux enseignements supérieurs, se joue le destin de millions de jeunes garçons et filles. C'est là où le bât blesse dans nos systèmes éducatifs soit par élitisme excessif, soit par non-maîtrise des phénomènes de massification, soit par inertie et absence de toute adaptabilité. Alors que ces jeunes sont confrontés aux problèmes de l'adolescence, qu'ils se sentent mûrs dans un certain sens, mais souffrent en réalité d'une absence de maturité, qu'ils sont plus anxieux qu'insouciants quant à leur avenir, l'important est de leur offrir des lieux d'apprentissage et de découverte, de leur fournir les outils d'une réflexion et d'une préparation de leur avenir, de diversifier les parcours en fonction de leurs capacités, mais aussi de faire en sorte que les perspectives ne soient pas bouchées, que le rattrapage ou la correction des parcours soient toujours possibles.

Étendre la coopération internationale dans le village-planète

La Commission a noté, dans les domaines politiques et économiques, le recours grandissant à des actions de niveau international pour tenter de trouver des solutions satisfaisantes aux problèmes qui revêtent une dimension mondiale, ne seraitce qu'en raison de ce phénomène d'interdépendance croissante, maintes fois souligné. Elle a également déploré le peu de résultats obtenus et la nécessité de réformer les institutions internationales, pour accroître l'efficacité de leurs interventions.

Cette analyse vaut, toutes choses étant égales par ailleurs, pour les domaines couverts par le social et par l'éducation. C'est à dessein qu'a été soulignée l'importance du Sommet de Copenhague, de mars 1995, consacré aux questions sociales. L'éducation tient une place de choix dans les orientations adoptées. Ce qui a conduit la Commission à formuler, dans ce contexte, quelques recommandations concernant :

– une politique fortement incitative en faveur de l'éducation des jeunes filles et des femmes, et ce dans le droit-fil de la Conférence de Beijing (septembre 1995) ;

– un pourcentage minimal de l'aide au développement (un quart du total) pour le financement de l'éducation ; cette inflexion en faveur de l'éducation devrait également valoir pour les institutions financières internationales, en premier lieu pour la Banque mondiale, qui joue déjà un rôle important ;

– le développement de « l'échange entre dette et éducation » *(debt-for-education swaps),* de manière à compenser les effets négatifs, sur les dépenses publiques à finalité éducative, des politiques d'ajustement et de réduction des déficits intérieurs et extérieurs ;

– la diffusion, en faveur de tous les pays, des nouvelles technologies dites de la société de l'information, afin d'éviter que ne se creuse un nouveau fossé entre pays riches et pays pauvres ;

– la mobilisation du potentiel remarquable offert par les organisations non gouvernementales et donc par les initiatives de base qui pourraient très utilement appuyer les actions de coopération internationale.

Ces quelques suggestions doivent s'inscrire dans une perspective de partenariat, et non pas d'assistance. L'expérience nous y incite, après tant d'échecs et de gaspillages. La mondialisation nous le commande. Certains exemples nous encouragent, comme la réussite des coopérations et échanges conduits au sein d'ensembles régionaux. C'est notamment le cas de l'Union européenne.

Le partenariat trouve aussi sa justification dans le fait qu'il peut conduire à un jeu à somme positive. Car si les pays industrialisés peuvent aider les pays en développement par l'apport de leurs expériences réussies, de leurs techniques, de leurs moyens financiers et matériels, ils peuvent aussi apprendre d'eux des modes de transmission de l'héritage culturel, des itinéraires de socialisation des enfants et plus fondamentalement des cultures et des modes d'être différents.

La Commission souhaite que l'UNESCO soit dotée, par les pays membres, des moyens lui permettant d'animer l'esprit et les actions du partenariat dans le cadre des orientations que la Commission soumet à la Conférence générale de l'UNESCO. L'Organisation le fera en diffusant les innovations réussies, en aidant à la constitution de réseaux appuyés par les initiatives de base des ONG, pouvant viser soit au développement d'un enseignement de qualité (chaires UNESCO), soit à stimuler les partenariats dans le domaine de la recherche.

Nous lui assignons aussi un rôle central dans le développement adéquat des nouvelles technologies de l'information au service d'une éducation de qualité.

Plus fondamentalement, l'UNESCO servira la paix et la compréhension mutuelle entre les hommes en valorisant l'éducation comme esprit de concorde, émergence d'un vouloir-vivre ensemble, comme militants de notre village-planète à penser et à organiser, pour le bien des générations à venir. C'est en cela qu'elle contribuera à une culture de la paix.

*

* *

Pour donner un titre à son rapport, la Commission a eu recours à La Fontaine et à l'une de ses fables « Le Laboureur et ses enfants » :

> *« Gardez-vous (dit le laboureur) de vendre l'héritage,*
> *Que nous ont laissé nos parents*
> *Un trésor est caché dedans. »*

L'éducation ou tout ce que l'Humanité a appris sur elle-même. En trahissant quelque peu le poète, qui faisait l'éloge du travail, on pourrait lui faire dire :

« Mais le père fut sage
De leur montrer avant sa mort
Que l'éducation est un trésor. »

Jacques Delors
Président de la Commission

(première partie)

Horizons

(chapitre 1)

De la communauté de base à la société mondiale

Il existe aujourd'hui une scène mondiale où se joue, qu'on le veuille ou non, une partie du sort de chacun. Imposée par l'ouverture des frontières économiques et financières sous la poussée des théories libre-échangistes, renforcée par la dislocation du bloc soviétique, instrumentalisée par les nouvelles technologies de l'information, l'interdépendance planétaire ne cesse de s'accentuer aux plans économique, scientifique, culturel et politique. Confusément ressentie par les individus, elle est devenue une réalité contraignante pour les dirigeants. La prise de conscience généralisée de cette « globalisation » des rapports internationaux est d'ailleurs en elle-même une dimension du phénomène. Et, malgré les promesses qu'elle recèle, l'émergence de ce monde nouveau, difficile à déchiffrer et encore plus à prévoir, crée un climat d'incertitude et même d'appréhension qui rend encore plus hésitante la recherche d'une approche réellement mondialiste des problèmes.

(Une planète de plus en plus peuplée)

Avant d'évoquer les diverses formes que revêt la globalisation des activités dans le monde contemporain, rappelons en quelques chiffres[1] l'extrême rapidité de la croissance démographique mondiale, qui est en quelque sorte la toile de fond de cette problématique. Malgré un léger déclin de l'indice de fécondité au cours des deux dernières décennies, la population du globe, en raison de sa croissance antérieure, n'a cessé d'augmenter : atteignant 5,57 milliards de personnes en 1993,

[1] État de la population mondiale - *1993. New York, FNUAP, 1993.*

elle devrait passer à 6,25 milliards en l'an 2000 et à 10 milliards en 2050.

Ce tableau global recouvre de grandes variations d'une région à l'autre. La part des pays en développement dans l'accroissement de la population mondiale est passée de 77 % en 1950 à 93 % en 1990 ; à la fin du siècle, elle se situera à 95 %. Dans les pays industrialisés, au contraire, la croissance démographique s'est ralentie, quand elle ne s'est pas totalement arrêtée, et la fécondité est égale ou inférieure au niveau de remplacement des générations. Dans ces pays à faible croissance, la proportion de personnes âgées de plus de soixante-cinq ans va monter en flèche, passant de 12 % en 1990 à 16 % en 2010 et 19 % en 2025, et le vieillissement de la population ne manquera pas de retentir sur ses modes et son niveau de vie comme sur le financement des dépenses collectives. Ailleurs, le nombre absolu de jeunes de moins de quinze ans a beaucoup augmenté, passant de 700 millions en 1950 à 1,7 milliard en 1990. D'où une pression sans précédent sur les systèmes éducatifs, sollicités jusqu'à l'extrême limite de leur capacité, et parfois bien au-delà. Aujourd'hui, plus d'un milliard de jeunes — c'est-à-dire près d'un cinquième de la

Évolution de la structure par âge de la population mondiale, 1980-2010

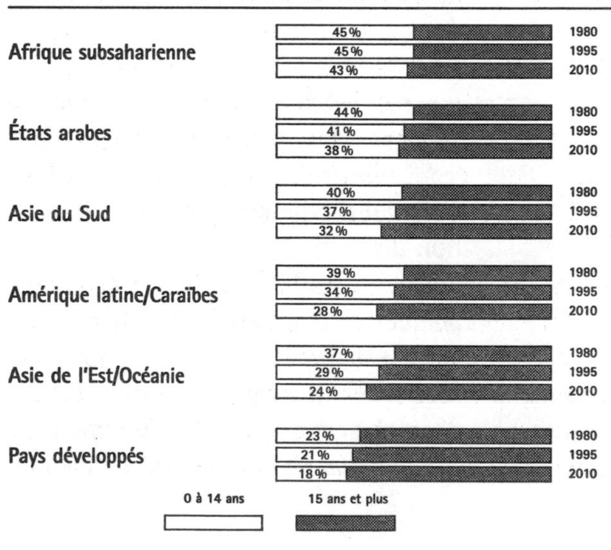

Données chiffrées recueillies par la Division des statistiques de l'UNESCO. Les régions correspondent à la nomenclature de l'UNESCO. Les pays de l'ex-URSS sont classés dans la catégorie des pays développés y compris ceux qui sont situés en Asie.

population mondiale – sont scolarisés ; en 1953, ils n'étaient encore qu'environ 300 millions[2].

Cette expansion de l'humanité, à un moment de l'histoire où la technologie restreint le temps et l'espace, place en rapport toujours plus étroit les multiples facettes de l'activité mondiale, ce qui confère, sans qu'on y prenne forcément garde, une portée planétaire à certaines décisions. Jamais leurs conséquences, bonnes ou mauvaises, n'auront touché un aussi grand nombre d'individus.

Vers une mondialisation des champs de l'activité humaine

Au cours des vingt-cinq dernières années, le phénomène de globalisation des activités est d'abord apparu dans l'ordre économique. La dérégulation et le décloisonnement des marchés financiers, accélérés par les progrès de l'informatique, ont donné très vite le sentiment que ces derniers ne constituaient plus des compartiments étanches au sein d'un vaste marché mondial des capitaux dominé par quelques grandes places. Toutes les économies sont alors devenues dépendantes des mouvements d'une masse de capitaux de plus en plus importante, transitant avec une extrême rapidité d'une place à une autre en fonction des différentiels de taux d'intérêt et des anticipations spéculatives. Obéissant à leur logique propre, qui accentue la concentration sur le court terme, ces marchés financiers globaux ne rendent plus seulement compte des contraintes de chaque économie réelle, mais semblent parfois dicter, par leur propre logique, leur loi aux politiques économiques nationales.

De proche en proche, les activités industrielles et commerciales ont été affectées par cette ouverture des frontières. Les marchés des changes diffusent immédiatement toutes les fluctuations monétaires vers les marchés de biens et de matières premières et, d'une manière générale, l'interdépendance conjoncturelle fait du monde entier la caisse de

[2] Rapport mondial sur l'éducation 1995, *Paris, UNESCO, 1995.*

résonance des crises industrielles des pays les plus développés. Quant aux stratégies des grandes entreprises, elles ont dû prendre en compte ces incertitudes et ces nouveaux types de risques.

Cette nouvelle donne a déprimé la conjoncture de certains pays industrialisés et, corrélativement, celle des pays en développement qui leur fournissent des matières premières. En même temps, l'expansion du commerce mondial a eu des effets bénéfiques pour nombre de pays. De 1970 à 1993, le rythme de croissance des exportations mondiales a été en moyenne supérieur de 1,5 point de pourcentage à celui de la croissance du produit intérieur brut (PIB). Pour certains pays, le décalage a été beaucoup plus marqué encore, surtout si l'on considère la période 1980-1993 : plus de 3 points pour la république de Corée ou plus de 7 points pour la Thaïlande. On peut en conclure que la croissance mondiale, notamment dans les pays où elle a été la plus forte, a été très largement tirée par les exportations. La part des exportations de biens et de services dans le PIB est passée, de 1970 à 1993, pour l'ensemble des économies, de 14 % à 21 %, et l'on relève des évolutions de 3 % à 24 % pour la Chine, de 13 % à 28 % pour l'Indonésie, ou de 42 % à 80 % pour la Malaisie[3]. Ces chiffres attestent bien la notion d'une interdépendance mondiale.

Simultanément, la globalisation a redessiné la carte économique du monde. De nouveaux pôles de dynamisme, ancrés dans le commerce mondial, sont apparus dans la zone du Pacifique. L'opposition entre pays du Nord et pays du Sud est devenue moins schématique puisque la plupart des observateurs estiment qu'il convient de classer aujourd'hui les pays en développement en plusieurs catégories différenciées, qui peuvent d'ailleurs varier selon qu'on retient comme critère de regroupement le PIB par habitant, le rythme de développement, ou encore les critères du développement humain durable établis par le PNUD. C'est dire, par exemple, que le problème de la place de l'Afrique subsaharienne dans l'économie mondiale ne peut plus être traité de la même façon que celui des pays de l'Amérique latine. En fin de compte, la globalisation, qui impose

[3] *Rapport sur le développement dans le monde 1995.* Le Monde du travail dans une économie sans frontières, *Washington D.C., Banque mondiale, 1995.*

à tous les pays de se créer des atouts spécifiques pour participer au développement des relations économiques mondiales, rend encore plus criante la séparation entre les gagnants et les perdants du développement.

Autre trait de la globalisation, la constitution de réseaux scientifiques et technologiques qui relient les centres de recherche et les grandes entreprises du monde entier tend à aggraver ces disparités. Entrent surtout dans le réseau ceux qui ont quelque chose à y apporter : information ou financement ; les acteurs des pays les plus pauvres (chercheurs ou entrepreneurs) risquent de s'en trouver exclus. Ainsi s'élargit l'écart des connaissances, qui engendre à son tour, pour ceux qui en sont privés, une dérive loin des pôles de dynamisme.

Enfin, menace plus aiguë, le phénomène de globalisation s'étend également aux activités criminelles. Des frontières plus perméables aux flux d'information et de monnaie facilitent les trafics clandestins tels que ceux de la drogue, des armes, du matériel nucléaire et même des personnes, la constitution de réseaux de terroristes et de malfaiteurs et l'extension des phénomènes de blanchiment de l'« argent sale ».

La communication universelle

Les nouvelles technologies ont fait entrer l'humanité dans l'ère de la communication universelle ; en abolissant la distance, elles concourent puissamment à façonner les sociétés de demain, qui ne répondront, à cause d'elles, à aucun modèle du passé. Les informations les plus précises et les plus actuelles peuvent être mises à la disposition de n'importe qui à la surface du globe, souvent en temps réel, et atteignent les régions les plus reculées. Bientôt, l'interactivité permettra non seulement d'émettre et de recevoir des informations, mais aussi de dialoguer, de discuter et de transmettre des informations et des connaissances sans limites de distance ou de temps opératoire. Il ne faut pas oublier cependant qu'une population défavorisée encore très nombreuse demeure exclue de cette évolution, notamment dans les régions dépourvues d'électricité. Rappelons aussi que plus de la moitié de la population mondiale n'a pas accès aux divers services qu'offre le réseau téléphonique.

Cette libre circulation mondiale des images et des paroles, qui préfigure le monde de demain jusque dans ce qu'il peut avoir de dérangeant, a transformé aussi bien les relations internationales que la compréhension du monde par les individus ; c'est l'un des grands accélérateurs de la mondialisation. Elle a toutefois des contreparties négatives. Les systèmes d'information sont encore relativement coûteux et d'accès difficile pour de nombreux pays. Leur maîtrise confère aux grandes puissances ou aux intérêts particuliers qui les détiennent un réel pouvoir culturel et politique, notamment sur les populations qu'aucune éducation appropriée n'a préparées à hiérarchiser, à interpréter et à critiquer les informations reçues. Le quasi-monopole des industries culturelles dont jouit un petit nombre de pays et la diffusion de leur production, dans le monde entier, auprès du public le plus large, constituent un puissant facteur d'érosion des spécificités culturelles. Bien qu'uniforme et trop souvent d'une grande pauvreté de contenu, cette fausse « culture mondiale » n'en est pas moins porteuse de normes implicites et peut induire, chez ceux qui en subissent l'impact, un sentiment de dépossession et de perte d'identité.

L'éducation a indubitablement un rôle important à jouer si l'on veut maîtriser l'essor des réseaux entrecroisés de la communication qui, en mettant le monde à l'écoute de lui-même, font véritablement de tous les hommes des voisins.

Les visages multiples de l'interdépendance planétaire

D'abord sensible au niveau de l'activité économique et technologique, l'imbrication mondiale des décisions et des actions publiques et privées gagne progressivement beaucoup d'autres champs de l'activité humaine. Ses conséquences sur l'environnement, par exemple, débordent largement les frontières – et l'on peut montrer que la distribution des effets négatifs de l'industrialisation est très inéquitable puisque ce sont souvent les pays les moins développés qui les subissent le plus.

D'autres manifestations de cette « globalisation » des problèmes ont, sur la vie des sociétés, un retentissement qui affecte directement les systèmes éducatifs. Il en est ainsi des migrations internationales. Remontant très loin dans l'histoire sous des formes très variables selon les époques et les régions, ces grands mouvements de population persistent dans l'ère moderne et iront vraisemblablement en s'intensifiant[4]. En effet, les pressions migratoires s'accentuent : loin de réduire les disparités entre les nations, la croissance inégale de l'économie mondiale les aggrave. Bien d'autres facteurs se conjuguent ici : la persistance d'une croissance démographique rapide dans une bonne partie du monde en développement ; la poursuite de l'exode rural, ou bien la marginalisation des espaces ruraux ; l'urbanisation accélérée ; l'attraction des modes de vie et parfois des valeurs des pays plus prospères entrevus à travers leurs médias ; des moyens de transport plus rapides et moins chers. Aux immigrants « économiques » viennent s'ajouter, quand éclatent des conflits, les réfugiés politiques et demandeurs d'asile qui, au cours des années 80 et 90, ont dominé les mouvements migratoires internationaux dans certaines régions du monde. En Afrique, par exemple, on compte aujourd'hui plus de cinq millions de réfugiés, en majorité des femmes et des enfants[5]. Processus social complexe par les transports et les brassages de populations qu'elles provoquent, processus économique d'importance mondiale au même titre que les échanges de matières premières ou de biens manufacturés, odyssée humaine souvent dramatique pour tous ceux qu'elles concernent, les migrations ont des répercussions beaucoup plus fortes que ne le suggèrent les statistiques sur les pays de départ comme sur les pays d'accueil, en particulier – pour ce qui est de ces derniers – dans le domaine éducatif. Parce que l'immigration constitue, au quotidien, une vivante métaphore de l'interdépendance planétaire, l'accueil réservé aux migrants par le pays qui les reçoit et leur propre capacité de s'intégrer à leur nouvel environnement humain sont autant de repères qui permettent de

[4] État de la population mondiale 1993, op. cit.

[5] *Pan-African Conference on the Education of Girls, Ouagadougou, Burkina-Faso, 28 mars-1er avril 1993,* Educating Girls and Women in Africa, *Paris, UNICEF / UNESCO, 1995. (UNESCO doc. ED. 95 / WS. 30.)*

Les différentes facettes des migrations

L'histoire est ponctuée de périodes au cours desquelles les migrations ont été une importante soupape de sécurité économique et sociale, en permettant à la main-d'œuvre de se déplacer là où elle était plus rare. Toutefois, le coût des voyages et les difficultés de déplacement ont généralement été des handicaps sérieux jusqu'à ce qu'une étape déterminante soit franchie au cours du XXe siècle avec la baisse du coût des transports. On a alors assisté à une augmentation nette de la mobilité de la main-d'œuvre, malgré la montée de l'État-nation, qui s'est accompagnée d'un renforcement des mesures de contrôle des migrations. Les mouvements migratoires concernent aujourd'hui un nombre croissant de pays, tant d'origine que d'accueil – au moins 125 millions de personnes vivent en ce moment hors de leur pays d'origine. De plus en plus, les migrants viennent de pays pauvres, et leur séjour dans les pays d'accueil a tendance à se raccourcir. Les travailleurs hautement qualifiés sont aussi de plus en plus nombreux à s'expatrier. Enfin, on a enregistré une nette augmentation du nombre de réfugiés, conséquence des conflits régionaux et de l'éclatement du clivage Est-Ouest.

Plus de la moitié des mouvements migratoires mondiaux s'effectue maintenant entre les pays en développement – c'est ainsi, par exemple, que des ressortissants des pays d'Asie du Sud se rendent dans les pays pétroliers du Moyen-Orient et dans les pays nouvellement industrialisés d'Asie de l'Est, et que les pays d'Afrique subsaharienne ayant relativement bien réussi attirent les travailleurs des pays voisins plus pauvres. L'Afrique du Sud, la Côte-d'Ivoire et le Nigeria ont accueilli environ la moitié des nombreux migrants africains.

[...]Plus récemment, on a enregistré une hausse de la demande de travailleurs temporaires dans les

mesurer le degré d'ouverture d'une société moderne à ce qui lui est « étranger ».

Autre volet de la problématique de l'avenir : la multiplicité des langues, expression de la diversité culturelle de l'humanité. On estime qu'il existe 6 000 langues dans le monde, une douzaine seulement étant parlées par plus de 100 millions de personnes. Les mouvements de population qui se sont accélérés au cours des dernières années ont créé, surtout dans les grandes agglomérations urbaines, des situations linguistiques nouvelles qui accentuent cette diversité. D'autre part, les langues véhiculaires, c'est-à-dire celles qui, sur le plan intranational ou international, permettent à des locuteurs de langues différentes de communiquer, prennent une importance croissante du fait de la plus grande mobilité des populations et du développement des médias. La complexité des situations linguistiques de chaque pays rend très difficile toute recommandation qui s'appliquerait en toutes circonstances, mais il est certain que l'apprentissage de

économies florissantes d'Asie, plus particulièrement en république de Corée, au Japon et en Malaisie. La crainte de migrations massives à la suite de la dissolution de l'Union soviétique ne s'est pas matérialisée, ni au sein de la région ni en direction de l'Ouest.
Le mouvement migratoire vers les pays industriels s'est intensifié, et la majorité des migrants vient aujourd'hui des pays en développement. En Australie, au Canada et aux États-Unis, les flux en provenance des pays en développement ont augmenté lentement, atteignant environ 900 000 personnes par an en 1993. En Europe de l'Ouest, c'est pendant la période de forte expansion des années 60 qu'on a commencé à recruter sur une grande échelle. Après le choc pétrolier de 1973 et la récession qui s'ensuivit, les travailleurs étrangers ont été incités à rentrer chez eux. Peu après le creux du début des années 80, la population étrangère a de nouveau augmenté pour atteindre 180 000 personnes par an. Contrairement à celui des années 60, ce second accès de croissance intervient dans un contexte de hausse du chômage qui attise les tensions sociales et alimente la xénophobie — tant aux États-Unis que dans toute l'Europe.
Source : *Rapport sur le développement dans le monde 1995,* Le Monde du travail dans une économie sans frontières, op. cit., *p. 75-76.*

langues de grande diffusion doit aller de pair avec celui de langues locales, dans le cadre de programmes scolaires bilingues, voire trilingues. Ceux-ci sont d'ores et déjà la norme dans certaines régions du monde. Dans les situations de multilinguisme, l'alphabétisation dans la langue maternelle, lorsqu'elle est possible, est souvent considérée comme souhaitable pour le développement scolaire de l'enfant, et une transition graduelle vers une langue véhiculaire peut être ménagée par la suite.

D'une manière générale, la diversité linguistique ne saurait être considérée uniquement comme un obstacle à la communication entre les différents groupes humains, mais plutôt comme une source d'enrichissement, ce qui plaide pour le renforcement de l'enseignement des langues. Les exigences de la globalisation et de l'identité culturelle ne doivent pas être considérées comme contradictoires, mais complémentaires.

Un monde multirisque

L'effondrement en 1989 de l'Empire soviétique a tourné une page de l'histoire mais, paradoxalement, la fin de la guerre froide qui avait marqué les décennies précédentes a débouché sur un monde plus complexe et incertain, et sans doute plus dangereux. Peut-être celle-ci masquait-elle depuis longtemps des tensions latentes – entre nations, entre ethnies, entre communautés religieuses – qui, ressurgissant, constituent autant de ferments d'agitation, ou de causes de conflits ouverts. L'entrée dans ce monde « multirisque », ou ressenti comme tel, et dont bien des éléments demeurent encore indéchiffrables, est une des caractéristiques de la fin du XXe siècle, qui perturbe et sollicite profondément la conscience mondiale.

Certes, on est en droit de voir dans l'échec de certains totalitarismes une avancée de la liberté et de la démocratie. Mais beaucoup de chemin reste encore à faire, et la révélation de la multiplicité des risques qui pèsent sur l'avenir du monde confronte l'observateur à de nombreux paradoxes : le pouvoir totalitaire se révèle fragile mais ses effets persistent ; on assiste à la fois au déclin de l'État national et à la montée des nationalismes ; la paix semble moins impossible que pendant la guerre froide , mais la guerre moins improbable aussi[6].

L'incertitude quant au destin commun de l'humanité prend une forme nouvelle et plurielle. L'accumulation des armes, y compris nucléaires, n'a plus la même signification simple de la dissuasion, conçue comme une assurance contre le risque d'une guerre entre deux blocs ; elle procède d'une compétition généralisée pour la détention des armes les plus performantes[7].

Or cette course aux armements ne concerne plus seulement quelques États ; elle implique des entités non institutionnelles telles que des groupements politiques, des groupes terroristes. Même s'il résout le problème de la non-prolifération des essais nucléaires, le monde n'est pas à l'abri de nouvelles armes chimiques ou biologiques très performantes. Au risque de conflits entre les nations se superpose donc celui de guerres civiles et d'une violence diffuse qui laissent démunies les grandes organisations mondiales, et notamment l'ONU, ainsi que les chancelleries.

Au-delà de l'incertitude sur leur sort futur, partagée par tous les habitants de la planète, dont aucun n'est à l'abri de la violence, l'impression générale est ambiguë : jamais auparavant le

[6] *Voir Pierre Hassner :* La Violence et la paix. *Paris, Éditions Esprit, 1995.*

[7] Our Global Neighbourhood, *The Report of the Commission on Global Governance, Oxford, Oxford University Press 1995, p. 13* (Notre voisinage global, La vision de base, *résumé du rapport de la Commission de gouvernance globale, Genève, 1995).*

sentiment d'être solidaire n'a été aussi vif ; mais en même temps, jamais les occasions de division et de conflit n'ont été aussi nombreuses.

La crainte de ces risques, même si elle est universellement partagée, notamment à cause de la large diffusion des informations sur les effets de la violence, n'est pas aussi intense pour ceux qui profitent de cette évolution que pour ceux qui n'en connaissent que les inconvénients. Chacun sent bien que, bousculé par ces changements rapides, il lui faut se garantir contre ces risques ou au moins les gérer afin de les minimiser. Mais certains, pour des raisons économiques ou politiques, sont impuissants à maîtriser ces phénomènes. Le danger pour l'ensemble de la planète est alors qu'ils deviennent les otages, puis éventuellement les mercenaires de ceux qui veulent obtenir le pouvoir par la violence.

Le local et le global

Le malaise qu'engendre le manque de lisibilité de l'avenir se conjugue avec une conscience toujours plus aiguë de l'ampleur des disparités existant à la surface du globe et des tensions multiples qui en résultent entre le « local » et le « global ».

Le développement des interdépendances a contribué à mettre en lumière de multiples déséquilibres : déséquilibre entre pays riches et pays pauvres ; fracture sociale entre nantis et exclus à l'intérieur de chaque pays ; utilisation inconsidérée des ressources naturelles, qui conduit à une dégradation accélérée de l'environnement. Les inégalités de développement se sont parfois aggravées, ainsi que le soulignent la plupart des rapports internationaux, et l'on observe une véritable dérive des pays les plus pauvres. Ces inégalités criantes sont perçues chaque jour plus fortement avec l'extension des moyens d'information et de communication. Le reflet souvent complaisant qu'offrent les médias des modes de vie et de consommation des nantis suscite alors chez les plus démunis des sentiments de rancœur et de frustration, parfois d'hostilité et de rejet. Quant aux pays riches, ils peuvent de moins en moins se dissimuler l'exigence impérieuse d'une solidarité internationale active pour garantir l'avenir commun par l'édification progressive d'un monde plus juste.

D'autre part, la mutation rapide des sociétés humaines à laquelle nous assistons, à la charnière de deux siècles, opère à double sens : vers la mondialisation, comme nous l'avons vu, mais aussi vers la recherche de multiples enracinements particuliers. Aussi crée-t-elle, pour ceux qui la vivent ou qui doivent tenter de la piloter, tout un faisceau de tensions contradictoires, dans un contexte de bouleversement.

Sollicité par une modernité globale à laquelle il n'a souvent pas les moyens de participer réellement, et qui peut contrarier en partie son appartenance personnelle à diverses communautés de base, l'individu est saisi d'une sorte d'étourdissement devant la complexité du monde moderne, qui brouille ses repères habituels. Bien des facteurs viennent renforcer cette impression de vertige : la peur des catastrophes ou des conflits qui pourraient porter atteinte à son intégrité, un sentiment de vulnérabilité devant des phénomènes tels que le chômage dû au changement des structures de l'emploi, ou d'impuissance plus générale devant une mondialisation à laquelle une minorité de privilégiés seulement semble pouvoir participer. Ébranlé par ces remises en cause des bases de son existence, l'homme contemporain risque de percevoir comme autant de menaces les évolutions qui se situent au-delà des frontières de son groupe d'appartenance immédiat et être tenté, non sans quelque paradoxe, par la sécurité illusoire du repli sur soi, avec le rejet de l'autre qu'elle peut parfois entraîner.

C'est à une perplexité différente, mais d'origine identique, que sont en proie les dirigeants à qui incombent des décisions cruciales, alors que les structures d'organisation des États-nations sont, en quelque sorte, tirées vers le haut par les impératifs de la globalisation, et en sens inverse par les exigences des communautés de base. Désarmés par la succession rapide d'événements qui semblent souvent devancer ou déjouer l'analyse, privés par le manque de recul de critères d'action fiables, les décideurs politiques semblent parfois osciller entre des positions contradictoires pour justifier des revirements qui trahissent en fait leur désarroi.

Que ce soit pour les pouvoirs publics, la société ou les individus, la difficulté est, en dernière analyse, de parvenir à surmonter les tensions de sens opposés qui sont aujourd'hui au cœur de bien des activités humaines.

(Comprendre le monde, comprendre l'autre)

Aider à transformer une interdépendance de fait en une solidarité voulue correspond à l'une des tâches essentielles de l'éducation. Elle doit, à cette fin, mettre chaque individu en mesure de se comprendre lui-même et de comprendre l'autre à travers une meilleure connaissance du monde.

Pour que chacun puisse saisir la complexité grandissante des phénomènes mondiaux et dominer le sentiment d'incertitude qu'elle suscite, il lui faut d'abord acquérir un ensemble de connaissances, puis apprendre à relativiser les faits et à faire preuve de sens critique face au flux des informations. L'éducation manifeste ici, plus que jamais, son caractère irremplaçable dans la formation du jugement. Elle favorise une compréhension véritable des événements, au-delà de la vision simplificatrice ou déformée qu'en donnent parfois les médias, et devrait idéalement aider chacun à devenir un peu citoyen de ce monde turbulent et mutant qui est en train de naître sous nos yeux.

La compréhension de ce monde passe évidemment par celle des rapports qui unissent l'être humain à son environnement. Il ne s'agit pas de rajouter une discipline nouvelle à des programmes scolaires déjà surchargés, mais de réorganiser les enseignements autour d'une vision d'ensemble des liens qui unissent les hommes et les femmes avec leur milieu, et en faisant appel conjointement aux sciences de la nature et aux sciences sociales. De telles formations pourraient aussi être offertes, dans la perspective d'une éducation prolongée tout au long de la vie, à tous les citoyens.

L'exigence d'une solidarité à l'échelle planétaire suppose, d'autre part, que soient dépassées les tendances au repli identitaire, au profit d'une compréhension des autres fondée sur le respect de la diversité. La responsabilité de l'éducation à cet égard est à la fois essentielle et délicate, dans la mesure où la notion d'identité se prête à une double lecture : affirmer sa différence, retrouver les fondements de sa culture, renforcer la solidarité du groupe, peuvent constituer pour tout individu une démarche positive et libératrice ; mais, mal compris, ce type de revendication contribue également à rendre difficiles, voire impossibles, la rencontre et le dialogue avec l'autre.

L'éducation doit dès lors s'attacher à la fois à rendre l'individu conscient de ses racines, afin qu'il puisse disposer de repères lui permettant de se situer dans le monde, et à lui apprendre le respect des autres cultures. Un certain nombre d'enseignements revêtent une importance fondamentale à cet égard. Celui de l'histoire, par exemple, a souvent servi à conforter les identités nationales en mettant en exergue les différences et en exaltant un sentiment de supériorité, essentiellement parce qu'il était conçu dans une perspective extra-scientifique. Au contraire, l'exigence de vérité, qui conduit à reconnaître que « les groupes humains, les peuples, les nations, les continents, ne sont pas tous semblables », par ce simple fait « nous oblige à porter notre regard au-delà de l'expérience immédiate, à accepter la différence, à la reconnaître, et à découvrir que les autre peuples ont une histoire qui, elle aussi, est riche et instructive[8] ». La connaissance des autres cultures conduit alors à une double prise de conscience : celle de la singularité de sa propre culture, mais aussi celle de l'existence d'un patrimoine commun à l'ensemble de l'humanité.

Comprendre les autres permet ainsi de mieux se connaître soi-même. Toute forme d'identité est en effet complexe, chaque individu se définissant par rapport à l'autre, aux autres et à plusieurs groupes d'appartenance, selon des modalités dynamiques. La découverte de la multiplicité de ces appartenances, au-delà des groupes plus ou moins restreints que constituent la famille, la communauté locale, voire la communauté nationale, conduit

[8] René Rémond, audition devant la Commision, le 6 février 1995.

à la recherche de valeurs communes propres à fonder la « solidarité intellectuelle et morale de l'humanité » que proclame l'Acte constitutif de l'UNESCO.

L'éducation a donc une responsabilité particulière à exercer dans l'édification d'un monde plus solidaire, et la Commission estime que les politiques de l'éducation doivent la traduire avec force. C'est en quelque sorte un nouvel humanisme qu'elle doit aider à faire naître, avec une composante éthique essentielle et une large place faite à la connaissance et au respect des cultures et des valeurs spirituelles des différentes civilisations, contrepoids nécessaire à une globalisation qui ne serait perçue que sous ses aspects économistes ou technicistes. Le sentiment de partager des valeurs et un destin communs constitue en définitive le fondement de tout projet de coopération internationale.

Les jeunes et le patrimoine mondial

Afin de sensibiliser les jeunes à la nécessité de sauvegarder le patrimoine mondial naturel et culturel, gravement menacé par la pollution, les pressions démographiques, les guerres et la pauvreté, l'UNESCO a lancé en 1994, avec le soutien financier de la Fondation Rhône-Poulenc et du NORAD, le projet interrégional intitulé « Participation des jeunes à la préservation et à la promotion du patrimoine mondial ». Il s'agit de leur faire prendre conscience de la valeur de leur propre culture et de leur propre histoire, de les amener à découvrir et à respecter d'autres cultures, et à se sentir ainsi collectivement responsables, à l'avenir, du patrimoine de l'humanité.

Les enseignants et les élèves, d'environ cinquante pays différents, qui participent au projet, se sont familiarisés avec l'esprit et avec les incidences pratiques de la Convention internationale pour la protection du patrimoine mondial, culturel et naturel. Adoptée en 1972, cette Convention s'applique aujourd'hui à 469 sites culturels et naturels exceptionnels, comme la Grande Muraille de Chine, les pyramides d'Égypte, ou les îles Galapagos, dans plus d'une centaine de pays.

Après s'être documentés sur les sites de leur propre pays ou d'ailleurs dans le cadre de différentes disciplines, comme l'histoire, la géographie ou les langues, les élèves se sont rendus sur place pour les visiter ou ont organisé des campagnes d'information à leur sujet. Certaines classes se sont initiées à des techniques artisanales traditionnelles, qui sont indispensables pour la restauration. Les élèves et les enseignants ont pu échanger des informations à partir de cette expérience lors du premier Forum international des jeunes sur le patrimoine mondial, qui s'est tenu à Bergen (Norvège) en juin 1995. L'objectif final du projet est de parvenir à intégrer l'éducation relative au patrimoine dans les programmes scolaires partout dans le monde.

Pistes et recommandations

▶ *L'interdépendance planétaire et la globalisation sont des phénomènes majeurs de notre temps. Elles sont d'ores et déjà à l'œuvre et marqueront le XXIe siècle de leur forte empreinte. Elles appellent dès maintenant une réflexion d'ensemble – dépassant très largement les champs de l'éducation et de la culture – sur les rôles et structures des organisations internationales.*

▶ *Le risque majeur est de voir se créer une rupture entre une minorité apte à se mouvoir dans ce monde nouveau en voie de se faire et une majorité qui se sentirait ballottée par les événements, impuissante à peser sur le destin collectif, avec les risques d'un recul démocratique et de multiples révoltes.*

▶ *L'utopie directrice qui doit nous guider est de faire converger le monde vers plus de compréhension mutuelle, plus de sens de la responsabilité et plus de solidarité, dans l'acceptation de nos différences spirituelles et culturelles. L'éducation, en permettant l'accès de tous à la connaissance, a un rôle bien précis à jouer dans l'accomplissement de cette tâche universelle : aider à comprendre le monde et à comprendre l'autre, afin de mieux se comprendre soi-même.*

(chapitre 2)

De la cohésion sociale à la participation démocratique

Toute société humaine tire sa cohésion d'un ensemble d'activités et de projets communs, mais aussi de valeurs partagées, qui constituent autant d'aspects du vouloir-vivre ensemble. Au cours du temps, ces liens matériels et spirituels s'enrichissent et deviennent, dans la mémoire individuelle et collective, un héritage culturel, au sens large du terme, qui fonde le sentiment d'appartenance et de solidarité.

Partout dans le monde, l'éducation, sous ses diverses formes, a pour mission de tisser entre les individus des liens sociaux procédant de références communes. Les moyens employés épousent la diversité des cultures et des circonstances mais, dans tous les cas, l'éducation a pour visée essentielle l'épanouissement de l'être humain dans sa dimension sociale. Elle se définit comme véhicule des cultures et des valeurs, comme construction d'un espace de socialisation et comme creuset d'un projet commun.

Aujourd'hui, ces différents modes de socialisation sont fortement mis à l'épreuve, dans des sociétés elles-mêmes menacées par la désorganisation et la rupture du lien social. Les systèmes éducatifs se trouvent dès lors soumis à un ensemble de tensions, dans la mesure où il s'agit notamment de respecter la diversité des individus et des groupes humains tout en maintenant le principe d'homogénéité qu'implique la nécessité d'observer des règles communes. L'éducation doit faire face, à cet égard, à des défis considérables et se trouve prise dans une contradiction qui semble presque insurmontable : alors qu'elle est accusée d'être à l'origine d'exclusions multiples et d'aggraver les déchirures du tissu social, on fait largement appel à elle pour tenter de restaurer certaines de ces « similitudes essentielles à la vie collective» qu'évoquait le sociologue français Émile Durkheim au début de ce siècle.

Confrontée à la crise du lien social, l'éducation doit ainsi assumer la tâche difficile qui consiste à faire de la diversité un facteur positif de compréhension mutuelle entre les individus et les groupes humains. Son ambition la plus haute devient alors de donner à chacun les moyens d'une citoyenneté consciente et active, qui ne peut se réaliser pleinement que dans le cadre de sociétés démocratiques.

L'éducation à l'épreuve de la crise du lien social

De tout temps, les sociétés humaines ont été traversées par des conflits susceptibles, dans les cas extrêmes, de mettre en danger leur cohésion. On ne peut cependant manquer de relever aujourd'hui, dans la plupart des pays du monde, tout un ensemble de phénomènes qui apparaissent comme autant d'indices d'une crise aiguë du lien social.

Une première constatation concerne l'aggravation des inégalités, liée à la montée des phénomènes de pauvreté et d'exclusion. Il ne s'agit pas seulement des disparités, déjà mentionnées, qui existent entre les nations ou entre les régions du monde, mais bien de fractures profondes entre les groupes sociaux, tant à l'intérieur des pays développés qu'à l'intérieur des pays en développement. Le Sommet mondial pour le développement social, qui s'est tenu à Copenhague du 6 au 12 mars 1995, a ainsi dressé un tableau alarmant de la situation sociale actuelle, en rappelant en particulier que «plus d'un milliard d'êtres humains dans le monde vivent dans une pauvreté abjecte, la plupart souffrant chaque jour de la faim», et que «plus de 120 millions de personnes dans le monde sont officiellement au chômage et beaucoup plus encore sont sous-employées».

Si, dans les pays en développement, la croissance de la population compromet la possibilité d'une élévation des niveaux de vie, d'autres phénomènes viennent accentuer le sentiment d'une crise sociale atteignant la plupart des pays du monde. Le déracinement lié aux migrations ou à l'exode rural, l'éclatement des familles, l'urbanisation désordonnée, la rupture des solidarités traditionnelles de proximité, livrent beaucoup de groupes et d'individus à l'isolement et à la marginalisation, aussi bien dans les pays développés que dans les pays en développement. La crise sociale que connaît le monde actuel se conjugue avec une crise morale et s'accompagne du développement de la violence et de la criminalité. La rupture des liens de proximité se manifeste par l'augmentation dramatique du nombre des conflits interethniques, qui semble être l'un des traits caractéristiques de la fin du XXe siècle.

D'une façon générale, les valeurs intégratrices se trouvent, sous des formes diverses, remises en cause. Ce qui semble particulièrement grave, c'est que cette remise en cause s'étend à deux concepts, celui de nation et celui de démocratie, que l'on peut considérer comme les fondements de la cohésion des sociétés modernes. L'État-nation, tel qu'il s'est défini en Europe au cours du XIXe siècle, ne constitue plus, dans certains cas, le seul cadre de référence, et d'autres formes d'appartenance plus proches des individus, dans la mesure où elles se situent à une échelle plus réduite, tendent à se développer. De façon inverse, mais sans doute complémentaire, des régions entières du monde s'acheminent vers de vastes regroupements transnationaux qui esquissent de nouveaux espaces d'identification, même s'ils sont encore souvent limités à l'activité économique.

Dans certaines nations, au contraire, des forces centrifuges distendent ou font éclater les rapports habituels entre les collectivités et les individus. Dans les pays de l'ex-URSS, par exemple, la faillite du système soviétique s'est accompagnée d'une fragmentation des territoires nationaux. Enfin, l'association de l'idée d'État-nation à celle d'une forte centralisation étatique peut expliquer la montée à son endroit d'un préjugé défavorable qu'exacerbent le besoin de participation de la société civile et la revendication d'une plus grande décentralisation.

Le concept de démocratie fait, quant à lui, l'objet d'une remise en question qui semble paradoxale. En effet, dans la mesure où il correspond à un système politique qui cherche à assurer, par le biais du contrat social, la compatibilité entre les libertés individuelles et une organisation commune de la société, il gagne incontestablement du terrain et répond pleinement à une revendication d'autonomie individuelle qui se répand dans le monde entier. Cependant, son application – sous la forme de la démocratie représentative – se heurte dans le même temps à tout un ensemble de difficultés dans les pays qui en furent les promoteurs. Le système de représentation politique et le modèle d'exercice du pouvoir qui la caractérisent sont parfois en crise : la distance qui se creuse entre gouvernants et gouvernés, l'émergence excessive de réactions émotionnelles et sans lendemain sous l'impact des médias, la « politique-spectacle » rendue possible par la médiatisation des débats, voire l'image de corruption du monde politique font courir à certains pays le risque d'un « gouvernement des juges » et d'une désaffection croissante des citoyens pour la chose publique. Par ailleurs, de nombreux pays connaissent également une crise des politiques sociales, qui sape les fondements mêmes d'un régime de solidarité qui avait paru pouvoir réconcilier démocratiquement l'économique, le politique et le social, sous l'égide de l'État-providence.

L'idéal démocratique est donc en quelque sorte à réinventer, ou du moins à revivifier. Il doit en tout état de cause demeurer au premier rang de nos priorités, car il n'y a pas d'autre mode d'organisation de l'ensemble politique comme de la société civile qui puisse prétendre se substituer à la démocratie tout en permettant de mener à bien une action commune pour la liberté, la paix, le pluralisme authentiquement vécu et la justice sociale. La perception des difficultés présentes ne doit en aucun cas conduire au découragement, ni constituer un alibi pour s'écarter du chemin qui mène à la démocratie. Il s'agit d'une création continue, qui appelle l'apport de chacun. Cet apport sera d'autant plus positif que l'éducation aura nourri chez tous à la fois l'idéal et la pratique de la démocratie.

Ce qui est en cause, c'est bien, en effet, la capacité pour chacun de se conduire en véritable citoyen, conscient des enjeux collectifs et soucieux de participer à la vie démocratique. Il s'agit d'un défi pour le politique, mais aussi pour le système éducatif, dont il convient dès lors de définir le rôle dans la dynamique sociale.

L'éducation et la lutte contre les exclusions

L'éducation peut être un facteur de cohésion si elle s'efforce de prendre en compte la diversité des individus et des groupes humains tout en évitant d'être elle-même un facteur d'exclusion sociale.

Le respect de la diversité et de la spécificité des individus constitue en effet un principe fondamental, qui doit conduire à proscrire toute forme d'enseignement standardisé. Les systèmes éducatifs formels sont souvent accusés à juste titre de limiter l'épanouissement personnel en imposant à tous les enfants le même moule culturel et intellectuel, sans tenir suffisamment compte de la diversité des talents individuels. Ils tendent de plus en plus, par exemple, à privilégier le développement de la connaissance abstraite au détriment d'autres qualités humaines comme l'imagination, l'aptitude à communiquer, le goût de l'animation du travail en équipe, le sens de la beauté ou de la dimension spirituelle, ou l'habileté manuelle. Selon leurs aptitudes et leurs goûts naturels, qui sont divers dès leur naissance, les enfants ne tirent donc pas le même bénéfice des ressources éducatives collectives. Ils peuvent même se trouver en situation d'échec du fait de l'inadaptation de l'école à leurs talents et à leurs aspirations.

Au-delà de la multiplicité des talents individuels, l'éducation se trouve confrontée à la richesse des expressions culturelles de chacun des groupes qui composent une société, et la Commission a fait du respect du pluralisme l'un des principes fondamentaux de sa réflexion. Même si les situations diffèrent largement d'un pays à l'autre, la plupart des pays se caractérisent en effet par la multiplicité de leurs racines culturelles et linguistiques. Dans les pays autrefois colonisés, comme ceux de l'Afrique subsaharienne, la langue et le modèle éducatif de l'ancienne métropole ont été superposés à une culture et à un ou plusieurs types d'éducation traditionnels. La recherche d'une éducation qui fonde leur identité propre, par-delà le modèle ancestral et celui qu'ont apporté les colonisateurs, se manifeste en particulier par l'utilisation accrue des langues locales dans l'enseignement. La question du pluralisme culturel et linguistique se pose également dans le cas des populations autochtones ou dans celui des groupes migrants, pour lesquels il s'agit de trouver un équilibre entre le souci d'une intégration réussie et l'enracinement dans la culture d'origine. Toute politique d'éducation doit dès lors être en mesure de relever un défi essentiel, qui consiste à faire de cette revendication légitime un facteur de cohésion sociale. Il importe en particulier de permettre à chacun de se situer au sein de sa communauté d'appartenance principale, le plus souvent sur le plan local, tout en lui fournissant les moyens d'une ouverture sur les autres communautés. En ce sens, il importe de promouvoir une éducation interculturelle qui soit véritablement un facteur de cohésion et de paix.

Encore est-il nécessaire que les systèmes éducatifs ne conduisent pas eux-mêmes à des situations d'exclusion. Le principe d'émulation, propice dans certains cas au développement intellectuel, peut en effet être perverti et se traduire par une pratique excessive de sélection par les résultats scolaires. Dès lors, l'échec scolaire apparaît comme irréversible et engendre fréquemment la marginalisation et l'exclusion sociales. Beaucoup de pays, surtout parmi les pays développés, souffrent actuellement d'un phénomène très déroutant pour les politiques éducatives : l'allongement de la scolarité a, paradoxalement, plutôt aggravé qu'amélioré la situation des jeunes les plus défavorisés socialement et/ou en situation d'échec scolaire. Même dans les pays où les dépenses d'éducation sont parmi les plus fortes du monde, l'échec et le « décrochage » scolaires affectent une proportion importante des élèves. Ils provoquent une coupure entre deux catégories de jeunes, qui apparaît d'autant plus grave qu'elle se prolonge dans le monde du travail. Les non-diplômés se présentent à l'embauche des entreprises avec un handicap presque insurmontable. Certains d'entre eux, considérés par les entreprises comme « inemployables », se trouvent définitivement exclus du monde du travail et privés de toute possibilité d'insertion sociale. Générateur d'exclusion, l'échec scolaire est alors dans bien des cas à l'origine de certaines formes de violence ou de dérives individuelles. Ces processus qui déchirent le tissu social font que l'école est tout à la fois dénoncée comme facteur d'exclusion sociale et fortement sollicitée comme institution clé d'intégration ou de réintégration. Les problèmes qu'ils posent aux politiques éducatives sont particulièrement difficiles : la lutte contre l'échec scolaire doit dès lors être considérée comme un impératif social, et la Commission formulera quelques propositions à cet égard dans le chapitre 6.

Éducation et dynamique sociale : quelques principes d'action

Pour rendre à l'éducation sa place centrale dans la dynamique sociale, il convient en premier lieu de sauvegarder sa fonction de creuset, en combattant toutes les formes d'exclusion. On s'efforcera donc d'amener ou de ramener vers le système éducatif ceux qui en sont tenus éloignés, ou qui s'en sont détournés parce que l'enseignement dispensé est inadapté à leur cas. Cela suppose notamment d'associer les parents à la définition du parcours scolaire de leurs enfants, et d'assister les familles les plus pauvres pour qu'elles ne considèrent pas la scolarisation de leurs enfants comme un coût d'opportunité insurmontable.

L'enseignement devra aussi être personnalisé : il s'efforcera de valoriser l'originalité, en ouvrant des options d'initiation à des disciplines, activités ou arts les plus divers possibles et en confiant cette initiation à des spécialistes qui puissent communiquer leur enthousiasme et expliquer leurs propres choix de vie.

Coopération entre la communauté et l'école dans East Harlem : une initiative couronnée de succès

La participation de la communauté est un aspect fondamental du fonctionnement des Central Park East Schools de New York. Ces écoles, qui sont implantées dans East Harlem et accueillent principalement des élèves d'origine hispanique ou afro-américaine issus de familles modestes, ont été créées dans les années 70 par un groupe de maîtres de l'enseignement primaire dévoués qui estimaient que la participation des familles, des membres de la communauté et des organisations communautaires constitue un facteur important de la qualité de l'enseignement.

Ces enseignants ont alors élaboré et appliqué un programme d'études interdisciplinaire soigneusement adapté au contexte culturel et tenant compte des réalités de la politique locale, nationale et internationale. Articulé autour d'un certain nombre de thèmes et de projets, ce programme se veut à la fois souple et dynamique. Il comporte l'intervention de représentants de la communauté, de syndicalistes, de chercheurs, de conseillers, et d'artistes et de poètes, qui viennent résider un certain temps dans les écoles pour aider les élèves à jeter un regard différent sur le monde et à le comprendre selon de multiples points de vue. Les élèves ont en outre l'occasion de mettre en pratique ce qu'ils ont appris : une matinée par semaine, ils travaillent au sein de la collectivité, où ils font le plus souvent un stage dans un organisme communautaire.

Les parents, auxquels les portes de l'école sont toujours ouvertes, sont tenus de s'entretenir deux fois par an avec le maître en présence de leur enfant. Ils ont également voix au chapitre pour toutes les décisions prises au sein de l'établissement.

Pour créer des modalités de reconnaissance des aptitudes et connaissances tacites, et donc de reconnaissance sociale, il convient autant que possible de diversifier les systèmes d'enseignement et d'impliquer les familles et des acteurs sociaux divers dans des partenariats éducatifs.

Il importe, d'autre part, d'assumer la diversité et la pluri-appartenance comme une richesse. L'*éducation au pluralisme* est non seulement un garde-fou contre les violences, mais un principe actif d'enrichissement culturel et civique des sociétés contemporaines. Entre l'universalisme abstrait et réducteur et le relativisme pour lequel il n'est pas d'exigence supérieure au-delà de l'horizon de chaque culture particulière[1], il convient d'affirmer à la fois le droit à la différence et l'ouverture sur l'universel.

Définir une éducation adaptée aux différents groupes minoritaires apparaît dans ce contexte comme une priorité. La finalité de cette éducation doit consister à permettre aux différentes minorités de prendre en charge leur propre destin. Au-delà de

À une époque où des circonscriptions scolaires comme celles de New York enregistrent des taux d'abandon de 30 ou 40 % parmi les élèves appartenant à des minorités, les résultats des Central Park East Schools se sont révélés extrêmement positifs. La totalité des élèves sortis de ces écoles primaires ont mené leurs études secondaires à bon terme, et la moitié ont entrepris ensuite des études supérieures.
Sources : *M. Fine,* Framing Dropouts. *New York, State University of New York Press, 1990.*
D. Meier, Central Park East : « An alternative story », Phi-Delta-Kappan, *vol. 68, n° 10, 1987, p. 753-757.*

ce principe, qui a fait l'unanimité au sein de la Commission, se posent cependant des problèmes très complexes, notamment en matière de langue d'enseignement. Lorsque les conditions nécessaires sont réunies, une éducation bilingue, commençant dans les premiers degrés du système scolaire par un enseignement en langue maternelle pour faire place ensuite à un enseignement en une langue plus largement véhiculaire, est à préconiser. Toutefois, le risque d'isolement des minorités doit être constamment pris en compte. Il faut en effet éviter qu'un égalitarisme interculturel mal compris ne conduise à les enfermer dans des ghettos linguistiques et culturels qui se transforment en ghettos économiques.

L'éducation à la tolérance et au respect de l'autre, condition nécessaire de la démocratie, doit être considérée comme une entreprise générale et permanente. C'est que les valeurs en général et la tolérance en particulier ne peuvent faire l'objet d'un enseignement au sens strict du terme : vouloir imposer des valeurs préalablement définies, peu intériorisées, revient en définitive à les nier, car elles n'ont de sens que si elles sont librement choisies par l'individu. L'école peut donc tout au plus permettre une certaine pratique quotidienne de la tolérance en aidant les élèves à prendre en compte le point de vue des autres et en favorisant, par exemple, la discussion sur des dilemmes moraux ou sur des cas appelant des choix éthiques[2].

Toutefois, ce devrait être le rôle de l'école que d'expliquer aux jeunes le substrat historique, culturel ou religieux des différentes idéologies qui les sollicitent dans la société environnante ou au sein de leur établissement ou de leur classe. Ce travail d'explication – à mener éventuellement avec le concours d'intervenants extérieurs – est délicat, car il ne doit

[1] Diagne, Souleymane Bachir. « Pour une éducation philosophique au pluralisme ». Intervention lors des journées internationales d'étude sur le thème « Philosophie et démocratie dans le monde », organisées par l'UNESCO, à Paris, les 15 et 16 février 1995.

[2] La question a été débattue lors de la cinquième session de la Commission (Santiago du Chili), au cours de laquelle ont été présentées certaines expériences originales, notamment au Portugal, où s'est créé un Secrétariat pour l'éducation interculturelle et où la formation personnelle et sociale est considérée comme une activité transdisciplinaire dans l'enseignement primaire et secondaire.
(Commission internationale sur l'éducation pour le XXIe siècle, cinquième session, Santiago, Chili, 26-28 septembre 1994, Rapport, *Paris, UNESCO, 1994. (UNESCO doc. EDC/7.)*

pas heurter les sensibilités et peut faire entrer à l'école la politique et la religion, qui en sont généralement bannies. Il est cependant de nature à aider les élèves à construire leur système de pensée et de valeurs librement et en connaissance de cause, sans céder aux influences dominantes, et à acquérir ainsi plus de maturité et d'ouverture d'esprit. Ce peut être pour l'avenir un gage de convivialité sociale, en encourageant au dialogue démocratique, et un facteur de paix.

Au-delà de ces recommandations, qui visent surtout les pratiques scolaires, c'est tout au long de la vie que l'éducation doit valoriser le pluralisme culturel en le présentant comme une source de richesse humaine : les préjugés raciaux, facteurs de violence et d'exclusion, doivent être combattus par une information mutuelle sur l'histoire et les valeurs des différentes cultures.

L'esprit démocratique ne saurait toutefois se contenter d'une forme de tolérance minimaliste, consistant seulement à s'accommoder de l'altérité. Cette attitude qui s'affiche comme simplement neutre est à la merci des circonstances, qui peuvent la remettre en question lorsque la conjoncture économique ou sociologique rend la cohabitation de plusieurs cultures particulièrement conflictuelle. Il convient donc de dépasser la simple notion de tolérance au profit d'une éducation au pluralisme fondée sur le respect et l'appréciation des autres cultures.

Mais il ne s'agit pas seulement de l'acquisition de l'esprit démocratique. Il s'agit plus fondamentalement d'aider l'élève à entrer dans la vie avec la capacité d'interpréter les faits majeurs qui concernent son destin personnel comme le destin collectif. Le concours des sciences sociales et humaines est, de ce point de vue, essentiel, dans la mesure où elles se rapportent à l'existence elle-même comme aux faits sociaux. Est-il utile d'ajouter que cette recherche pluridisciplinaire ferait toute leur place à l'histoire et à la philosophie ? La philosophie, parce qu'elle forme l'esprit critique indispensable au fonctionnement de la démocratie, l'histoire, parce qu'elle est irremplaçable dans son travail d'élargissement des horizons de l'individu et dans la prise de conscience des identités collectives. Son enseignement devrait cependant dépasser le cadre national et comprendre une dimension sociale et culturelle, de telle sorte que la connaissance du passé permette de mieux comprendre et de mieux juger le présent. Il y a là un terrain neuf ouvert à ceux qui sont responsables des grandes orientations de la politique de l'éducation comme de l'établissement des programmes. Cette perspective tendrait à intégrer les acquis des sciences sociales dans une approche globale permettant une large compréhension des faits passés et présents.

La participation démocratique

Éducation civique et pratiques citoyennes

L'éducation ne peut se contenter de rassembler les individus en les faisant adhérer à des valeurs communes forgées dans le passé. Elle doit aussi répondre à la question : *vivre ensemble, à quelle fins, pour quoi faire ?* et donner à chacun, tout au long de la vie, la capacité de participer activement à un projet de société.

Le système éducatif a donc pour mission explicite ou implicite de préparer chacun à ce rôle social. Dans les sociétés complexes actuelles, la participation au projet commun dépasse largement l'ordre du politique au sens strict. C'est en fait quotidiennement, dans son activité professionnelle, culturelle, associative, consommatrice, que chaque membre de la collectivité doit assumer sa responsabilité à l'égard des autres. Il faut donc préparer chaque personne à cette participation, en l'instruisant de ses droits et de ses devoirs, mais aussi en développant ses compétences sociales et en encourageant le travail en équipe à l'école.

La préparation à une participation active à la vie de la cité est devenue, pour l'éducation, une mission d'autant plus généralisée que les principes démocratiques se sont diffusés à travers le monde. On peut distinguer à cet égard plusieurs niveaux d'intervention qui, dans une démocratie moderne, devraient se compléter mutuellement.

Dans une première conception minimaliste, l'objectif est seulement l'apprentissage de l'exercice du rôle social, en fonction des codes établis. C'est l'école de base qui doit en assumer la responsabilité : l'impératif est celui de l'instruction civique conçue comme une « alphabétisation politique » élémentaire. Pas plus que la tolérance, cette instruction ne saurait constituer une simple matière d'enseignement parmi d'autres. Il ne s'agit pas en effet d'enseigner des préceptes sous forme de codes rigides, pouvant dériver vers un endoctrinement, mais de faire de l'école un modèle de pratique démocratique qui permette aux enfants de comprendre, à partir de problèmes concrets, ce que sont leurs droits et leurs devoirs, et comment l'exercice de leur liberté est borné par l'exercice des droits et de la liberté des autres. Un ensemble de pratiques, d'ores et déjà expérimentées, pourrait renforcer cet apprentissage de la démocratie au sein de l'espace scolaire : constitution de chartes de la communauté scolaire, établissement de parlements d'élèves, jeux de simulation du fonctionnement d'institutions démocratiques, journaux d'école, exercices de résolution non violente des conflits. En outre, l'éducation à la citoyenneté et à la démocratie étant par excellence une éducation qui ne se limite pas à l'espace et au temps de l'éducation formelle, il importe

Construire et habiter la société civile : une expérience conduite en Hongrie

Le programme intitulé « Éducation pour la démocratie » a été progressivement mis en place à partir de 1990, lorsque la Maxwell School of Citizenship and Public Affairs a accepté l'invitation du Rakoczi Gimnasium de Budapest et de l'Institut hongrois de recherche pédagogique à se joindre à eux pour étudier les moyens de renforcer l'instruction civique et l'exercice responsable de la citoyenneté en Hongrie. Fondé sur la conviction que l'éducation peut et doit se situer à l'avant-garde de tout effort visant à permettre à la démocratie de s'implanter en Europe centrale et orientale au cours de l'actuelle période de transition, il propose aux enseignants et aux élèves un certain nombre de principes permettant des approches renouvelées :

– *Une nouvelle approche de* l'histoire et des sciences sociales *insiste sur l'enseignement des faits, des concepts et des idées générales concernant les phénomènes sociaux, en partant du principe que la maîtrise de ces disciplines doit permettre aux citoyens de mieux comprendre, lorsqu'ils se posent, les problèmes de la vie civique.*

– *Dans* l'initiation aux questions de droit, *l'accent est mis sur la prépondérance du droit en démocratie, ainsi que sur l'importance des principes fondamentaux qui régissent les procédures juridiques.*

que les familles et les autres membres de la communauté soient directement impliqués.

Mais, pour l'élève, l'éducation civique constitue un ensemble complexe recouvrant tout à la fois l'adhésion à des valeurs, l'acquisition de connaissances et l'apprentissage de pratiques de participation à la vie publique. Elle ne peut donc être considérée comme neutre du point de vue idéologique ; elle interroge forcément la conscience de l'élève. Pour sauvegarder l'indépendance de celle-ci, l'éducation en général, dès l'enfance et tout au long de la vie, doit forger aussi la capacité critique qui permet une pensée libre et une action autonome. Lorsque l'élève sera devenu citoyen, l'éducation sera le guide permanent sur un chemin difficile où il lui faudra concilier l'exercice des droits individuels, fondés sur les libertés publiques, et la pratique des devoirs et de la responsabilité à l'égard des autres et de ses communautés d'appartenance. C'est donc l'enseignement en général, comme processus de construction du jugement, qui est sollicité. Le problème qui se pose est alors celui de l'équilibre entre la liberté de l'individu et le principe d'autorité qui préside à tout enseignement, ce qui met en lumière le rôle des enseignants

— La réflexion critique *cherche à faire acquérir au citoyen la maîtrise intellectuelle qui lui permettra de discerner la qualité et la validité de différents types de raisonnement et de jugements de valeur.*

— L'éthique et la formation morale *sont enseignées à travers des exemples concrets : les élèves sont placés devant des dilemmes moraux et des cas de conscience, et ils sont invités à argumenter entre eux les raisons de la justesse de l'acte qui constitue la bonne solution du point de vue moral.*

— La compréhension de la dimension planétaire *insiste sur le fait que la maîtrise de l'art d'être citoyen doit comporter à la base une connaissance raisonnée des divers modes de vie existant dans d'autres cultures, et de la façon dont les problèmes mondiaux se relient à la vie des communautés, grandes et petites, et se répercutent sur elles.*

— Le pluralisme et l'éducation multiculturelle *prennent en compte l'intérêt croissant que suscitent dans les écoles du pays les études relatives au patrimoine ethnique. Ils invitent les élèves à mesurer la valeur des principes de liberté religieuse applicables aux peuples de toute confession.*

Enfin, cette nouvelle approche insiste sur la nécessité de réformer l'école, *tant il peut sembler contradictoire d'enseigner la démocratie dans des institutions de type autoritaire.*

Source : *d'après Patrice Meyer-Bisch (dir. publ.).* La Culture démocratique : un défi pour les écoles, *Paris, UNESCO, 1995. (Collection Culture de paix).*

dans la construction de l'autonomie de jugement indispensable à ceux qui vont participer à la vie publique.

Enfin, si l'on recherche un rapport synergique entre l'éducation et la pratique d'une démocratie participative, il convient, au-delà de la préparation de chaque individu à l'exercice de ses droits et devoirs, de s'appuyer sur l'éducation permanente pour construire une société civile active qui, entre les individus dispersés et le pouvoir politique lointain, permette à chacun de prendre sa part de responsabilité dans la cité, au service d'une authentique solidarité de destin. L'éducation de chaque citoyen doit dès lors s'accomplir tout au long de la vie pour devenir une ligne de force de la société civile et de la démocratie vivante. Elle se confond même avec cette dernière, lorsque tous participent à la construction d'une société responsable et solidaire, respectueuse des droits fondamentaux de chacun.

Sociétés de l'information et sociétés éducatives

Cette exigence démocratique, qui doit s'inscrire au cœur de tout projet éducatif, est renforcée par l'émergence spectaculaire de « sociétés de l'information », qui constitue sans aucun doute l'un des faits porteurs d'avenir de la fin du XXe siècle. La numérisation de l'information a entraîné une révolution profonde dans le monde de la communication, caractérisée en particulier par l'apparition de dispositifs multimédia et par une extension spectaculaire des réseaux télématiques. Par exemple, Internet double chaque année, depuis 1988, le nombre de ses utilisateurs et de ses réseaux ainsi que le volume de son trafic. Plus de cinq millions d'ordinateurs lui sont aujourd'hui reliés, et l'on estime à quelque vingt millions le nombre des utilisateurs. Même si les effets de l'extension des réseaux sont encore limités, du fait du nombre relativement réduit des détenteurs des techniques et du savoir-faire, tout laisse à penser qu'il s'agit d'une révolution inéluctable, qui permettra la transmission d'une quantité d'informations toujours plus considérable dans un laps de temps de plus en plus court. On observe également une pénétration croissante de ces nouvelles technologies dans toutes les sphères de la société, facilitée par la baisse du coût des matériels, qui les rend de plus en plus accessibles.

Cette révolution technologique constitue de toute évidence un élément essentiel pour la compréhension de notre modernité, dans la mesure où elle crée des formes nouvelles de socialisation, voire de nouvelles définitions de l'identité individuelle et collective. L'extension des technologies et des réseaux informatiques conduit simultanément à favoriser la communication avec autrui, parfois à l'échelle du monde entier, et à renforcer les tendances au repli et à l'isolement. Ainsi, le développement du travail à distance peut perturber les liens de solidarité formés au sein de l'entreprise, et l'on assiste à la multiplication d'activités de loisirs qui isolent les individus devant un écran d'ordinateur. Un certain nombre de craintes ont été exprimées devant une telle évolution : l'accès au monde virtuel peut, selon certains, conduire à une perte du sens de la réalité, et l'on a pu faire état d'une sorte de basculement de l'apprentissage et de l'accès à la connaissance hors des systèmes éducatifs formels, avec de sérieuses conséquences sur les processus de socialisation des jeunes enfants et des adolescents. La Commission ne prétend pas, dans l'état actuel des

Apprentissages électroniques

À la fin des années 70 on a vu apparaître l'ordinateur personnel. C'était en quelque sorte la bicyclette de l'informatique, son usage était créatif mais local. Aujourd'hui, ce sont les inforoutes, et la bicyclette est devenue vélo tout-terrain. L'impact sur nos manières d'apprendre sera inévitable, massif. Il est important de comprendre la nature de ces technologies nouvelles, ce qui est relativement simple. Il est surtout essentiel de formuler les questions pour la suite. Quels contenus, quelle interactivité, quel enrichissement des activités cognitives décrites précédemment, quel rapport entre besoins convergents de trouver de l'information et exploration divergente à cause de l'architecture du réseau, quelles formes nouvelles de fonctionnement social, quel nouvel équilibre entre plus de contacts entre les individus et plus de protection de la personne privée, quelles nouvelles tensions entre accès facilité aux technologies et exclusion de fait dans leurs utilisations, entre contrôles et libertés ? Nous en sommes au début. C'est le moment de s'y intéresser pratiquement, d'y réfléchir.

Source : *G. Delacôte,* Savoir apprendre. Les nouvelles méthodes, *p. 23, Paris, Odile Jacob, 1996.*

connaissances, mener une analyse exhaustive des incidences du monde virtuel sur les comportements personnels et interpersonnels, ou les relations sociales. Mais la question se pose et se posera de plus en plus.

Pour en revenir au domaine de l'éducation et de la culture, il semble que le risque majeur réside pour l'essentiel dans la création de nouvelles ruptures et de nouveaux déséquilibres. Ces nouveaux déséquilibres peuvent apparaître entre les diverses sociétés, c'est-à-dire entre celles qui auront su s'adapter à ces technologies et celles qui ne l'auront pas fait par manque de ressources financières ou faute de volonté politique. Cependant, ce n'est pas nécessairement un accroissement de l'écart entre pays développés et pays en développement qui est le plus à redouter, dans la mesure où il existe d'ores et déjà des initiatives visant à doter les pays en développement d'infrastructures de base. En d'autres termes, on peut miser sur de réelles possibilités de « sauts technologiques » permettant aux pays en développement de se doter d'emblée de technologies de pointe. L'essor des technologies peut même ouvrir de nouvelles perspectives pour le développement en désenclavant un grand nombre de régions et en permettant aux individus de communiquer avec l'ensemble du monde. Dans le domaine vital que constitue la recherche scientifique, il peut en particulier permettre l'accès aux bases de données internationales, ainsi que la création de « laboratoires virtuels », qui autoriserait les chercheurs issus des pays en développement à poursuivre leurs travaux dans leur pays d'origine et limiterait du même coup l'exode des compétences. Il apparaît, d'autre part, que les difficultés de mise en place liées au coût des infrastructures tendent à s'estomper du fait de la baisse générale du prix des matériels.

À titre de conclusion provisoire, on peut penser que les différences se feront surtout entre les sociétés qui seront capables de produire des contenus et celles qui se limiteront à recevoir les informations, sans participer réellement aux échanges.

C'est surtout à l'intérieur de chaque société que les clivages risquent d'être le plus importants, entre ceux qui maîtriseront les nouveaux outils et ceux qui n'en auront pas la possibilité : le danger est bien de voir se constituer des sociétés à plusieurs vitesses, selon l'accès de chacun aux technologies. C'est pourquoi la Commission considère que l'émergence de sociétés de l'information correspond à un double défi, pour la démocratie et pour l'éducation, et que ces deux aspects sont étroitement liés. La responsabilité des systèmes éducatifs se trouve engagée au premier chef : il leur appartient de donner à chacun les moyens de maîtriser la prolifération des informations, c'est-à-dire de les trier et de les hiérarchiser en faisant preuve d'esprit critique. Il leur appartient également de permettre une prise de distance à l'égard d'une société des médias et de l'information qui tendrait à n'être qu'une société de l'éphémère et de l'instantané. À la tyrannie du « temps réel » s'oppose le temps différé, le temps de la maturation qui est celui de la culture et de l'appropriation des savoirs. Il va de soi que l'utilisation des technologies dans l'espace scolaire peut prendre des formes variables, qui seront traitées dans le chapitre 8 du présent rapport. Cependant, le principe doit rester dans tous les cas celui de l'égalité des chances, et il s'agit de faire en sorte que ceux qui en ont le plus besoin, parce qu'ils sont les plus défavorisés, puissent bénéficier de ces nouveaux outils de compréhension du monde. En même temps que des modes de socialisation indispensables, les systèmes éducatifs sont ainsi amenés à fournir les bases mêmes d'une citoyenneté adaptée aux sociétés de l'information.

Les technologies de l'information et de la communication pourront constituer dès lors pour tous un véritable moyen d'ouverture vers les champs de l'éducation non formelle, en devenant l'un des vecteurs privilégiés d'une société éducative, dans laquelle les différents temps de l'apprentissage seront radicalement repensés. En particulier, le développement de ces technologies, dont la maîtrise permet un enrichissement continu des savoirs, devrait conduire à reconsidérer la place et la fonction des systèmes éducatifs dans la perspective d'une éducation prolongée tout au long de la vie. La communication et l'échange des savoirs ne seront plus seulement l'un des pôles principaux de la croissance des activités humaines, mais un facteur d'épanouissement personnel dans le cadre de nouveaux modes de vie sociale.

La Commission recommande par conséquent que toutes les potentialités que recèlent les nouvelles technologies de l'information et de la communication soient mises au service de l'éducation et de la formation. La plupart des spécialistes qu'elle a consultés sont optimistes quant aux perspectives que ces technologies ouvrent pour les pays en développement, et considèrent qu'il serait particulièrement dommageable pour ceux-ci de ne pas être en mesure de saisir la chance qu'elles leur offrent de réduire l'écart qui les sépare des pays développés. Elle observe également que le paysage des sociétés de l'information se modifie sous nos yeux à un rythme très rapide du fait des progrès technologiques et de la concurrence entre les grandes entreprises. Elle suggère donc, en estimant que l'UNESCO pourrait prendre une telle initiative, la création d'un groupe de travail de haut niveau, doté d'une très large représentativité internationale, et dont la tâche serait de rendre compte des évolutions en cours tout en proposant certaines mesures de normalisation (*cf.* chapitre 9). En effet, s'il semble bien que, dans le domaine des loisirs et de la culture, la responsabilité des pouvoirs publics ne soit que faiblement engagée, il en va tout autrement dans celui de l'éducation, où il importe de veiller à ce que tous les produits éducatifs répondent à des exigences précises de qualité.

Pistes et recommandations

▶ *La politique de l'éducation doit être suffisamment diversifiée et conçue de telle manière qu'elle ne soit pas un facteur supplémentaire d'exclusion sociale.*

▶ *Socialisation de chaque individu et développement personnel ne doivent pas être antagonistes. Il faut donc tendre vers un système qui s'efforce de combiner les vertus de l'intégration et le respect des droits individuels.*

► *L'éducation ne peut, à elle seule, résoudre les problèmes posés par la rupture (là où elle existe) du lien social. On peut cependant attendre d'elle qu'elle contribue au développement du vouloir-vivre ensemble, élément de base de la cohésion sociale et de l'identité nationale.*

► *L'école ne peut réussir dans cette tâche que si elle contribue, pour sa part, à la promotion et à l'intégration des groupes minoritaires, en mobilisant les intéressés eux-mêmes, dans le respect de leur personnalité.*

► *La démocratie semble progresser, selon des formes et des étapes adaptées à la situation de chaque pays. Mais sa vitalité est constamment menacée. C'est à l'école que doit commencer l'éducation à une citoyenneté consciente et active.*

► *La participation démocratique relève, en quelque sorte, de la vertu civique. Mais elle peut être encouragée ou stimulée par une instruction et des pratiques adaptées à la société des médias et de l'information. Il s'agit de fournir des repères et des grilles de lecture afin de renforcer les capacités de comprendre et de juger.*

► *Il revient à l'éducation de fournir aux enfants comme aux adultes les bases culturelles qui leur permettront de déchiffrer, dans la mesure du possible, les mutations en cours. Cela suppose d'opérer un tri dans la masse d'informations, afin de mieux les interpréter et de restituer les événements dans une histoire d'ensemble.*

► *Les systèmes éducatifs doivent répondre aux multiples défis de la société de l'information, dans la perspective d'un enrichissement continu des savoirs et de l'exercice d'une citoyenneté adaptée aux exigences de notre temps.*

(chapitre 3)

De la croissance économique au développement humain

Le monde a connu pendant ce dernier demi-siècle un essor économique sans précédent. Sans prétendre dresser un bilan exhaustif de cette période, qui dépasserait le cadre de son mandat, la Commission voudrait rappeler, dans la perspective qui est la sienne, que ces avancées sont dues avant tout à la capacité des êtres humains de maîtriser et d'organiser leur environnement en fonction de leurs besoins, c'est-à-dire à la science et à l'éducation, premiers moteurs du progrès économique. Ayant cependant conscience que le modèle de croissance actuel rencontre des limites évidentes, en raison des inégalités qu'il induit et des coûts humains et écologiques qu'il comporte, la Commission juge nécessaire de définir l'éducation non plus seulement dans la perspective de ses effets sur la croissance économique, mais selon une vision plus large : celle du développement humain.

(Une croissance économique mondiale fortement inégalitaire)

La richesse mondiale s'est considérablement accrue depuis 1950 sous les effets conjugués de la deuxième révolution industrielle, de la hausse de la productivité et du progrès technologique. Le produit intérieur brut mondial est passé de 4 000 à 23 000 milliards de dollars, et le revenu moyen par habitant a plus que triplé au cours de cette période. Le progrès technique s'est très rapidement diffusé : pour ne prendre qu'un exemple, on rappellera que l'informatique a connu plus de quatre phases de développement successives en l'espace d'une vie humaine, et qu'en 1993 les ventes mondiales de terminaux informatiques ont dépassé 12 millions d'unités[1]. Les modes de vie et les styles de consommation en ont été profondément transformés, et le projet d'une amélioration du bien-être de l'humanité par la modernisation de l'économie a pris corps de manière quasi universelle.

Cependant, ce mode de développement fondé sur la seule croissance économique est demeuré profondément inégalitaire, et les rythmes de progression sont très différents selon les pays et les régions du monde. On estime ainsi que plus des trois quarts de la population mondiale vivent dans des pays en développement et ne bénéficient que de 16% de la richesse mondiale. Plus gravement encore, il apparaît, d'après les études de la Conférence des Nations unies sur le commerce et le développement (CNUCED), que le revenu moyen des pays les moins avancés, qui comptent au total 560 millions d'habitants, est actuellement en recul. Il s'établirait, par habitant, à 300 dollars par an contre 906 pour les autres pays en développement et 21 598 pour les nations industrialisées.

Les disparités ont d'autre part été accentuées par la compétition entre les nations et les différents groupes humains: l'inégalité de répartition des surplus de la productivité entre les pays, de même qu'à l'intérieur de certains pays considérés comme riches, révèle que la croissance élargit la fracture entre les plus dynamiques et les autres. Certains pays semblent ainsi laissés-pour-compte dans la course à la compétitivité. Ces disparités s'expliquent en partie par les dysfonctionnements des marchés et par la nature intrinsèquement inégalitaire du système politique mondial; elles sont aussi étroitement liées au type de développement actuel, qui assigne une place prépondérante à la matière grise et à l'innovation.

La demande d'éducation à des fins économiques

On observe en effet qu'au cours de la période considérée, et sous la pression du progrès technique et de la modernisation, la

[1] *Voir sur l'ensemble de ces données :* Rapport sur le développement humain 1995. *(Publié pour le PNUD) Paris, Economica, 1995.*

demande d'éducation à des fins économiques n'a cessé de croître dans la plupart des pays. Les comparaisons internationales mettent en lumière l'importance du capital humain, et donc de l'investissement éducatif, pour la productivité[2]. La liaison entre le rythme du progrès technique et la qualité de l'intervention humaine devient alors de plus en plus évidente, ainsi que la nécessité de former des agents économiques aptes à utiliser les nouvelles technologies et à faire preuve d'un comportement innovateur. De nouvelles aptitudes sont requises, et les systèmes éducatifs doivent répondre à ce besoin non seulement en assurant les années de scolarisation ou de formation professionnelle strictement nécessaires, mais en formant des scientifiques, des innovateurs et des cadres technologiques de haut niveau.

On peut également situer dans cette perspective le développement pris ces dernières années par la formation permanente, conçue avant tout comme un accélérateur de la croissance économique. La rapidité des mutations technologiques a fait en effet émerger, à l'échelle des entreprises et des nations, l'impératif de flexibilité qualitative de la main-d'œuvre. Suivre et même précéder les changements technologiques qui affectent en permanence la nature et l'organisation du travail est devenu primordial. Dans tous les secteurs, y compris l'agriculture, on a besoin de compétences évolutives articulées à la fois sur des savoirs et des savoir-faire actualisés. Cette évolution irréversible met à mal les routines et les qualifications acquises par imitation ou par répétition, et l'on constate une importance grandissante des investissements dits immatériels, tels que la formation, à mesure que la « révolution de l'intelligence » produit ses effets[3]. La formation permanente de la main-d'œuvre prend alors, elle aussi, la dimension d'un investissement stratégique qui implique la mobilisation de plusieurs types d'acteurs : outre les systèmes éducatifs, les formateurs privés, les employeurs, les représentants des salariés se trouvent tout particulièrement sollicités. On observe ainsi dans de nombreux pays industrialisés une augmentation sensible des moyens financiers consacrés à la formation permanente.

[2] *Edward F. Denison :* Why Growth Rates Differ. Postwar Experience in Nine Western Countries. *Washington D.C., Brookings Institution, 1967.*

[3] *Olivier Bertrand,* Éducation et travail, *étude réalisée pour la Commission, Paris, UNESCO, 1994. (UNESCO doc. EDC/IV/1.)*

Tout laisse à penser que cette tendance va se trouver renforcée du fait de l'évolution du travail dans les sociétés modernes. Celui-ci a vu en effet sa nature changer profondément au cours des dernières années, où l'on a pu observer en particulier une nette augmentation du secteur tertiaire, qui emploie aujourd'hui un quart de la population active des pays en développement et plus des deux tiers de celle des pays industrialisés. L'apparition et le développement de « sociétés de l'information », ainsi que la poursuite du progrès technologique, qui constitue en quelque sorte une tendance lourde de la fin du XXe siècle, en soulignent la dimension de plus en plus immatérielle et accentuent le rôle joué par les aptitudes intellectuelles et cognitives. Il n'est plus dès lors possible de demander aux systèmes éducatifs de former une main-d'œuvre pour des emplois industriels stables. Il s'agit plutôt de former pour l'innovation des individus capables d'évoluer, de s'adapter à un monde en mutation rapide et de maîtriser le changement.

L'inégale distribution des ressources cognitives

À l'aube du XXIe siècle, l'activité d'éducation et de formation dans toutes ses composantes est ainsi devenue l'un des moteurs principaux du développement. Elle contribue d'autre part au progrès scientifique et technologique, ainsi qu'à l'avancée générale des connaissances, qui constituent les facteurs les plus décisifs de la croissance économique.

Or on constate que de nombreux pays en développement se trouvent particulièrement démunis à cet égard et souffrent d'un grave déficit de connaissances. Certes, l'alphabétisation et la scolarisation progressent parmi les populations des pays du Sud, ce qui permettra peut-être à terme un rééquilibrage des rapports économiques mondiaux (voir chapitre 6). Mais les inégalités demeurent très fortes en ce qui concerne les activités de science et de recherche-développement : en 1990, 42,8 % des dépenses s'effectuaient en Amérique du Nord, 23,2 % en

Europe, contre 0,2 % en Afrique subsaharienne ou 0,7 % dans les États arabes[4]. La fuite des cerveaux dans les pays riches accentue ce phénomène.

[4] Rapport mondial sur l'éducation 1993. *Paris, UNESCO, 1993.*

De fait, les pays en développement ne disposent pas, en général, des fonds nécessaires pour investir de manière efficace dans la recherche, et l'absence sur le plan local d'une communauté scientifique suffisamment large constitue un lourd handicap. Génératrice de fortes économies d'échelle au stade de la recherche fondamentale, la connaissance ne devient efficace dans ce domaine qu'au-delà d'un seuil critique d'investissement important. Il en est de même pour la recherche-développement, qui nécessite des investissements lourds, risqués, et qui présuppose l'existence d'un environnement déjà suffisamment doté en ressources scientifiques. Un tel environnement est nécessaire pour multiplier de façon significative le rendement des investissements consacrés à la recherche et permettre des économies externes sur le court terme et le long terme. C'est sans doute là l'une des raisons de l'échec des transferts de technologie des pays industrialisés vers les pays en développement : de tels

La fuite des cerveaux vers les pays riches

Les pays en développement perdent chaque année des milliers de spécialistes, ingénieurs, médecins, scientifiques, techniciens. Frustrés par le faible niveau de salaires et par les possibilités limitées qui s'offrent à eux dans leur pays d'origine, ils émigrent vers les pays riches où leurs compétences peuvent être mieux utilisées et mieux rémunérées.

Il s'agit partiellement d'un problème de surproduction. Les systèmes d'enseignement des pays en développement sont souvent organisés en fonction de besoins qui correspondent à ceux des pays industrialisés et forment ainsi un nombre excessif de diplômés de haut niveau. La Somalie forme environ cinq fois plus de diplômés universitaires qu'elle ne peut en employer. En Côte-d'Ivoire, le taux de chômage des diplômés atteint 50 %.

Les pays industrialisés tirent profit des aptitudes des immigrés. De 1960 à 1990, les États-Unis et le Canada ont accueilli plus d'un million de cadres et de techniciens venus des pays en développement. L'enseignement aux États-Unis repose largement sur eux : dans les écoles d'ingénieurs, en 1985, on estime que la moitié des maîtres assistants de moins de trente-cinq ans étaient étrangers. Le Japon et l'Australie s'efforcent également d'attirer des émigrants hautement spécialisés.

Cette perte de main-d'œuvre spécialisée constitue une grave hémorragie de capitaux. Le service des recherches du Congrès des États-Unis estimait qu'en

1971-1972 les pays en développement perdaient 20 000 dollars d'investissement par émigrant spécialisé, soit 646 millions de dollars au total. Cette perte est compensée en partie, mais en partie seulement, par les envois de fonds des travailleurs.

Il peut se faire que certains pays aient plus d'habitants instruits qu'ils ne peuvent en employer, mais d'autres perdent des spécialistes dont ils ont désespérément besoin. Au Ghana, 60 % des médecins formés dans les années 80 pratiquent actuellement à l'étranger, d'où des pénuries critiques dans les services de santé. On estime que l'Afrique dans son ensemble a perdu 60 000 cadres intermédiaires et supérieurs de 1985 à 1990.

C'est aux pays en développement qu'il incombe au premier chef d'enrayer ce phénomène. Ils doivent adopter des systèmes d'enseignement mieux adaptés à leurs besoins réels et améliorer la gestion de leur économie. Mais il faut pour cela qu'ils aient plus largement accès aux marchés internationaux.

Source : Rapport mondial sur le développement humain 1992, *p. 63 (Publié pour le PNUD). Paris, Economica, 1992.*

transferts nécessitent de toute évidence un environnement propice, mobilisant et valorisant les ressources cognitives locales et permettant une réelle appropriation des technologies dans le cadre d'un développement endogène. Il importe, dans cet esprit, que les pays parmi les plus pauvres puissent se doter de capacités de recherche et d'expertise propres, notamment par la constitution de pôles d'excellence au niveau régional. On notera que la situation est différente dans les pays dits émergents, d'Asie particulièrement, où s'observe une forte croissance des investissements de type privé. Ces investissements, généralement assortis de transferts de technologie, peuvent constituer la base d'un développement économique rapide s'ils s'accompagnent d'une véritable politique de formation de la main-d'œuvre locale, ce qui est habituellement le cas.

Une première conclusion semble donc s'imposer : les pays en développement ne doivent rien négliger qui puisse leur permettre l'entrée indispensable dans l'univers de la science et de la technologie, avec ce que cela comporte en matière d'adaptation des cultures et de modernisation des mentalités. Considérés dans cette perspective, les investissements en matière d'éducation et de recherche constituent une nécessité, et l'un des sujets de préoccupation prioritaires de la communauté internationale doit être le risque de marginalisation totale des exclus du progrès dans une économie mondiale en transformation rapide. Si un effort vigoureux n'est pas accompli pour conjurer ce risque, certains pays, incapables de participer à la compétition technologique internationale, seront en passe de constituer des poches de misère, de désespoir ou de violence impossibles à résorber par l'assistance et l'action humanitaire. Des groupes sociaux entiers risquent, à l'intérieur même des pays développés, d'être exclus du processus de socialisation que constituait encore récemment une organisation du travail de type industriel. Dans les deux cas, le problème essentiel demeure celui de la répartition inégale des connaissances et des compétences.

Il convient de rappeler ici un fait bien connu, mais peut-être insuffisamment pris en compte dans ses implications éducatives, à savoir que l'opposition entre pays du Nord et pays du Sud est beaucoup moins tranchée qu'elle ne l'était il y a quelques années. D'une part, en effet, les anciens pays communistes, actuellement en transition, connaissent des problèmes spécifiques qui se traduisent, à des degrés divers, par des difficultés dans la reconstruction en profondeur de leurs systèmes éducatifs. D'autre part, les pays « émergents » sont sortis du sous-développement, et ces pays sont précisément ceux qui, d'une manière générale, ont investi le plus dans le développement de l'éducation, sous des formes adaptées à leur situation culturelle, sociale ou économique particulière. Il

L'Afrique à la veille du XXIe siècle

– Le revenu réel par habitant en Afrique subsaharienne est tombé de 563 dollars en 1980 à 485 dollars en 1992.
– Plus de 215 millions d'Africains vivaient en 1990 au-dessous du seuil de pauvreté.
– La pauvreté frappe en premier lieu les femmes dans les villes comme en milieu rural.
– Le nombre des Africains dont la ration alimentaire journalière est inférieure au minimum de 1 600 ou 1 700 calories est passé de 99 millions en 1980 à 168 millions en 1990-1991.
– La pandémie du sida prend en Afrique des proportions catastrophiques.
– 1,5 million d'enfants meurent chaque année de diarrhée.
– Dans la seule année 1989, le paludisme a tué 1,5 million d'enfants de moins de cinq ans.
– L'Afrique compte actuellement plus de 20 millions de réfugiés et personnes déplacées pour des raisons diverses : impossibilité de subsister, guerres civiles, conflits ethniques ou religieux, répression politique,

violations des droits de l'homme, climat d'insécurité.
– En Afrique subsaharienne, seulement deux hommes sur trois, et une femme sur trois, savent lire et écrire.
– Au début des années 90, la croissance des effectifs [scolaires], à tous les niveaux, avait diminué de moitié par rapport aux années 70, et c'est dans l'enseignement primaire que la baisse était la plus prononcée.
– Alors qu'un développement socio-économique, culturel et technologique rapide dépend de plus en plus de la présence de ressources humaines de haut niveau, l'enseignement supérieur, partout en Afrique, enregistre une régression rapide, à la fois qualitative et quantitative.
– Des millions d'enfants, de femmes et d'hommes africains ont aujourd'hui besoin d'être protégés contre la maladie, les violations des droits de l'homme, les violences interethniques et la répression politique. Ils aspirent à acquérir des savoirs et des compétences, et à assumer leurs responsabilités de citoyens et d'acteurs économiques. Ils veulent participer à la prise des décisions qui touchent leur vie quotidienne et leur bien-être ainsi qu'à la conduite des affaires publiques. Ils refusent d'être simplement tributaires de l'aide et des secours de l'étranger. C'est dans cette perspective que doivent être formulées les priorités de l'Afrique en matière de développement humain et les stratégies qui permettront de leur donner effet.

Source : Les Assises de l'Afrique, Note de présentation par le directeur général de l'UNESCO, *p. 3-4. Paris, UNESCO, 1995.*

n'existe pas de modèle en la matière, mais le cas des nouveaux pays industrialisés d'Asie mérite, à cet égard, d'être pris en considération pour la formulation de réformes éducatives dans d'autres parties du monde.

Cependant, on ne peut pas concevoir l'éducation comme le moteur d'un développement véritablement équitable sans s'interroger d'abord sur les moyens de conjurer la dérive accélérée de certains pays entraînés dans une spirale d'appauvrissement. L'exemple le plus préoccupant à cet égard est celui des pays de l'Afrique subsaharienne, dont le PIB stagne tandis que leur population croît rapidement. Le niveau de vie moyen baissant, ces pays, dont la population est très jeune, ne peuvent plus aujourd'hui consacrer à l'éducation une part aussi importante de leur PIB qu'au début des années 80. Une telle situation, qui compromet gravement le développement futur de cette région du monde, appelle une attention accrue de la part de la communauté internationale, et surtout une mobilisation des ressources sur le plan local.

La participation des femmes à l'éducation, levier essentiel du développement

La Commission ne saurait, dans cette esquisse des principales disparités de l'accès à la connaissance et au savoir, passer sous silence un fait préoccupant, que l'on observe dans le monde entier, mais plus particulièrement peut-être dans les pays en développement : l'inégalité des hommes et des femmes devant l'éducation. Certes, des progrès ont été réalisés au cours des dernières années : les données statistiques de l'UNESCO indiquent, par exemple, que le taux d'alphabétisation des femmes a augmenté dans la quasi-totalité des pays pour lesquels des informations sont disponibles. Mais les disparités n'en demeurent pas moins criantes : les deux tiers des adultes analphabètes du globe, soit 565 millions de personnes, sont des femmes, vivant pour la plupart dans les régions en développement d'Afrique, d'Asie et d'Amérique latine[5]. À l'échelle mondiale, la scolarisa-

Estimation des taux de scolarisation nets par groupe d'âge et par sexe 6-11, 12-17 et 18-23 ans*, par région, 1995

	6-11		*12-17*		*18-23*	
	M	*F*	*M*	*F*	*M*	*F*
Afrique subsaharienne	*55,2*	*47,4*	*46,0*	*35,3*	*9,7*	*4,9*
États arabes	*83,9*	*71,6*	*59,2*	*47,1*	*24,5*	*16,3*
Amérique latine/Caraïbes	*88,5*	*87,5*	*68,4*	*67,4*	*26,1*	*26,3*
Asie de l'Est/Océanie	*88,6*	*85,5*	*54,7*	*51,4*	*19,5*	*13,6*
Asie du Sud	*84,3*	*65,6*	*50,5*	*32,2*	*12,4*	*6,6*
Pays développés	*92,3*	*91,7*	*87,1*	*88,5*	*40,8*	*42,7*

**Élèves/étudiants du groupe d'âge considéré en pourcentage de la population totale de ce groupe d'âge.*

Source : Rapport mondial sur l'éducation 1995, *p. 36. Paris, UNESCO, 1995.*

[5] Rapport mondial sur l'éducation 1995. *Paris, UNESCO, 1995.*

La disparité entre les sexes

Dans les économies de subsistance, les femmes effectuent le plus gros du travail, peinant une plus longue partie de la journée et contribuant davantage au revenu familial que les hommes de la famille. Cette disparité de condition entre les sexes est l'une des causes premières de la pauvreté, car sous ses formes diverses, elle empêche des centaines de millions de femmes d'accéder à l'éducation, à la formation, aux services de santé, aux services de garderie et au statut juridique qui leur permettraient d'échapper à ce fléau. Dans les pays en développement, les femmes travaillent en moyenne de douze à dix-huit heures par jour - prenant en charge la production des aliments, la gestion des ressources et les récoltes ainsi que diverses autres activités rémunérées ou non – contre huit à douze heures pour les hommes. Selon les estimations, les femmes sont l'unique source de revenus pour un quart à un tiers des ménages dans le monde. Et leur apport représente plus de 50 % des ressources dans au moins le quart des ménages restants. Les familles dont le chef est une femme vivent bien souvent en dessous du seuil de pauvreté.

Certaines indications donnent à penser que la situation des femmes est de plus en plus précaire dans les économies de subsistance. Les contraintes de temps croissantes qui leur sont imposées du fait qu'elles doivent travailler un plus grand nombre d'heures pour parvenir à joindre les deux bouts ont pour double effet de dévaloriser leur statut social et de maintenir les taux de natalité à un niveau élevé. Lorsqu'il ne leur est plus possible d'augmenter davantage leur charge de travail, les femmes s'en remettent en grande partie à leurs enfants – en particulier aux filles – pour les libérer d'une partie de leurs tâches. De fait, la tendance croissante dans de nombreuses

tion des filles est moindre que celle des garçons : une fille sur quatre ne fréquente pas l'école, alors que c'est le cas d'un garçon sur six (24,5 %, soit 85 millions, contre 16,4 %, soit 60 millions, du groupe d'âge correspondant à celui de l'enseignement primaire scolarisé). Ces disparités s'expliquent essentiellement par les écarts observés dans les régions les moins développées. En Afrique subsaharienne par exemple, moins de la moitié des filles âgées de six à onze ans sont scolarisées, et les taux diminuent très sensiblement lorsque l'on considère les tranches d'âge plus élevées.

Le principe d'équité impose un effort particulier pour supprimer toutes les inégalités entre les sexes en matière d'éducation. Elles sont en effet à l'origine d'infériorités durables qui pèsent sur les femmes tout au long de leur vie. En outre, tous les experts s'accordent aujourd'hui à reconnaître le rôle stratégique de l'éducation des femmes dans le développement. En particulier, une corrélation très nette a été établie entre le niveau d'édu-

régions à ne pas scolariser les filles afin qu'elles puissent aider leur mère dans son travail aura pour conséquence presque certaine de limiter les perspectives d'avenir d'une nouvelle génération de jeunes filles, qui se trouveront désavantagées par rapport à leurs frères.

Source : *d'après J. L. Jacobson.* Gender Bias : Roadblock to Sustainable Development. *Washington, D.C., Worldwatch Institute, 1992.*

cation des femmes d'une part et, de l'autre, l'amélioration générale de la santé et de la nutrition de la population ainsi que la baisse des taux de fécondité. Le Rapport mondial sur l'éducation de l'UNESCO pour l'année 1995 analyse les différents aspects de cette question et note que, dans les régions les plus pauvres du monde, « les femmes et les filles sont prisonnières d'un cycle qui fait que les mères analphabètes ont des filles qui, l'étant aussi, se marient très jeunes et sont condamnées à leur tour à la pauvreté, à l'analphabétisme, à un taux de fécondité élevé et à une mortalité précoce ». C'est donc un cercle vicieux liant la pauvreté à l'inégalité entre les hommes et les femmes qu'il s'agit de briser. L'éducation des jeunes filles et des femmes apparaît dès lors, au vu de ce qu'une minorité d'entre elles a d'ores et déjà accompli, comme la condition même d'une participation active de la population aux initiatives en matière de développement.

Une nécessaire remise en question : les dégâts du progrès

L'objectif de pure croissance économique se révèle insuffisant pour garantir le développement humain. Il se trouve en quelque sorte doublement remis en question : non seulement en raison de son caractère inégalitaire, mais à cause des coûts élevés qu'il induit, notamment en matière d'environnement et d'emploi.

Au rythme de production actuel, les ressources dites non reproductibles risquent en effet de se raréfier, qu'il s'agisse des ressources énergétiques ou des terres arables. En outre, les industries greffées sur les sciences physiques, chimiques et biologiques sont à l'origine de pollutions, elles aussi destructrices ou perturbatrices de la nature. Enfin, de manière plus générale, les conditions de vie sur notre planète se trouvent menacées : la raréfaction de l'eau potable, la déforestation, l'« effet de serre », la transformation des océans en une poubelle géante sont autant de manifestations inquiétantes d'une irresponsabilité générale de nos générations à l'égard de l'avenir, dont la Conférence des Nations unies sur l'environnement et le développement, tenue à Rio de Janeiro en 1992, a souligné la gravité.

D'autre part, l'extension rapide du chômage, au cours de ces dernières années, dans un nombre important de pays, constitue à bien des égards un phénomène structurel lié au progrès technologique. À trop systématiquement substituer à la main-d'œuvre un capital technique novateur qui accroît sans cesse la productivité du travail, on contribue au sous-emploi d'une partie de la main-d'œuvre. Le phénomène a d'abord touché le travail d'exécution ; il atteint désormais certaines tâches de conception ou de calcul. La généralisation de l'intelligence artificielle risque de le faire remonter le long de la chaîne de qualification. Il ne s'agit plus seulement de l'exclusion de l'emploi, voire de la société, de groupes d'individus mal préparés, mais d'une évolution qui pourrait modifier la place, voire la nature même du travail dans les sociétés de demain. Il est difficile d'établir, dans l'état actuel des choses, un diagnostic sûr, mais la question mérite d'être posée.

On observera que dans les sociétés industrielles, cimentées par la valeur intégratrice du travail, ce problème constitue d'ores et déjà une source d'inégalité : certains ont du travail, les autres en sont exclus et deviennent des assistés ou des laissés-pour-compte. Faute d'avoir trouvé un nouveau modèle de structuration du temps de la vie humaine, ces sociétés sont en crise : le travail y devient un bien rare que les nations s'arrachent par toutes sortes de protectionnismes et de « dumping » social. Le problème du chômage menace aussi très gravement la stabilité des pays en développement. Le risque est donc présent partout : de nombreux jeunes sans emploi, livrés à eux-mêmes dans les grandes agglomérations urbaines, courent tous les dangers liés à l'exclusion sociale. Une telle évolution se révèle très coûteuse socialement et risque, à l'extrême, de compromettre la solidarité nationale. On peut alors considérer, dans une formulation qui se veut prudente, que le progrès technique avance plus vite que notre capacité à imaginer les solutions aux problèmes nouveaux qu'il pose aux individus et aux sociétés modernes. Il faut repenser la société en fonction de cette évolution inéluctable.

Croissance économique et développement humain

Ce sont sans doute de telles impasses, auxquelles conduit inévitablement un modèle purement productiviste, qui ont amené au fil des années les instances concernées des Nations unies à donner au concept de développement une signification plus large qui déborde l'ordre de l'économie pour tenir compte aussi de ses dimensions éthique, culturelle et écologique.

Le PNUD a ainsi proposé, dès son premier *Rapport sur le développement humain*, en 1990, que le bien-être humain soit considéré comme la finalité du développement, tout en soulignant la gravité et l'ampleur des phénomènes de pauvreté sur le plan mondial. Les indicateurs du développement ne devraient pas se limiter au revenu par habitant, mais comprendre également des données concernant la santé (y compris les taux de mortalité infantile), l'alimentation et la nutrition, l'accès

Le développement humain aujourd'hui

Le développement humain est un processus visant à élargir les possibilités offertes aux individus. En principe, ces possibilités peuvent être infinies et évoluer au cours du temps. Cependant, quel que soit le niveau de développement, les trois principales, du point de vue des personnes, sont de mener une vie longue et saine, d'acquérir des connaissances et d'avoir accès aux ressources nécessaires pour disposer d'un niveau de vie décent. En l'absence de ces possibilités fondamentales, un grand nombre d'autres opportunités restent inaccessibles.

[...]

Pour autant, le développement humain ne s'arrête pas là. D'autres potentialités, auxquelles les individus attachent une grande valeur, vont des libertés politiques, économiques et sociales à la possibilité d'exprimer sa créativité ou sa productivité, en passant par la dignité personnelle et le respect des droits de l'homme.

Le concept de développement humain est donc beaucoup plus vaste que les théories classiques du développement économique. Les modèles de croissance

économique se rapportent à l'augmentation du PNB plutôt qu'à l'amélioration des conditions de vie. Le développement des ressources humaines, quant à lui, considère les êtres humains comme de simples facteurs entrant dans un processus de production – c'est-à-dire comme un moyen plutôt que comme une fin. Les politiques du bien-être social, pour leur part, voient les individus comme les bénéficiaires du processus de développement, et non comme des participants à ce processus. Enfin, l'approche visant à la satisfaction des besoins essentiels est axée sur la fourniture de biens et services économiques à des groupes défavorisés et non sur l'élargissement des potentialités humaines.

Le développement humain, en revanche, traite dans un même ensemble la production et la distribution des biens et services, d'une part, et l'amplification ainsi que l'utilisation des potentialités humaines, d'autre part. Le concept de développement humain englobe et dépasse à la fois les préoccupations citées plus haut. Il analyse toutes les questions relatives à la société – croissance économique, échanges, emploi, libertés politiques, valeurs culturelles, etc. – du point de vue des individus. Il se concentre donc sur l'élargissement des possibilités de choix – et s'applique de la même manière aux pays en développement et aux pays industrialisés.

Source : Rapport mondial sur le développement humain 1995, *p.13-14. (Publié pour le PNUD), Paris, Economica, 1995.*

à l'eau potable, l'éducation et l'environnement. Sont également à prendre en compte l'équité et l'égalité entre les différents groupes sociaux et entre les sexes, ainsi que le degré de participation démocratique. La notion de « durabilité » vient d'autre part compléter celle de développement humain, l'accent étant mis sur la viabilité à long terme du processus de développement, sur l'amélioration des conditions d'existence des générations futures, ainsi que sur le respect des milieux naturels dont dépend toute vie. La tendance à l'accroissement des dépenses militaires, que ce soit dans les pays en développement ou dans les pays développés, est fortement remise en cause, dans la mesure où cet accroissement s'effectue au détriment d'autres affectations plus propices à générer le bien-être humain.

C'est en accord avec cette conception élargie du développement que la Commission a situé sa réflexion sur l'éducation pour le XXIe siècle. L'éducation doit désormais être envisagée dans le cadre d'une problématique nouvelle, où elle n'est pas simplement un moyen du développement parmi d'autres, mais où elle en devient l'un des éléments constitutifs, ainsi que l'une des finalités essentielles.

L'éducation pour le développement humain

L'un des tout premiers rôles dévolus à l'éducation consiste dès lors à donner à l'humanité la maîtrise de son propre développement. Elle doit en effet permettre à chacun de prendre son destin en main afin de contribuer au progrès de la société dans laquelle il vit, en fondant le développement sur la participation responsable des individus et des communautés.

Compte tenu du point de vue adopté ici, c'est dans toutes ses composantes que l'éducation contribue au développement humain. Cependant, ce développement responsable ne peut mobiliser toutes les énergies sans un préalable : fournir à chacun, le plus tôt possible, le « passeport pour la vie » qui lui permettra de mieux se comprendre lui-même, de comprendre les autres et ainsi de participer à l'œuvre collective et à la vie en société. L'éducation de base pour tous est donc absolument vitale (*cf.* chapitre 6). Dans la mesure où le développement vise à l'épanouissement de l'être humain en tant que tel, et non en tant que moyen de production, il est clair que cette éducation de base doit englober tous les éléments de connaissance requis pour pouvoir accéder éventuellement à d'autres niveaux de formation. Il convient à ce propos d'insister sur le rôle formateur de l'enseignement des sciences et de définir dans cette perspective une éducation qui sache, dès le plus jeune âge, par des moyens parfois très simples comme la traditionnelle « leçon de choses », éveiller la curiosité des enfants, développer leur sens de l'observation, et les initier à une démarche de type expérimental. Mais l'éducation de base doit aussi, et surtout, dans la perspective de l'éducation permanente, donner à chacun les moyens de modeler librement sa vie et de participer à l'évolution de la société. La Commission se situe ici dans le droit-fil des travaux et des résolutions de la Conférence mondiale sur l'éducation pour tous qui s'est tenue à Jomtien (Thaïlande) en 1990. Elle souhaite donner à la notion d'éducation de base, ou « éducation fondamentale[6] », l'acception la plus large possible, en y incluant un ensemble de connaissances et de savoir-faire indispensables dans la perspective du développement humain.

[6] Le texte de la Déclaration de Jomtien a défini les besoins éducatifs fondamentaux, et l'expression « éducation fondamentale » y a été retenue pour désigner l'éducation de base au sens où l'entend le présent rapport (cf. chapitre 6).

Recommandations de Dakar

– Diversifier l'offre d'éducation en diversifiant i) ses contenus, afin d'échapper au modèle unique, source de compétition et souvent de frustration (le développement des enseignements artistiques et artisanaux peut être une voie fructueuse pour donner de l'attrait à l'école), ii) les types et les parcours d'éducation, au niveau des systèmes et des structures, tout en préservant la cohérence d'ensemble (utilisation des médias ; participation de l'éducation informelle ; partenariats éducatifs ; organisation de parcours scolaires plus ou moins étalés dans la vie de chaque individu), iii) les méthodes et les lieux d'apprentissage, notamment pour les savoir-faire (scolarité plus ou moins longue ; apprentissage sur le tas ; alternance avec le lieu de travail).

– Construire des capacités de recherche et d'expertise régionalement : enseigner les sciences dans une problématique systémique et en utilisant la « leçon de choses » qui permet de tirer des savoirs de l'observation de l'environnement naturel ou artificiel ; mobiliser les connaissances tacites de tous, y compris celles des générations les plus anciennes (modes d'assolement, problèmes d'érosion des sols, risques naturels etc.) ; mobiliser les connaissances scientifiques internationales sur des projets pluridisciplinaires faisant par exemple intervenir les sciences sociales – histoire, sociologie, ethnologie, géographie économique – et pouvant traiter de la spécificité locale (de nombreux exemples de projets agricoles ont avorté non à cause de la médiocrité des agronomes impliqués, mais en raison de leur méconnaissance des conditions sociales et culturelles d'application).

– Encourager l'épanouissement de la créativité et des capacités entrepreneuriales endogènes. L'observation de l'économie informelle dans les pays en développe-

Devrait en particulier y trouver sa place une éducation en matière d'environnement, de santé et de nutrition.

Dans cette perspective d'un développement fondé sur une participation responsable de tous les membres de la société, le principe général d'action qui semble s'imposer est celui de l'incitation à l'initiative, au travail en équipe, aux synergies, mais aussi à l'autoemploi et à l'esprit d'entreprise : il faut dans chaque pays activer les ressources, mobiliser les savoirs et les acteurs locaux, en vue de créer de nouvelles activités qui permettent de déjouer les maléfices du chômage technologique. Dans les pays en développement, cette voie offre le meilleur moyen d'amorcer et de nourrir des processus de développement endogène. Les éléments de la stratégie éducative doivent donc être conçus comme coordonnés et complémentaires, leur fondement commun étant la recherche d'un type d'enseignement qui soit aussi adapté aux circonstances locales.

Mais surtout, la Commission entend souligner que la

perspective du développement humain tel qu'il a été défini précédemment conduit à dépasser toute conception de l'éducation qui serait étroitement utilitaire. L'éducation ne sert pas seulement à pourvoir le monde économique en qualifications : elle ne s'adresse pas à l'être humain en tant qu'agent économique, mais en tant que finalité du développement. Épanouir les talents et les aptitudes que chaque personne porte en elle répond à la fois à sa mission fondamentalement humaniste, à l'exigence d'équité qui doit guider toute politique éducative et aux véritables besoins d'un développement endogène respectueux de l'environnement humain et naturel, ainsi que de la diversité des traditions et des cultures. Plus particulièrement, s'il est vrai que la formation permanente demeure une idée essentielle de la fin du XXe siècle, il importe de l'inscrire, au-delà d'une simple adaptation à l'emploi, dans la conception plus large d'une éducation tout au long de la vie, conçue comme la condition du développement harmonieux et continu de la personne.

Les réflexions de la Commission font écho, à cet égard, aux propos tenus par le directeur général de l'UNESCO, Federico Mayor, lors du colloque international *Et le développement* (Unesco, Paris 18-19 juin 1994). Le processus du développement, a-t-il souligné, « doit avant tout permettre d'éveiller tout le potentiel de celui qui en est à la fois le premier protagoniste et l'ultime destinataire : l'être humain, celui qui vit aujourd'hui, mais aussi celui qui vivra demain sur la terre ».

ment et de l'innovation technologique dans les pays développés prouve que ce ne sont pas forcément ceux qui réussissent à l'école formelle qui sont les plus créateurs. La création est d'ailleurs en soi un processus d'éducation, en termes de problèmes à résoudre. Sans tuer les facultés d'initiative et d'originalité, il faut donc faire en sorte que le potentiel de développement de la personnalité ne soit pas gaspillé – dans des activités illicites par exemple – ou découragé.

D'après : Rapport de la deuxième session de la Commission *(Dakar, Sénégal, 18-21 septembre 1993). Paris, UNESCO, 1994. (UNESCO doc. EDC/13.)*

Pistes et recommandations

- *La poursuite de la réflexion menée autour de l'idée d'un nouveau modèle de développement, plus respectueux de la nature et des temps de la personne.*
- *Une prospective de la place du travail dans la société de demain, compte tenu des incidences du progrès technique et des changements sur les modes de vie privés et collectifs.*
- *Une mesure plus exhaustive du développement humain, prenant en compte toutes ses dimensions, dans l'esprit des travaux du PNUD.*
- *L'établissement de relations nouvelles entre politique de l'éducation et politique de développement, afin de renforcer les bases du savoir et des savoir-faire dans les pays concernés : incitation à l'initiative, au travail en équipe, aux synergies réalistes tenant compte des ressources locales, à l'autoemploi et à l'esprit d'entreprise.*
- *L'enrichissement et la généralisation indispensables de l'éducation de base (importance de la Déclaration de Jomtien).*

(deuxième partie)

Principes

(chapitre 4)

Les quatre piliers de l'éducation

Parce qu'il offrira des moyens sans précédent pour la circulation et le stockage des informations et pour la communication, le siècle prochain soumettra l'éducation à une double injonction qui peut sembler à première vue presque contradictoire. L'éducation doit en effet transmettre massivement et efficacement de plus en plus de savoirs et de savoir-faire évolutifs, adaptés à la civilisation cognitive, parce qu'ils sont les fondements des compétences de demain. Simultanément, il lui faut trouver et marquer les repères qui permettront de ne pas se laisser submerger par les flux d'informations plus ou moins éphémères qui envahissent les espaces publics et privés et de garder le cap pour les projets de développement tant individuels que collectifs. L'éducation est en quelque sorte tenue à la fois de fournir les cartes d'un monde complexe et perpétuellement agité, et la boussole permettant d'y naviguer.

Dans cette vision prospective, une réponse purement quantitative à la demande insatiable d'éducation – un bagage scolaire de plus en plus lourd – n'est ni possible ni même appropriée. Il ne suffit plus en effet que chaque individu accumule au début de sa vie un stock de connaissances, où il pourrait ensuite puiser indéfiniment. Il faut surtout qu'il soit en mesure de saisir et d'exploiter d'un bout à l'autre de son existence toutes les occasions de mettre à jour, d'approfondir et d'enrichir cette connaissance première, et de s'adapter à un monde changeant.

Pour répondre à l'ensemble de ses missions, l'éducation doit s'organiser autour de quatre apprentissages fondamentaux qui, tout au long de la vie, seront en quelque sorte pour chaque individu les piliers de la connaissance : *apprendre à connaître, c'est-à-dire* acquérir les instruments de la compréhension ; *apprendre à faire,* pour pouvoir agir sur son environnement; *apprendre à vivre ensemble*, afin de participer et de coopérer avec les autres à toutes les activités humaines; enfin, *apprendre à être*, cheminement essentiel qui participe des trois précédents. Bien entendu, ces quatre voies du savoir n'en font qu'une, car il existe entre elles de multiples points de contact, de recoupement et d'échange.

Mais, en règle générale, l'enseignement formel s'oriente essentiellement, si ce n'est exclusivement, vers l'*apprendre à connaître* et, dans une moindre mesure, l'*apprendre à faire*. Les deux autres apprentissages dépendent le plus souvent de circonstances aléatoires, quand on ne les tient pas pour un prolongement en quelque sorte naturel des deux premiers. Or la Commission estime que chacun des quatre «piliers de la connaissance» doit faire l'objet d'une attention égale dans tout enseignement structuré, afin que l'éducation apparaisse comme une expérience globale et poursuivie tout au long de la vie, sur le plan cognitif comme celui de la pratique, pour le sujet en tant que personne et membre de la société.

Dès le début de leurs travaux, les membres de la Commission ont compris qu'il serait indispensable, pour répondre aux défis du prochain siècle, d'assigner des objectifs nouveaux à l'éducation, et donc de changer l'idée qu'on se fait de son utilité. Une nouvelle conception élargie de l'éducation devrait permettre à tout individu de découvrir, d'éveiller et de fortifier son potentiel créateur – de mettre au jour le trésor caché en chacun de nous. Cela suppose qu'on transcende une vision purement instrumentale de l'éducation, considérée comme la voie obligée pour obtenir certains résultats (savoir-faire, acquisition de capacités diverses, fins d'ordre économique), pour en considérer la fonction dans sa plénitude: l'accomplissement de la personne qui, tout entière, *apprend à être*.

Apprendre à connaître

Ce type d'apprentissage, qui vise moins l'acquisition de savoirs répertoriés et codifiés que la maîtrise des instruments mêmes de la connaissance, peut être considéré à la fois comme un moyen et comme une finalité de la vie humaine. En tant que moyen, il s'agit pour chaque individu d'apprendre à comprendre le monde qui l'entoure, au moins autant qu'il lui est nécessaire pour vivre dignement, pour développer ses capacités professionnelles, pour communiquer. En tant que finalité, le fondement en est le plaisir de comprendre, de connaître, de découvrir. Même si l'étude sans utilité immédiate tend à se raréfier, tant l'apprentissage des savoirs utiles prend de place dans la vie actuelle, la tendance à l'allongement de la scolarité et du temps libre devrait amener de plus en plus d'adultes à pouvoir apprécier les joies de la connaissance et de la recherche individuelle. L'élargissement des savoirs, qui permet à chacun de mieux comprendre son environnement, sous ses divers aspects, favorise l'éveil de la curiosité intellectuelle, stimule le sens critique et permet de déchiffrer le réel en acquérant l'autonomie de jugement. De ce point de vue, répétons-le, il est essentiel que chaque enfant, où qu'il soit, puisse accéder sous une forme appropriée à la démarche scientifique et devenir pour toute sa vie « ami de la science[1] ». Au niveau de l'enseignement secondaire et supérieur, la formation initiale doit fournir à tous les élèves et étudiants les instruments, les concepts et les modes de référence qui résultent de l'avancée des sciences et des paradigmes de l'époque.

Toutefois, comme la connaissance est multiple et infiniment évolutive, il est de plus en plus vain d'essayer de tout connaître, et, au-delà de l'enseignement de base, l'omnidisciplinarité devient un leurre. La spécialisation cependant, même pour les futurs chercheurs, ne doit pas exclure la culture générale. « Un esprit vraiment formé, aujourd'hui, a besoin d'une culture générale étendue et de la possibilité de travailler en profondeur un petit nombre de matières. On doit, d'un bout à l'autre de l'enseignement, favoriser la simultanéité des deux tendances[2]. » C'est que la culture générale, ouverture sur d'autres langages et d'autres connaissances, permet d'abord de communiquer. Enfermé dans sa propre science, le spécialiste risque de se désintéresser de ce que font les autres. Quelles que soient les

[1] *Rapport de la troisième session de la Commission, Paris, 12-15 janvier 1994.*
[2] Cf. *Laurent Schwartz : « L'enseignement scientifique », in Institut de France :* Réflexions sur l'enseignement, *Paris, Flammarion, 1993.*

circonstances, il éprouvera des difficultés à coopérer. D'autre part, la formation culturelle, ciment des sociétés dans le temps et dans l'espace, entraîne l'ouverture sur d'autres champs de la connaissance ; ainsi peuvent s'opérer de fécondes synergies entre les disciplines. En matière de recherche spécialement, certaines avancées de la connaissance se font aux intersections des champs disciplinaires.

Apprendre pour connaître suppose d'abord d'apprendre à apprendre, par l'exercice de l'attention, de la mémoire et de la pensée. Dès l'enfance, surtout dans les sociétés dominées par l'image télévisuelle, le jeune doit apprendre à concentrer son attention sur les choses et les personnes. La succession très rapide d'informations médiatisées, le « zapping » si fréquent, nuisent en effet au processus de découverte, qui implique la durée et l'approfondissement de la saisie. Cet apprentissage de l'attention peut revêtir des formes diverses et tirer parti de multiples occasions de la vie (jeux, stages dans les entreprises, voyages, travaux pratiques de sciences...).

L'exercice de la mémoire, d'autre part, est un antidote nécessaire à la submersion par les informations instantanées que diffusent les médias. Il serait dangereux d'imaginer que la mémoire est devenue inutile à cause de la formidable capacité de stockage et de diffusion des informations dont nous disposons désormais. Certes, il faut sans doute être sélectif dans le choix des données à apprendre « par cœur », mais la faculté proprement humaine de mémorisation associative, qui n'est pas réductible à un automatisme, doit être cultivée soigneusement. Tous les spécialistes conviennent que la mémoire doit être entraînée dès l'enfance et qu'il est inapproprié de supprimer dans la pratique scolaire certains exercices traditionnels, considérés comme ennuyeux.

L'exercice de la pensée, enfin, auquel l'enfant est initié d'abord par ses parents, puis par ses maîtres, doit comporter des allers et retours entre le concret et l'abstrait. Aussi convient-il de combiner, dans l'enseignement comme dans la recherche, les deux méthodes souvent présentées comme antagonistes : déductive d'une part, inductive de l'autre. Selon les disciplines enseignées, l'une peut être plus pertinente que l'autre, mais, dans la plupart des cas, l'enchaînement de la pensée nécessite la combinaison des deux.

Le processus d'apprentissage de la connaissance n'est jamais achevé et peut s'enrichir de toutes les expériences. En ce sens, il s'imbrique de plus en plus dans l'expérience du travail, à mesure que celui-ci devient moins routinier. L'éducation première peut être considérée comme réussie si elle a donné l'impulsion et les bases qui permettront de continuer à apprendre tout au long de la vie, dans le travail, mais aussi hors du travail.

Apprendre à faire

Apprendre à connaître et apprendre à faire sont, dans une large mesure, indissociables. Mais le second est plus étroitement lié à la question de la formation professionnelle : comment apprendre à l'élève à mettre en pratique ses connaissances, mais aussi comment adapter l'éducation au travail futur, alors que son évolution n'est pas entièrement prévisible ? C'est à cette dernière question que la Commission s'efforcera de répondre plus particulièrement.

Il convient de distinguer à ce propos le cas des économies industrielles, où domine le travail salarial, de celui d'autres économies où domine encore largement le travail indépendant ou informel. Dans les sociétés salariales, en effet, qui se sont développées tout au long du XXe siècle sur le modèle industriel, la substitution de machines au travail humain a pour effet de rendre celui-ci de plus en plus immatériel et accentue le caractère cognitif des tâches, même dans l'industrie, ainsi que l'importance des services dans l'activité économique. L'avenir de ces économies est d'ailleurs suspendu à leur capacité de transformer le progrès des connaissances en innovations génératrices de nouvelles entreprises et de nouveaux emplois. Apprendre à faire ne peut donc plus avoir la signification simple que cette expression revêtait lorsqu'il s'agissait de préparer quelqu'un à une tâche matérielle bien déterminée, pour le faire participer à la fabrication de quelque chose. Les apprentissages doivent évoluer en conséquence et ne peuvent plus être considérés comme la simple transmission de pratiques plus ou moins routinières, même si celles-ci gardent une valeur formatrice qu'il ne faut pas négliger.

De la notion de qualification à celle de compétence

Dans l'industrie, notamment pour les opérateurs et les techniciens, l'emprise du cognitif et de l'informatif sur les systèmes de production rend quelque peu obsolète la notion de qualification professionnelle et met au premier plan celle de compétence personnelle. Inéluctablement, le progrès technique modifie, en effet, les qualifications requises par les nouveaux processus de production. Aux tâches purement physiques se substituent des tâches de production plus intellectuelles, plus mentales, telles que la commande des machines, leur maintenance, leur surveillance, et des tâches de conception, d'étude, d'organisation, à mesure que les machines deviennent elles-mêmes plus « intelligentes » et que le travail se « dématérialise ».

Cette hausse des exigences en matière de qualification, à tous les niveaux, a plusieurs origines. En ce qui concerne le personnel d'exécution, à la juxtaposition des tâches prescrites et du travail parcellisé se substitue souvent une organisation en « collectifs de travail » ou « groupes de projet », à l'exemple des pratiques des entreprises japonaises : une sorte de taylorisme à l'envers. D'autre part, à l'interchangeabilité des salariés succède la personnalisation des tâches. Les employeurs substituent de plus en plus à la demande d'une qualification, encore trop imprégnée à leurs yeux de l'idée de savoir-faire matériel, la demande d'une compétence qui se présente comme une sorte de cocktail propre à chaque individu, combinant la qualification au sens strict acquise par la formation technique et professionnelle, le comportement social, l'aptitude au travail en équipe, la faculté d'initiative, le goût du risque.

Si l'on ajoute à ces nouvelles exigences la demande d'un engagement personnel du travailleur, considéré comme acteur du changement, il devient évident que des qualités très subjectives, innées ou acquises, souvent dénommées « savoir-être » par les chefs d'entreprise, se mêlent aux savoirs et savoir-faire pour composer la compétence requise – laquelle illustre bien le lien que l'éducation doit maintenir, ainsi que l'a souligné la Commission, entre les diverses faces de l'apprentissage. Parmi ces qualités, la capacité de communiquer, de travailler avec les autres, de gérer et de résoudre des conflits devient de plus en plus importante. Cette tendance est amplifiée par le développement des activités de services.

La « dématérialisation » du travail et les activités de services dans le secteur du salariat

Les conséquences sur l'apprentissage de la « dématérialisation » des économies avancées sont particulièrement frappantes, si l'on observe l'évolution quantitative et qualitative des services. Cette catégorie très diversifiée se définit surtout *a contrario*, comme regroupant des activités qui ne sont ni industrielles ni agricoles et qui, malgré leur diversité, ont en commun le fait de ne pas produire un bien matériel.

Beaucoup de services se définissent surtout en fonction de la relation interpersonnelle à laquelle ils donnent lieu. On peut en trouver des exemples aussi bien dans le secteur marchand, qui prolifère en se nourrissant de la complexité croissante des économies (expertises de tout genre, services de veille ou de conseil technologiques, services financiers, comptables ou de gestion), que dans le secteur non marchand plus traditionnel (services sociaux, d'enseignement, de santé, etc.). Dans les deux cas, l'activité d'information et de communication est primordiale ; l'accent est mis sur la capture et le traitement personnalisés d'informations spécifiques pour un projet précis. Dans ce type de services, la qualité de la relation entre le prestataire et l'usager dépend aussi beaucoup de ce dernier. On comprend alors que le travail en question ne peut plus être préparé de la même façon que lorsqu'il s'agit de labourer la terre ou de fabriquer une tôle. La relation à la matière et à la technique doit être complétée par l'aptitude à la relation interpersonnelle. Le développement des services impose donc de cultiver des qualités humaines que n'inculquent pas forcément les formations traditionnelles et qui correspondent à la capacité d'établir des relations stables et efficaces entre les individus.

On peut finalement imaginer que, dans les organisations ultra-technicisées du futur, des déficits relationnels puissent créer de graves dysfonctionnements, appelant des qualifications d'un type nouveau à base plus comportementale qu'intellectuelle. Cela peut être une chance pour les individus non ou peu diplômés. L'intuition, le flair, le jugement, la capacité de souder une équipe ne sont pas forcément, en effet, des qualités réservées aux plus hauts diplômés. Comment et où enseigner ces qualités plus ou moins innées ? On ne peut déduire de façon simple les contenus de formation des capacités ou aptitudes requises. Ce problème se pose aussi à propos de la formation professionnelle dans les pays en développement.

Le travail dans l'économie informelle

Dans les économies en développement où ne domine pas l'activité salariée, la nature du travail est très différente. Dans beaucoup de pays d'Afrique subsaharienne et certains pays d'Amérique latine et d'Asie, en effet, une petite partie seulement de la population occupe un emploi salarié, tandis que la grande majorité participe à l'économie traditionnelle de subsistance. Il n'existe pas à proprement parler de référentiel d'emploi ; les savoir-faire sont souvent de type traditionnel. En outre, la fonction de l'apprentissage ne se limite pas au seul travail, mais doit répondre à l'objectif plus large d'une participation formelle ou informelle au développement. Il s'agit souvent autant de qualification sociale que de qualification professionnelle.

Dans d'autres pays en développement, il existe, à côté de l'agriculture et d'un secteur formel réduit, un secteur d'économie en même temps moderne et informelle, parfois assez dynamique, à base d'artisanat, de commerce et de finance, qui dénote l'existence d'un potentiel entrepreneurial bien adapté aux conditions locales.

Dans les deux cas, il ressort de nombreuses consultations menées auprès de pays en développement que ceux-ci perçoivent leur avenir comme étroitement lié à l'acquisition de la culture scientifique qui leur donnera accès à la technologie moderne, sans que soient négligées pour autant les capacités spécifiques d'innovation et de création liées au contexte local.

On retrouve alors une question commune aux pays développés et en développement : comment apprendre à se comporter efficacement dans une situation incertaine, comment participer à la création du futur ?

Apprendre à vivre ensemble, apprendre à vivre avec les autres

Sans doute cet apprentissage représente-t-il un des enjeux majeurs de l'éducation aujourd'hui. Le monde actuel est trop souvent un monde de violence qui contredit l'espoir que certains avaient pu mettre dans le progrès de l'humanité. L'histoire humaine a toujours été conflictuelle, mais des éléments nouveaux accentuent le risque, et notamment l'extraordinaire potentiel d'autodestruction créé par l'humanité au cours du XXe siècle. L'opinion publique, à travers les médias, devient l'observateur impuissant, voire l'otage, de ceux qui créent ou entretiennent les conflits. Jusqu'à présent, l'éducation n'a pas pu faire grand-chose pour modifier cet état de fait. Peut-on concevoir une éducation qui permette d'éviter les conflits ou de les résoudre de manière pacifique en développant la connaissance des autres, de leurs cultures, de leur spiritualité ?

L'idée d'enseigner la non-violence à l'école est louable, même si elle ne constitue qu'un instrument parmi d'autres pour lutter contre les préjugés qui mènent aux conflits. La tâche est ardue car, très naturellement, les êtres humains ont tendance à surévaluer leurs qualités et celles de leur groupe d'appartenance et à nourrir des préjugés défavorables à l'égard des autres. En outre, le climat général de concurrence qui caractérise actuellement l'activité économique à l'intérieur des nations, et surtout au niveau international, a tendance à donner la priorité à l'esprit de compétition et à la réussite individuelle. De fait, cette compétition se solde actuellement par une guerre économique impitoyable et une tension entre les nantis et les pauvres qui fracture les nations et le monde, et exacerbe les rivalités historiques. Il faut regretter que l'éducation contribue parfois à entretenir ce climat par une mauvaise interprétation de l'idée d'émulation.

Comment faire mieux? L'expérience prouve qu'il ne suffit pas, pour diminuer ce risque, d'organiser le contact et la communication entre membres de groupes différents (au sein d'écoles communes à plusieurs ethnies ou plusieurs religions, par exemple). Si ces différents groupes sont en compétition ou si leur statut est inégal dans l'espace commun, un tel contact peut au contraire envenimer les tensions latentes et dégénérer en conflits. En revanche, si ce contact se fait dans un cadre égalitaire et s'il existe des objectifs et des projets communs, les préjugés et l'hostilité latente peuvent s'effacer et laisser place à une coopération plus sereine, voire à de l'amitié.

L'éducation doit donc emprunter – semble-t-il – deux voies complémentaires. Au premier niveau, la découverte progressive de l'autre. Au second niveau, et tout au long de la vie, l'engagement dans des projets communs, qui semble une méthode efficace pour éviter ou résoudre les conflits latents.

À la découverte de l'autre

L'éducation a pour mission d'enseigner simultanément la diversité de l'espèce humaine et la conscience des similitudes et de l'interdépendance entre tous les êtres humains de la planète. Dès la petite enfance, l'école doit donc saisir toutes les occasions de ce double enseignement. Certaines disciplines s'y prêtent particulièrement, la géographie humaine dès l'éducation de base, les langues et les littératures étrangères plus tard.

La découverte de l'autre passe nécessairement par la connaissance de soi, et, pour donner à l'enfant et à l'adolescent une vision juste du monde, l'éducation, qu'elle soit faite par la famille, la communauté ou l'école, doit d'abord lui faire découvrir qui il est. C'est alors seulement qu'il pourra véritablement se mettre à la place des autres pour comprendre leurs réactions. Développer cette attitude d'empathie à l'école est fécond pour les comportements sociaux tout au long de la vie. En apprenant, par exemple, aux jeunes à adopter la perspective d'autres groupes ethniques ou religieux, on peut éviter des incompréhensions génératrices de haine et de violence chez les adultes. Ainsi l'enseignement de l'histoire des religions ou des coutumes peut-il servir de référence utile pour les comportements à venir[3].

Enfin, la forme même de l'enseignement ne doit pas aller à l'encontre de cette reconnaissance de l'autre. Les enseignants qui, à force de dogmatisme, tuent la curiosité ou l'esprit critique au lieu d'y entraîner leurs élèves peuvent être plus nuisibles qu'utiles. Oubliant qu'ils se présentent comme des modèles, ils risquent par leur attitude d'affaiblir à vie chez leurs élèves la capacité de s'ouvrir à l'altérité et d'affronter les inévitables tensions entre personnes, entre groupes, entre nations. La confrontation, par le dialogue et l'échange d'arguments, est un des outils nécessaires à l'éducation du XXIe siècle.

Tendre vers des objectifs communs

Lorsqu'on travaille ensemble à des projets motivants qui font sortir de l'habitude, les différences, et même les conflits, entre les individus tendent à s'estomper, et disparaissent parfois. Un mode d'identification nouveau naît de ces projets qui permettent de dépasser les routines individuelles et valorisent ce qui est commun par rapport à ce qui est étranger. Grâce à la pratique du sport, par exemple, combien de tensions entre classes sociales ou nationalités se sont finalement transformées en solidarité à travers l'épreuve et le bonheur de l'effort commun ! De même, dans le travail, combien de réalisations n'auraient pu voir le jour si les conflits habituels aux organisations hiérarchisées n'avaient pas été transcendés par le projet commun !

L'éducation formelle doit donc réserver suffisamment de temps et d'occasions dans ses programmes pour initier les jeunes à de tels projets coopératifs, dès l'enfance, lors des acti-

[3] *David A. Hamburg,* Education for Conflict Resolution. *(Extrait de :* Annual Report 1994, *Carnegie Corporation of New York.)*

vités sportives ou culturelles mais aussi par leur participation à des activités sociales : rénovation de quartiers, aide aux plus défavorisés, action humanitaire, services de solidarité entre les générations... Les autres organisations éducatives et les associations doivent prendre à cet égard le relais de l'école. En outre, dans la pratique scolaire quotidienne, l'implication des enseignants et élèves dans des projets communs peut engendrer l'apprentissage d'une méthode de résolution des conflits et une référence pour la vie future des élèves, tout en enrichissant la relation enseignant-enseigné.

Apprendre à être

Dès sa première réunion, la Commission a réaffirmé avec force un principe fondamental : l'éducation doit contribuer au développement total de chaque individu — esprit et corps, intelligence, sensibilité, sens esthétique, responsabilité personnelle, spiritualité. Tout être humain doit être mis en mesure, notamment grâce à l'éducation qu'il reçoit dans sa jeunesse, de se constituer une pensée autonome et critique et de forger son propre jugement, pour déterminer par lui-même ce qu'il estime devoir faire dans les différentes circonstances de la vie.

Le rapport *Apprendre à être* (1972) exprimait dans son préambule la crainte d'une déshumanisation du monde liée à l'évolution technique[4]. Toute l'évolution des sociétés depuis lors, et notamment le formidable développement du pouvoir médiatique, est venue accentuer cette crainte et rendre l'injonction qu'elle fonde encore plus légitime. Il est possible que le XXIe siècle amplifie ces phénomènes. Le problème ne sera plus alors tellement de préparer les enfants à une société donnée que de fournir à chacun en permanence les forces et les repères intellectuels lui permettant de comprendre le monde qui l'entoure et de se comporter en acteur responsable et juste. Plus que jamais, l'éducation semble avoir pour rôle essentiel de conférer à tous les humains la liberté de pensée, de jugement,

[4] « - Risque d'aliénation de la personnalité, inclus dans les formes obsédantes de la propagande et de la publicité, dans le conformisme des comportements qui peuvent être imposés de l'extérieur, au détriment des besoins authentiques et de l'identité intellectuelle et affective de chacun. — Risque d'éviction, par les machines, du monde de travail, dans lequel il avait au moins l'impression de se mouvoir librement et de se déterminer à sa guise. » (Edgar Faure et al, Apprendre à être, *Rapport de la Commission internationale sur le développement de l'éducation, p. XXVIII, UNESCO-Fayard, Paris, 1972.)*

de sentiment et d'imagination dont ils ont besoin pour épanouir leurs talents et rester aussi maîtres que possible de leur destin.

Cet impératif n'est pas simplement de nature individualiste : l'expérience récente montre que ce qui pourrait apparaître seulement comme un mode de défense de l'individu à l'égard d'un système aliénant ou perçu comme hostile est aussi parfois la meilleure chance de progrès des sociétés. La diversité des personnalités, l'autonomie et l'esprit d'initiative, voire le goût de la provocation, sont les garants de la créativité et de l'innovation. Pour réduire la violence ou lutter contre différents fléaux qui affectent la société, des méthodes inédites issues des expériences de terrain ont fait la preuve de leur efficacité.

Dans un monde très changeant dont l'un des moteurs principaux semble être l'innovation tant sociale qu'économique, une place particulière doit sans doute être faite à l'imagination et à la créativité ; manifestations les plus nettes de la liberté humaine, elles peuvent se trouver menacées par une certaine standardisation des conduites individuelles. Le XXIe siècle a besoin de cette diversité des talents et des personnalités, au-delà même des individus exceptionnels, également essentiels dans n'importe quelle civilisation. Il convient donc d'offrir aux enfants comme aux jeunes toutes les occasions possibles de découverte et d'expérimentation – esthétique, artistique, sportive, scientifique, culturelle et sociale –, qui viendront compléter la présentation attrayante de ce qu'ont su créer, dans ces domaines, les générations précédentes ou leurs contemporains. À l'école, l'art et la poésie devraient reprendre une place plus importante que celle que leur accorde, dans bien des pays, un enseignement devenu plus utilitariste que culturel. Le souci de développer l'imagination et la créativité devrait aussi revaloriser la culture orale et les connaissances tirées de l'expérience de l'enfant ou de l'adulte.

Ainsi, la Commission adhère pleinement au postulat du rapport *Apprendre à être :* « Le développement a pour objet l'épanouissement complet de l'homme dans toute sa richesse et dans la complexité de ses expressions et de ses engagements :

individu, membre d'une famille et d'une collectivité, citoyen et producteur, inventeur de techniques et producteur de rêves[5] ». Ce développement de l'être humain, qui va de la naissance à la fin de la vie, est un processus dialectique qui commence par la connaissance de soi pour s'ouvrir ensuite au rapport à autrui. En ce sens, l'éducation est avant tout un voyage intérieur, dont les étapes correspondent à celles de la maturation continue de la personnalité. Supposant une expérience professionnelle réussie, l'éducation comme moyen d'un tel accomplissement est donc à la fois un processus très individualisé et une construction sociale interactive.

*

* *

Il va sans dire que les quatre piliers de l'éducation que nous venons de décrire ne sauraient s'ancrer exclusivement dans une phase de la vie ou dans un lieu unique. Comme nous le verrons au chapitre suivant, les temps et les champs de l'éducation doivent être repensés, se compléter et s'interpénétrer de manière que chaque individu, tout au long de sa vie, puisse tirer le meilleur parti d'un environnement éducatif sans cesse élargi.

[5] Op. cit. *p. XVI*

Pistes et recommandations

▶ *L'éducation tout au long de la vie est fondée sur quatre piliers : apprendre à connaître, apprendre à faire, apprendre à vivre ensemble, apprendre à être.*

▶ Apprendre à connaître, *en combinant une culture générale suffisamment étendue avec la possibilité de travailler en profondeur un petit nombre de matières. Ce qui veut dire aussi : apprendre à apprendre, pour bénéficier des opportunités offertes par l'éducation tout au long de la vie.*

▶ Apprendre à faire *afin d'acquérir, non seulement une qualification professionnelle, mais, plus largement, une compétence qui rende apte à faire face à de nombreuses situations et à travailler en équipe. Mais aussi, apprendre à faire dans le cadre des diverses expériences sociales ou de travail qui s'offrent aux jeunes et aux adolescents, soit spontanément par suite du contexte local ou national, soit formellement grâce au développement de l'enseignement par alternance.*

▶ Apprendre à vivre ensemble *en développant la compréhension de l'autre et la perception des interdépendances – réaliser des projets communs et se préparer à gérer les conflits – dans le respect des valeurs de pluralisme, de compréhension mutuelle et de paix.*

▶ Apprendre à être *pour mieux épanouir sa personnalité et être en mesure d'agir avec une capacité toujours renforcée d'autonomie, de jugement et de responsabilité personnelle. À cette fin, ne négliger dans l'éducation aucune des potentialités de chaque individu : mémoire, raisonnement, sens esthétique, capacités physiques, aptitude à communiquer...*

▶ *Alors que les systèmes éducatifs formels tendent à privilégier l'accès à la connaissance, au détriment des autres formes d'apprentissage, il importe de concevoir l'éducation comme un tout. Cette vision doit à l'avenir inspirer et orienter les réformes éducatives, que ce soit dans l'élaboration des programmes ou la définition de nouvelles politiques pédagogiques.*

(chapitre 5)

L'éducation tout au long de la vie

L'éducation occupe de plus en plus de place dans la vie des individus à mesure que s'accroît son rôle dans la dynamique des sociétés modernes. Ce phénomène a plusieurs causes. Le découpage traditionnel de l'existence en périodes distinctes – le temps de l'enfance et de la jeunesse consacré à l'éducation scolaire, le temps de l'activité professionnelle adulte, le temps de la retraite – ne correspond plus aux réalités de la vie contemporaine, et encore moins aux exigences de l'avenir. Personne ne peut plus espérer aujourd'hui se constituer dans sa jeunesse un bagage de connaissances initial qui lui suffise dans l'existence, car l'évolution rapide du monde exige une mise à jour continue des savoirs, alors même que l'éducation première des jeunes tend à se prolonger. Par ailleurs, le raccourcissement de la période d'activité professionnelle, la diminution du volume total d'heures de travail rémunérées et l'allongement de la vie après la retraite accroissent le temps disponible pour d'autres activités.

Parallèlement, l'éducation elle-même est en pleine mutation : les possibilités d'apprendre qu'offre la société en dehors de l'école vont en se multipliant dans tous les domaines, tandis que la notion de qualification, au sens traditionnel, cède le pas, dans bien des secteurs d'activité modernes, à celles de compétence évolutive et d'adaptabilité (*cf.* chapitre 4).

Aussi la distinction traditionnelle entre éducation première et éducation permanente demande-t-elle à être repensée. Une éducation permanente réellement accordée aux besoins des sociétés modernes ne peut plus se définir par référence à une période particulière de la vie – l'éducation des adultes opposée à celle des jeunes, par exemple – ou à une finalité trop circonscrite – la formation professionnelle, distinguée de la formation générale. Le temps d'apprendre est désormais celui de la vie entière, et chaque type de savoir pénètre et enrichit les autres. À la veille du XXIe siècle, les missions assignées à l'éducation et les multiples formes qu'elle peut revêtir lui font englober, de l'enfance à la fin de la vie, toutes les démarches qui permettent à chaque personne d'accéder à une connaissance dynamique du monde, des autres et d'elle-même en combinant avec souplesse les quatre apprentissages fondamentaux décrits au chapitre précédent. C'est ce continuum éducatif, coextensif à la vie et élargi aux dimensions de la société, que la Commission a choisi de désigner, dans le présent rapport, sous le nom d'« éducation tout au long de la vie ». Elle y voit la clé de l'entrée dans le XXIe siècle, ainsi que la condition, bien au-delà d'une adaptation nécessaire aux exigences du monde du travail, d'une maîtrise accrue des rythmes et des temps de la personne humaine.

Une exigence démocratique

L'éducation tout au long de la vie n'est pas un lointain idéal, mais une réalité qui tend de plus en plus à s'inscrire dans les faits, au sein d'un paysage éducatif complexe marqué par un ensemble de mutations qui en accentuent la nécessité. Pour parvenir à l'organiser, il faut cesser de considérer les différentes formes d'enseignement et d'apprentissage comme indépendantes les unes des autres et en quelque sorte superposables, voire concurrentes, et s'attacher au contraire à mettre en valeur la complémentarité des champs et des temps de l'éducation moderne.

Tout d'abord, comme nous l'avons indiqué, le progrès scientifique et technologique et la transformation des processus de production due à la recherche d'une plus grande compétitivité conduisent, pour l'individu, à une obsolescence rapide des savoirs et savoir-faire acquis lors de la formation initiale et requièrent un développement de la formation professionnelle permanente. Cette formation permanente répond, dans une large mesure, à une exigence d'ordre économique et permet à l'entreprise de se doter des compétences accrues nécessaires pour maintenir l'emploi et renforcer sa compétitivité. Elle fournit d'autre part aux individus l'occasion d'une mise à jour de leurs connaissances, ainsi que des possibilités de promotion.

Mais l'éducation tout au long de la vie, au sens où l'entend la Commission, va plus loin. Elle doit permettre à chaque individu de maîtriser son destin, dans un monde où l'accélération des changements se conjugue avec le phénomène de la mondialisation pour modifier le rapport que les hommes et les femmes entretiennent avec l'espace et avec le temps. Les bouleversements qui affectent la nature de l'emploi, encore limités à une partie du monde, vont sans aucun doute se généraliser et conduire à une réorganisation des temps de la vie. L'éducation tout au long de la vie devient alors, pour chacun d'entre nous, le moyen de parvenir à un meilleur équilibre entre le travail et l'apprentissage, ainsi qu'à l'exercice d'une citoyenneté active.

L'éducation de base, quand elle est réussie, suscite le désir de continuer à apprendre. Ce désir mène à la poursuite d'études au sein du système formel, mais ceux qui le souhaitent doivent aussi pouvoir aller au-delà. De fait, les enquêtes réalisées dans différents pays sur cette participation ultérieure des adultes à des activités éducatives et culturelles montrent qu'elle est en relation avec le niveau de scolarité des individus. Il y a là, très clairement, un phénomène cumulatif : plus on est formé, plus on a envie de se former, et cette tendance s'observe dans les pays développés comme dans les pays en développement. C'est pourquoi la progression de la scolarisation des jeunes, les progrès de l'alphabétisation et l'impulsion nouvelle donnée à l'éducation de base annoncent un accroissement de la demande d'éducation des adultes dans les sociétés de demain.

Cette problématique est étroitement liée à celle de l'égalité des chances. À mesure que se généralise le désir d'apprendre, gage d'un plus grand épanouissement de chacun, on risque de voir s'accentuer aussi l'inégalité, car l'insuffisance de la formation initiale ou son absence peuvent gravement compromettre la poursuite de l'éducation tout au long de la vie. Ce risque est attesté par l'écart entre pays développés et pays en développement, mais aussi, à l'intérieur de chaque société, par l'inégalité devant l'éducation. L'analphabétisme dans les pays en développement, l'illettrisme dans les pays développés, les limites de l'éducation permanente, constituent des obstacles majeurs à la mise en place de véritables sociétés éducatives. Si l'on sait prendre en compte ces inégalités et qu'on s'emploie à les corriger par des mesures énergiques, l'éducation tout au long de la vie devrait donner de nouvelles chances à ceux qui n'ont pu, pour de multiples raisons, suivre une scolarité complète ou qui ont quitté le système éducatif en situation d'échec. En effet, la reproduction des inégalités éducatives n'est ni totale ni automatique, à condition, par exemple, de renforcer la scolarisation des populations défavorisées ou de développer la formation non formelle des jeunes qui ont quitté trop tôt l'école. Différentes stratégies ont ainsi été mises en œuvre avec succès pour corriger certaines inégalités : programmes d'éducation populaire en Suède, campagnes ou missions d'alphabétisation des adultes au Nicaragua, en Équateur ou en Inde, politiques de congés-éducation payés en Allemagne, en France ou au Danemark, services publics décentralisés d'éducation non formelle de base en Thaïlande ou au Viêt-nam[1].

D'une manière générale, le principe de l'égalité des chances constitue un critère essentiel pour tous ceux qui s'emploient à mettre en place, progressivement, les différents volets de l'éducation tout au long de la vie. Répondant à une exigence démocratique, il serait juste que ce principe s'incarne de façon formelle dans des modalités d'éducation souples, par lesquelles la société se porterait en quelque sorte garante dès le départ de l'égalité des possibilités de scolarisation et de formation ultérieure offertes à chaque individu au cours de son existence, quels que puissent être les détours ou les aléas de son parcours éducatif. Diverses formules sont envisageables, et la Commission aura l'occasion de faire une proposition à cet égard au chapitre 8 de son rapport, à propos de la question du financement de l'éducation et de la création d'un crédit de temps pour l'éducation.

[1] *Bélanger, P.* Des sociétés éducatives en gestation *(étude réalisée pour la Commission), Paris, UNESCO, 1994. (UNESCO doc. EDC/5.8.)*

Une éducation pluridimensionnelle

L'éducation tout au long de la vie est une construction continue de la personne humaine, de son savoir et de ses aptitudes, mais aussi de sa faculté de jugement et d'action. Elle doit lui permettre de prendre conscience d'elle-même et de son environnement et de jouer son rôle social dans le monde du travail et dans la cité. Le savoir, le savoir-faire, le savoir vivre ensemble et le savoir-être constituent les quatre aspects, intimement liés, d'une même réalité. Expérience vécue au quotidien et ponctuée de moments d'intense effort de compréhension de données et de faits complexes, l'éducation tout au long de la vie est le produit d'une dialectique à plusieurs dimensions. Si elle implique la répétition ou l'imitation de gestes et de pratiques, elle est aussi une procédure d'appropriation singulière et de création personnelle. Elle mêle la connaissance non formelle et la connaissance formelle, le développement des aptitudes innées et l'acquisition de nouvelles compétences. Elle implique l'effort, mais aussi la joie de la découverte. Expérience singulière de chaque personne, elle est aussi la plus complexe des relations sociales, puisqu'elle s'inscrit à la fois dans le champ culturel, le champ du travail et le champ de la citoyenneté.

Peut-on dire cependant qu'il s'agit là d'une expérience humaine fondamentalement nouvelle ? Dans les sociétés traditionnelles, la stabilité de l'organisation productive, sociale et politique garantissait un environnement éducatif et social relativement inchangé et ponctué de rites d'initiation programmés. Les temps modernes ont perturbé les espaces éducatifs traditionnels : église, famille, communauté de voisinage. Par ailleurs, une certaine illusion rationaliste selon laquelle l'école pourrait à elle seule pourvoir à tous les besoins éducatifs de la vie humaine a été mise à mal par les mutations de la vie sociale comme par les progrès de la science et de la technologie et leurs conséquences sur le travail et sur l'environnement des individus. Les impératifs d'adaptation, de recyclage, d'abord apparus dans le champ professionnel des sociétés industrielles, ont gagné peu à peu les autres pays et les autres champs d'activité. La pertinence des systèmes d'éducation édifiés au cours du temps – tant informels que formels – est contestée, et leur capacité d'adaptation mise en doute. Ces systèmes, malgré le spectaculaire développement de la scolarisation, paraissent par nature peu flexibles et sont à la merci de la moindre erreur d'anticipation, surtout lorsqu'il s'agit de préparer aux savoir-faire de demain.

Si l'on tend aujourd'hui à retrouver l'idée d'une éducation pluridimensionnelle déployée tout au long de la vie, qui rejoint les intuitions fondamentales qu'ont eues dans le passé, et dans différentes cultures, les principaux penseurs de l'éducation, c'est que la mise en œuvre de cette idée apparaît de plus en plus nécessaire. Mais elle se révèle en même temps de plus en plus complexe. L'environnement naturel et humain de l'individu tend à devenir planétaire : comment en faire un espace d'éducation et d'action, comment former à la fois à l'universel et au singulier, en faisant bénéficier chacun de la diversité du patrimoine culturel mondial en même temps que des spécificités de sa propre histoire ?

Nouveaux temps, nouveaux champs

L'augmentation très significative de la demande d'éducation des adultes a fréquemment été soulignée. Elle est telle qu'on a parfois parlé à son propos d'une véritable explosion. L'éducation des adultes revêt des formes multiples : formation de base dans un cadre éducatif non formel, inscription à temps partiel dans des établissements universitaires, cours de langues, formation professionnelle et recyclage, formation au sein de différentes associations ou de syndicats, systèmes d'apprentissage ouvert et de formation à distance[2]. Dans certains pays, comme la Suède ou le Japon, les taux de participation de la population à l'éducation des adultes se situent d'ores et déjà autour de 50 %, et tout laisse à penser que le développement de ce type d'activités correspond dans l'ensemble du monde à une tendance

[2] *Bélanger, P.* op. cit.

soutenue et forte, susceptible de réorienter l'ensemble de l'éducation dans une perspective d'éducation permanente.

À ces différents facteurs s'ajoute, dans les pays industrialisés, une mutation profonde qui affecte la place du travail dans la société. Et si demain le travail cessait d'être la référence principale par rapport à laquelle se définissent la plupart des individus ? On est amené à se poser cette question lorsqu'on observe la diminution du temps qui lui est consacré (arrivée plus tardive des jeunes sur le marché du travail, baisse de l'âge de la retraite, allongement de la durée des congés annuels, réduction de la semaine de travail, développement du travail à temps partiel). De plus, il se pourrait que, faute de parvenir à réaliser le plein-emploi, nous allions vers une multiplicité de statuts et de contrats de travail : travail à temps partiel, travail à durée déterminée ou précaire, travail à durée indéterminée, développement de l'autoemploi.

En tout état de cause, l'accroissement du temps libéré doit s'accompagner d'un accroissement du temps

La Suède : un pays où les adultes continuent de s'instruire

En Suède, l'éducation des adultes est une pratique répandue qui s'appuie sur une longue tradition. Elle est dispensée sous de nombreuses formes et dans des conditions très diverses. Les activités éducatives formelles et non formelles connaissent un grand succès : plus de 50 % de la population adulte suit, au cours d'une année, une formation organisée.

L'éducation des adultes (de type formel) dispensée par les municipalités *vise à remédier aux disparités de niveau d'instruction au sein de la société en permettant aux participants de satisfaire un désir personnel d'élargir leurs horizons, en les préparant à des études plus poussées, à la vie active et à l'exercice de leurs responsabilités civiques. Elle est gratuite et offre aux adultes ayant un niveau d'études insuffisant une chance de compléter leur formation, au-delà des neuf années de scolarité obligatoire accomplies à l'école de base et, éventuellement, des années de lycée. Entre 1979 et 1991, un étudiant sur trois inscrit à l'université ou dans une école supérieure était passé par cette filière.*

L'enseignement est dispensé sous la forme de modules indépendants, et chaque élève décide lui-même du nombre et du contenu des cours qu'il souhaite suivre et de son rythme de progression. Il lui est donc possible de mener de front des études et une activité professionnelle.

L'éducation populaire (de type non formel) des adultes *a pour objet de promouvoir les valeurs démocratiques fondamentales dans la société suédoise en offrant à tous les citoyens la possibilité d'enrichir leur culture générale et leurs compétences de base, d'acquérir de l'assurance et d'apprendre à mieux comprendre et respecter l'opinion d'autrui. L'enseignement est fondé sur la participation active des élèves à la planification et à l'exécution des tâches. L'aptitude à coopérer avec les autres est jugée essentielle. Les activités éducatives de ce type sont en grande partie subventionnées par l'État, mais leurs organisateurs (mouvements politiques, syndicaux, populaires, et autorités locales) sont totalement libres d'en fixer le contenu.*

L'éducation populaire des adultes est dispensée en internat dans des établissements pour adultes (collèges populaires) *ou dans des* cercles d'études *sous l'égide d'associations éducatives bénévoles. Il s'agit de petits groupes de personnes qui se réunissent pour entreprendre ensemble des études ou des activités culturelles organisées au cours d'une période donnée. Aucun titre n'est exigé pour s'inscrire à un cercle d'études ou le diriger. Les cercles d'études touchent plus de 25 % de la population adulte du pays.*

Sources : *Ministère suédois de l'Éducation.* Coherence Between Compulsory Education, Initial and Continuing Training and Adult Education in Sweden. *Stockholm, 1994. Fédération nationale de l'éducation des adultes.* Non-formal Adult Education in Sweden. *Stockholm, 1995.*

consacré à l'éducation, que ce soit celui de l'éducation initiale ou celui de la formation des adultes. Du même coup s'accroît la responsabilité dévolue à la société dans le domaine de l'éducation, et ce d'autant plus que celle-ci constitue désormais un processus pluridimensionnel, qui ne se limite pas à l'acquisition des connaissances et ne relève pas des seuls systèmes éducatifs.

De même que le temps de l'éducation devient celui de la vie tout entière, les espaces éducatifs, ainsi que les occasions d'apprendre, tendent à se multiplier. Notre environnement éducatif se diversifie, et l'éducation déborde les systèmes formels pour s'enrichir de l'apport d'autres acteurs sociaux.

Bien entendu, les différentes sociétés peuvent concevoir différemment le partage des rôles et des fonctions entre ces différents acteurs, mais il semble que, partout dans le monde, les dimensions éducatives de la société s'organisent autour des mêmes pôles principaux.

L'éducation au cœur de la société

La famille constitue le lieu premier de toute éducation et assure à ce titre le lien entre l'affectif et le cognitif, ainsi que la transmission des valeurs et des normes. Ses rapports avec le système éducatif sont parfois perçus comme des rapports d'antagonisme : dans certains pays en développement, les savoirs transmis par l'école peuvent s'opposer aux valeurs traditionnelles qui sont celles de la famille ; de même, les familles défavorisées perçoivent souvent l'institution scolaire comme un monde étranger, dont elles ne comprennent ni les codes ni les usages. Un dialogue véritable entre parents et enseignants est alors indispensable, car le développement harmonieux des enfants implique une complémentarité entre éducation scolaire et éducation familiale. À ce titre, les expériences d'éducation préscolaire à l'intention des populations défavorisées ont montré que leur efficacité était due pour beaucoup à la meilleure connaissance et au plus grand respect du système scolaire qu'en retirent les familles.

Chaque individu apprend, d'autre part, tout au long de sa vie, au sein de l'espace social que constitue sa collectivité d'appartenance. Celle-ci varie, par définition, non seulement d'un individu à l'autre, mais aussi au cours de la vie de chacun. L'éducation

Vers une politique du temps choisi

Il faut, à l'avenir, imaginer des conceptions novatrices en matière de temps de travail, qui prennent davantage en compte les préférences individuelles des travailleurs, d'une part, et les besoins de flexibilité des entreprises, d'autre part. De telles innovations doivent aller plus loin que la simple réduction de la durée du travail hebdomadaire et porter sur la totalité de la durée de la vie active. Cela concerne donc aussi l'âge de la retraite. Pour quelle raison les travailleurs devraient-ils mettre fin à leur vie active entre soixante et soixante-cinq ans, alors qu'ils souhaitent fréquemment continuer d'exercer une activité au-delà de cet âge ? À côté du droit au paiement d'une retraite, par exemple à partir de soixante ans, il faudrait prévoir la possibilité d'un départ à la retraite flexible permettant d'exercer une activité professionnelle encore après cet âge. D'autre part, pourquoi des travailleurs entre vingt-cinq et trente-cinq ans devraient-ils nécessairement travailler à temps plein, alors que c'est précisément durant cette période de la vie qu'ils sont confrontés à de multiples obligations et que des formules telles que le travail à temps réduit, le congé parental, le congé sabbatique ou le congé éducation seraient particulièrement bienvenues ? Une politique du temps de travail prenant ces besoins en compte pourrait largement contribuer à concilier la vie familiale et la vie professionnelle et à surmonter la division traditionnelle des rôles entre les hommes et les femmes. Dès le début des années 80, André Gorz avait plaidé pour une diminution substantielle de la durée de la vie active. La proposition de l'ancien président de la Commission européenne, Jacques Delors – une durée de la vie active de quarante mille heures d'ici à l'an 2010 –, souligne l'actualité et la pertinence de ce point de vue.

Source : *Institut Syndical Européen, « Pour une politique novatrice du temps de travail en vue de sauvegarder l'emploi et d'améliorer la qualité de la vie », dans R. Hoffmann et J. Lapeyre (dir. publ.),* Le Temps de travail en Europe. Organisation et réduction, *p. 285-286. Paris, Syros, 1995.*

L'action communautaire au service de l'amélioration de la qualité de la vie en Jordanie

Dans son action auprès des populations à faible revenu, la Fondation Noor al-Hussein (NHF), importante organisation non gouvernementale de Jordanie, a adopté le principe d'un développement socio-économique global selon une approche interdisciplinaire et en mettant spécialement l'accent sur les femmes. Le projet « Qualité de la vie » embrasse tous les besoins de développement des communautés, notamment ceux qui ont trait à la santé, à la nutrition, à l'environnement et à l'éducation. Considéré dans son ensemble, il se traduit par des programmes de développement des ressources humaines qui apportent aux communautés les connaissances, l'éducation et les compétences dont elles ont besoin, et auxquels sont associés, comme partenaires de l'éducation formelle et non formelle mise en place, les parents et les dirigeants de la communauté.

Le projet « Qualité de la vie » est mis en œuvre dans les régions rurales et applique une stratégie spécifique

procède ici de la volonté de vivre ensemble et de fonder la cohésion du groupe sur un ensemble de projets communs : la vie associative, l'appartenance à une communauté religieuse, l'engagement politique concourent à cette forme d'éducation. L'institution scolaire ne se confond pas avec la collectivité mais, tout en gardant sa spécificité, elle doit éviter de se couper en aucune façon de l'environnement social. La collectivité d'appartenance constitue un puissant vecteur d'éducation, ne serait-ce que par l'apprentissage de la coopération et de la solidarité, ou de façon plus profonde peut-être, par l'apprentissage actif de la citoyenneté. C'est la collectivité dans son ensemble qui doit se sentir responsable de l'éducation de ses membres, soit par un dialogue constant avec l'institution scolaire, soit, lorsque celle-ci fait défaut, en prenant en charge elle-même une partie de cette éducation dans le cadre de pratiques non formelles. L'éducation des jeunes filles et des femmes représente dans cette perspective la condition d'une véritable participation à la vie de la collectivité.

Le monde du travail constitue également un espace privilégié d'éducation. Il s'agit tout d'abord de l'apprentissage d'un ensemble de savoir-faire et, à cet égard, il importe que soit mieux reconnue, dans la plupart des sociétés, la valeur formatrice du travail, en particulier au sein du système éducatif. Cette reconnaissance implique que soit aussi prise en compte, en particulier par l'université, l'expérience acquise dans l'exercice d'une profession. L'établissement systématique de passerelles entre l'université et la vie professionnelle devrait, dans cette perspective, aider ceux qui le souhaitent à se ressourcer, tout en complétant leur formation. Les partenariats entre le système éducatif et les entreprises doivent être multipliés, pour favoriser un rapprochement nécessaire entre formation initiale et formation continue. Les formations en alternance pour les jeunes peuvent compléter ou corriger la formation première et, en

axée avant tout sur la formation des villageois dans de multiples domaines : on leur apprend à assumer une plus grande part de responsabilité dans les mécanismes de consultation, de recherche du consensus et de prise des décisions communes (responsabilité auparavant dévolue dans une grande mesure à des fonctionnaires) ; à utiliser des technologies locales appropriées ; à identifier les problèmes, planifier des actions, déterminer les types de soutien nécessaires ; à mettre en œuvre et à évaluer leurs propres projets de développement, parmi lesquels une priorité est donnée à ceux où la participation des femmes est la plus large ; à tenir et à vérifier leur propre comptabilité ; enfin, à collecter, analyser et évaluer de façon continue les informations utiles pour la prise de décision.

Pour atteindre les objectifs du projet « Qualité de la vie », on encourage les communautés locales en les formant à cet effet, à mettre en place leur propre « conseil de développement villageois », afin de devenir plus autonomes, et à constituer leur propre « fonds de développement villageois », chargé de favoriser l'autofinancement. La participation de la communauté à ces organismes a permis aux villageois de s'affirmer comme une communauté éduquée et productive pouvant compter sur ses propres ressources humaines et ses propres activités génératrices de revenu, et capable de faire face de façon autonome à ses besoins de développement et à ses devoirs sociaux. Ils prennent ainsi une conscience accrue de leur propre valeur et tirent fierté de leur réussite. Cultiver ce sentiment d'appartenance communautaire et de cohésion sociale est un élément intrinsèque de la stratégie appliquée, qui est axée sur la participation active de l'ensemble de la communauté à son propre développement ainsi que sur la formation permanente et sur l'éducation, formelle et non formelle, de tous ses membres.

In'am Al Mufti

Apprendre en entreprise et à l'école : la formation en alternance en Allemagne

Le système allemand de formation professionnelle, dit « système dual », ou formation en alternance, a suscité ces dernières années un intérêt accru dans le monde. Ce système de formation est souvent considéré comme l'un des facteurs grâce auxquels le taux de chômage des jeunes est relativement bas en Allemagne, par comparaison avec d'autres pays. On estime qu'il permet une transition réussie entre l'école et le monde du travail et qu'il renforce la capacité d'adaptation des entreprises.

Au sortir des différentes filières de l'enseignement général, plus des deux tiers des jeunes s'orientent vers une formation professionnelle en système dual. La plupart entament cette formation après neuf ou dix années de scolarité, vers l'âge de seize ou dix-sept ans. Aucune condition particulière – autre que d'âge minimal (quinze ans) – n'est exigée.

Dans ce système « double », deux lieux d'apprentissage se complètent : l'entreprise et l'école. Les jeunes apprennent un métier dans une usine, un atelier, un laboratoire, un bureau ou un magasin et fréquentent parallèlement une école professionnelle un ou deux jours par semaine. L'entreprise joue un rôle déterminant. C'est elle qui décide du nombre d'apprentis qu'elle prend (avec lesquels elle établit un contrat), et c'est chez elle que les jeunes passent la plus grande partie de leur temps de formation. Pour assurer la complémentarité des formations théorique et pratique, dispensées en deux lieux différents, les deux types d'enseignement sont coordonnés.

Sur le plan institutionnel, le système dual s'appuie sur un organisme de coordination, l'Institut fédéral de la formation professionnelle, qui définit les formations

conciliant savoir et savoir-faire, faciliter l'insertion dans la vie active. Elles peuvent aussi faciliter grandement la prise de conscience par les adolescents des contraintes et des opportunités de la vie professionnelle, en les aidant à acquérir une meilleure connaissance de soi et à s'orienter. Elles sont aussi un atout pour l'accession à la maturité, en même temps qu'un puissant facteur d'insertion sociale.

Le temps non contraint est aussi celui que l'individu peut consacrer à ses loisirs et à son épanouissement personnel. On observe à cet égard deux mouvements symétriques. D'une part, les institutions culturelles comme les musées ou les bibliothèques tendent à renforcer leurs missions éducatives, en ne se limitant plus à leurs missions scientifiques ou à leur mission de conservation d'un patrimoine. D'autre part, le système scolaire tend à coopérer davantage avec elles. On peut citer à cet égard la réussite de « classes du patrimoine » qui, dans plusieurs pays, permettent aux élèves de se familiariser avec un monument ou avec un site, grâce à une véritable coopération entre *en collaboration avec les organisations patronales et syndicales. Le système est conçu de manière évolutive, de façon à s'adapter aux besoins changeants de l'économie.*

La formation en alternance permet aux jeunes d'accéder, au bout de deux ans à trois ans et demi, à une qualification correspondant au niveau d'ouvrier (ou employé) qualifié. Actuellement, cette formation concerne environ 380 métiers homologués. Beaucoup de jeunes trouvent un emploi dans l'entreprise où ils ont été formés.

Sources : La Formation professionnelle en Allemagne, *Bonn, ministère fédéral de l'Éducation et des Sciences, 1994 ;* Bildung und Wissenschaft (Éducation et Sciences), *Bonn, n° 5-6, 1992.*

enseignants et responsables culturels. L'école doit, de concert avec la télévision, favoriser l'ouverture sur les musées, les théâtres, les bibliothèques, le cinéma, et, d'une manière générale, sur l'ensemble des espaces culturels propres à chaque pays, afin de donner aux futurs adultes le sens de l'émotion esthétique et le désir d'une familiarité continue avec les diverses créations de l'esprit humain.

Enfin, il importe de dépasser l'antagonisme entre éducation et médias, présenté souvent comme irréductible. Le fond du débat ainsi que les principaux arguments évoqués sont bien connus. D'un côté, les éducateurs reprochent fréquemment aux médias, et tout particulièrement à la télévision, d'imposer une sorte de plus petit commun dénominateur culturel, de réduire le temps consacré à la réflexion et à la lecture, d'imposer des images de violence et plus généralement de spéculer sur l'émotivité. De l'autre côté, les défenseurs des médias taxent volontiers le système scolaire d'immobilisme ou de passéisme et l'accusent de recourir à des méthodes démodées pour transmettre des savoirs dépassés, provoquant ainsi chez les élèves et les étudiants l'ennui, voire le dégoût d'apprendre.

Or les médias, quel que soit par ailleurs le jugement que l'on porte sur la qualité de leurs productions, font partie intégrante de notre espace culturel, au sens le plus large du terme. Leurs objectifs ne sont pas nécessairement d'ordre éducatif, mais leur puissance de séduction est bien réelle, et il importe d'en tenir compte. Ainsi, le système scolaire et universitaire a tout avantage à les utiliser à ses propres fins, en élaborant des programmes éducatifs destinés à être diffusés par la radio ou la télévision dans les établissements scolaires : 90 % des écoles au

Japon utilisent d'ores et déjà la télévision comme outil d'enseignement. Le système scolaire a une responsabilité spécifique à l'égard des médias, et surtout de la télévision, ne serait-ce que parce que celle-ci occupe une place de plus en plus importante dans la vie des élèves, à en juger par le temps qu'ils lui consacrent : 1 200 heures par an en Europe occidentale, environ le double aux États-Unis, alors que les mêmes enfants ne passent à l'école qu'un millier d'heures environ. Il est dès lors important que les enseignants puissent former leurs élèves à une « lecture critique » qui leur permette d'utiliser par eux-mêmes la télévision comme outil d'apprentissage, en triant et en hiérarchisant les multiples informations qu'elle véhicule. Il faut toujours revenir à cette finalité essentielle de l'éducation : permettre à chacun de cultiver ses aptitudes à formuler un jugement et, à partir de là, à adopter une conduite.

D'autre part, et cela est largement reconnu, les médias constituent un vecteur efficace de l'éducation non formelle et de l'éducation des adultes : par exemple, les expériences d'université ouverte et d'éducation à distance démontrent l'intérêt qu'il y a pour l'avenir à définir une stratégie éducative intégrant les technologies de l'information et de la communication (voir le chapitre 8.)

Vers des synergies éducatives

Selon les moments de la vie, tel ou tel de ces différents espaces éducatifs peut être prioritaire, mais il convient de valoriser les rapports de complémentarité qui se créent entre eux, de faciliter les transitions complexes de l'un à l'autre, afin de recréer une véritable cohérence éducative, qui existait sous d'autres formes dans beaucoup de sociétés traditionnelles.

C'est en ce sens qu'il faut rechercher, par exemple, les synergies possibles entre les savoirs et les savoir-faire ou entre les savoir-être et les savoir-vivre ensemble, et par conséquent la complémentarité des formes et des espaces d'éducation correspondants. D'autre part, l'offre d'éducation, en se développant très largement hors du système formel, répond à la demande de diversité qui s'exprime dans toutes les sociétés et permet des parcours éducatifs variés. Une dynamique doit dès lors s'exercer entre l'institution scolaire ou universitaire et ces différentes « alternatives » éducatives : une dynamique de complémentarité et de partenariat, mais aussi un processus de changement et un questionnement des pratiques éducatives traditionnelles.

Ainsi, l'éducation devient l'affaire de tous. Elle concerne l'ensemble des citoyens, désormais acteurs et non plus simples consommateurs passifs d'une éducation dispensée par les institutions. Chacun peut faire l'expérience de la mobilité des situations éducatives, et même devenir tour à tour enseigné et enseignant au sein de la société éducative. Intégrant délibérément l'informel au formel, l'éducation correspond alors à une production constante de la société, qui en est tout entière responsable et se refonde à travers elle.

L'élargissement du concept initial d'éducation permanente, par-delà les nécessités immédiates du recyclage professionnel, répond donc aujourd'hui non seulement à un besoin de ressourcement culturel, mais encore, et surtout, à une exigence nouvelle, capitale, d'autonomie dynamique des individus dans une société en mutation rapide. Ayant perdu bon nombre des références que leur fournissaient autrefois les traditions, il leur faut en permanence mettre en œuvre leurs connaissances et leur faculté de jugement pour se repérer, penser et agir. Tous les temps, tous les champs de l'activité humaine doivent y contribuer, afin de faire coïncider l'accomplissement de soi avec la participation à la vie de la société. L'éducation, décloisonnée dans le temps et l'espace, devient alors une dimension de la vie même.

Pistes et recommandations

▶ *Le concept d'éducation tout au long de la vie est la clé de l'entrée dans le XXIe siècle. Il dépasse la distinction traditionnelle entre éducation première et éducation permanente. Il rejoint un autre concept souvent avancé : celui de la société éducative, où tout peut être une occasion d'apprendre et d'épanouir ses talents.*

▶ *Sous son nouveau visage, l'éducation permanente est conçue comme allant largement au-delà de ce qui se pratique déjà, notamment dans les pays développés, à savoir les actions de mise à niveau, de recyclage et de conversion et promotion professionnelles des adultes. Elle doit ouvrir les possibilités de l'éducation à tous, pour des fins multiples, qu'il s'agisse d'offrir une deuxième ou une troisième chance, de répondre à la soif de connaissance, de beauté ou de dépassement de soi, ou encore de perfectionner et d'élargir les formations strictement liées aux exigences de la vie professionnelle, y compris les formations pratiques.*

▶ *En somme, l'« éducation tout au long de la vie » doit mettre à profit toutes les opportunités offertes par la société.*

(troisième partie)

Orientations

(chapitre 6)

De l'éducation de base à l'université

Le concept d'une éducation qui se déploie tout au long de la vie de chaque individu ne conduit pas la Commission à négliger l'importance de l'éducation formelle, au profit du non-formel ou de l'informel. Elle estime au contraire que c'est au sein des systèmes éducatifs que se forgent les compétences et les aptitudes qui permettront à chacun de continuer à apprendre. Loin de s'opposer, éducation formelle et éducation informelle sont donc appelées à se féconder mutuellement. Encore faut-il, cependant, que les systèmes éducatifs s'adaptent à ces exigences nouvelles : il s'agit dès lors de repenser et de relier entre elles les différentes séquences de l'éducation, de les ordonner de manière différente, d'aménager des transitions et de diversifier les parcours. On échappera ainsi au dilemme qui n'a que trop marqué les politiques de l'éducation : sélectionner en multipliant les échecs scolaires et les risques d'exclusion, ou égaliser en uniformisant les cursus, aux dépens de la promotion des talents individuels.

C'est au sein de la famille, mais aussi, et plus largement, au stade de l'éducation de base (qui inclut en particulier l'enseignement préprimaire et primaire) que se forgent des attitudes envers l'apprentissage qui dureront tout au long de la vie : l'étincelle de la créativité peut y jaillir ou au contraire s'éteindre, l'accès au savoir devenir, ou non, une réalité. C'est alors que chacun d'entre nous acquiert les instruments du développement futur de sa faculté de raisonner et d'imaginer, de son jugement et de son sens des responsabilités, et qu'il apprend à exercer sa curiosité à l'égard du monde qui l'entoure. La Commission est bien consciente des disparités intolérables qui subsistent entre les groupes sociaux, les pays, ou les différentes régions du monde : généraliser l'accès à une éducation de base de qualité demeure l'un des grands défis de la fin du XXe siècle. C'est bien le sens de l'engagement que la Communauté internationale a souscrit lors de la Conférence de Jomtien : partout dans le monde – car la question ne concerne pas seulement les pays en développement –, il est nécessaire que tout individu maîtrise les connaissances qui lui sont indispensables pour comprendre le monde dans lequel il vit. Cet engagement doit être renouvelé, et les efforts entrepris doivent être poursuivis.

La Commission estime cependant qu'un engagement similaire, en faveur, cette fois-ci, de l'enseignement secondaire, doit être inscrit à l'ordre du jour des grandes conférences internationales, pour le siècle prochain. L'enseignement secondaire doit être conçu comme une « plaque tournante » dans la vie de chaque individu : c'est là que les jeunes doivent pouvoir se déterminer en fonction de leurs goûts et de leurs aptitudes ; c'est là aussi qu'ils peuvent acquérir les capacités qui leur permettront de réussir pleinement leur vie d'adultes.

Cet enseignement devra donc être adapté aux différents processus d'accession à la maturité des adolescents, qui ne sont pas les mêmes selon les individus et selon les pays, ainsi qu'aux besoins de la vie économique et sociale. Il conviendra de diversifier les parcours des élèves, afin de répondre à la diversité des talents, de multiplier les phases successives d'orientation, avec des possibilités de rattrapage ou de réorientation. Enfin, la Commission plaide vigoureusement pour le développement de l'alternance. Il ne s'agira pas seulement de rapprocher l'école du monde du travail, mais de donner aux adolescents les moyens de se confronter aux réalités sociales et professionnelles, et de prendre ainsi conscience de leurs faiblesses et de leurs forces : ce sera pour eux, indiscutablement, un élément de maturation.

Il faut enfin que l'enseignement supérieur continue à jouer son rôle en créant, en préservant et en transmettant le savoir aux niveaux les plus élevés. Mais les institutions d'enseignement supérieur remplissent aussi une fonction déterminante dans la perspective d'une éducation repensée dans l'espace et dans le temps. Elles doivent unir l'équité à l'excellence, en s'ouvrant largement aux membres de tous les groupes sociaux et économiques, quelles qu'aient pu être leurs études antérieures. Les universités, en particulier, doivent montrer la voie en innovant avec des méthodes permettant d'atteindre de nouveaux groupes d'étudiants, en reconnaissant les compétences et les connaissances acquises en dehors des systèmes formels et en faisant prévaloir, grâce à la formation des maîtres et des formateurs de maîtres, de nouvelles approches de l'apprentissage.

Pour essayer d'instaurer une société où chaque individu pourra apprendre et apprendra tout au long de sa vie, il nous faut repenser les rapports entre les établissements d'enseignement et la société, ainsi que la succession des différents niveaux de l'enseignement. Dans l'enseignement comme dans la vie active, les parcours seront nécessairement à l'avenir moins linéaires, avec des périodes d'études entremêlées de périodes de travail. Ces allers et retours devront de plus en plus trouver leur place dans la société grâce à de nouvelles formes de certification, à un passage plus facile d'un type ou d'un niveau d'enseignement à un autre, et à des séparations moins strictes entre l'éducation et le travail.

Un passeport pour la vie : l'éducation de base

Le bilan des efforts accomplis au cours du XXe siècle pour accroître les possibilités d'éducation est fortement contrasté. Depuis 1960, le nombre d'élèves inscrits dans les écoles primaires et secondaires du monde est passé du chiffre estimatif de 250 millions en 1960 à plus de 1 milliard aujourd'hui. Le nombre des adultes sachant lire et écrire a presque triplé au cours de cette période, passant d'environ 1 milliard en 1960 à plus de 2,7 milliards aujourd'hui. Malgré cela, il y a encore dans le monde 885 millions d'analphabètes, la proportion d'analphabètes étant d'environ deux sur cinq chez les femmes et de un sur cinq chez les hommes. L'accès à l'éducation de base, pour ne rien dire de l'espoir de pouvoir achever le premier cycle de la scolarité, est loin d'être universel : 130 millions d'enfants n'ont pas accès à l'enseignement primaire et 100 millions d'enfants s'inscrivant à l'école ne suivent pas jusqu'à leur terme les quatre années d'études considérées comme un minimum pour ne pas oublier ce qu'ils ont appris, par exemple la lecture et l'écriture. Bien qu'il diminue, l'écart entre les sexes demeure encore scandaleusement élevé, et ce malgré les preuves irréfutables des avantages que l'éducation des jeunes filles et des femmes apporte à la société tout entière[2]. Atteindre ceux qui restent exclus de l'éducation n'exige pas seulement de développer les systèmes éducatifs existants ; il faut aussi concevoir et mettre au point des modèles et des systèmes nouveaux destinés expressément à tel ou tel groupe, dans le cadre d'un effort concerté visant à dispenser à chaque enfant et à chaque adulte une éducation de base pertinente et de qualité.

L'éducation de base pour les enfants peut être définie comme une éducation initiale (formelle ou non formelle), allant en principe de l'âge de trois ans environ à celui de douze ans au moins. L'éducation de base est un indispensable « passeport pour la vie » qui permettra à ceux qui en bénéficient de choisir ce qu'ils feront, de participer à l'édification de l'avenir collectif et de continuer à apprendre. L'éducation de base est essentielle si l'on veut s'attaquer avec succès aux inégalités, d'une part

[2] *Voir, la Déclaration et le Programme d'action adoptés par la quatrième Conférence mondiale sur les femmes, le 15 septembre 1995, à Beijing, Chine, (Rapport sur la quatrième Conférence mondiale sur les femmes, New York, États-Unis, 1995, UNESCO doc. A/Conf. 177/20). Voir également :* Women's Education in Developing Countries, *publié sous la direction d'Elizabeth M. King et de M. Anne Hill, Washington, Banque mondiale, 1993.*

Le travail des enfants dans le monde d'aujourd'hui

Selon les estimations officielles, le nombre des enfants âgés de cinq à quatorze ans qui travaillent serait aujourd'hui de 78,5 millions. Ces estimations, faites par le BIT, se basent sur les réponses à un questionnaire auquel 40 % des pays n'ont pas répondu. Les chiffres réels sont donc sans aucun doute beaucoup plus élevés. En outre, on peut supposer qu'une proportion importante des 128 millions d'enfants qui, dans le monde, seraient en âge de fréquenter l'école primaire, et ne sont pas scolarisés, et des 50 % des enfants en âge de fréquenter un établissement secondaire qui ne suivent aucune formation sont en fait engagés dans une activité économique d'une sorte ou d'une autre.

Il existe en outre de par le monde diverses formes d'esclavage des enfants, soit qu'un lien soit établi entre le contrat de travail d'un adulte et la possibilité de disposer d'un enfant, soit qu'un enfant soit échangé contre

une somme d'argent. Le BIT estime qu'il y a des dizaines de millions d'enfants esclaves dans l'agriculture, la domesticité, les industries du tapis et des textiles, les carrières et la fabrication de briques, ainsi que dans l'« industrie » du sexe.

En chiffres absolus, c'est l'Asie, région la plus peuplée du monde, qui compte le plus grand nombre d'enfants travailleurs (plus de la moitié s'y trouverait). Mais en chiffres relatifs, c'est l'Afrique qui arrive en tête, avec un enfant sur trois en moyenne qui exercerait une activité économique. Dans les pays industrialisés, bien que le travail des enfants soit nettement moins généralisé que dans les pays du tiers-monde, on a observé une résurgence du phénomène.

Le risque le plus répandu que le nombre excessif d'heures de travail fait courir aux enfants est que ceux-ci ne peuvent pas bénéficier d'une éducation. L'épuisement est une cause majeure d'accidents et peut faire obstacle au développement intellectuel. Les filles sont particulièrement menacées : presque partout, elles fournissent un nombre d'heures de travail encore plus grand que les garçons, devant souvent s'acquitter à la fois de tâches économiques et de tâches ménagères.

Les enfants qui travaillent sont exposés à des risques très graves de maladies ou de handicaps durables, comme les blessures, les infections et les déformations du squelette, du fait de milieux de travail dangereux et échappant à peu près à toute réglementation. Les problèmes psychologiques sont fréquents chez ces enfants employés comme domestiques qui souffrent des longues heures de travail et de l'absence de contact avec leur famille et leurs amis.

Source : Le Travail des enfants. *Genève, BIT 1995.*

entre les sexes[3] et d'autre part à l'intérieur des pays et entre les pays. Elle est la première étape à franchir pour atténuer les énormes disparités qui affligent de nombreux groupes humains : les femmes, les populations rurales, les pauvres des villes, les minorités ethniques marginalisées et les millions d'enfants non scolarisés qui travaillent.

L'éducation est tout à la fois universelle et spécifique. Il faut qu'elle fournisse des facteurs unificateurs communs à l'humanité tout entière, en abordant dans le même temps les questions particulières qui se posent dans des mondes très différents. Pour échapper à la ségrégation éducative qui divise aujourd'hui le monde, avec une éducation, des connaissances et des compétences de haut niveau mises à la disposition du grand nombre dans les pays industrialisés et d'un très petit nombre dans les pays qui ne le sont pas, il faut chercher à combler le « déficit de connaissances » qui est si fondamentale-

[3]« L'éducation est un droit de l'homme et un moyen essentiel d'atteindre les objectifs d'égalité, de développement et de paix. Filles et garçons ont tout à gagner d'un enseignement non discriminatoire qui, en fin de compte, contribue à instaurer des relations plus égalitaires entre les femmes et les hommes. Les femmes ne pourront prendre une part plus active au changement que si l'égalité d'accès à l'éducation et l'obtention de qualifications dans ce domaine leur sont assurées. L'alphabétisation des femmes est un important moyen d'améliorer la santé, la nutrition et l'éducation de la famille et de permettre aux femmes de participer à la prise de décisions intéressant la société. Il s'est avéré extrêmement rentable, sur le plan tant social qu'économique, d'investir dans l'éducation et la formation – de type classique ou non – des filles et des femmes : c'est donc là l'un des meilleurs moyens de parvenir à un développement durable et à une croissance économique à la fois soutenue et viable... » (paragraphe 69 du Programme d'action de Beijing, 1995).

ment lié au sous-développement. En définissant les compétences cognitives et affectives qui demandent à être développées ainsi que le corpus de connaissances essentielles que doit transmettre l'éducation de base, les spécialistes de l'éducation pourront faire en sorte que tous les enfants, dans les pays en développement comme dans les pays industrialisés, acquièrent un minimum de compétences dans les principaux domaines des aptitudes cognitives. C'est cette conception qu'avait faite sienne la Conférence de Jomtien :

Toute personne – enfant, adolescent ou adulte – doit pouvoir bénéficier d'une formation conçue pour répondre à ses besoins éducatifs fondamentaux. Ces besoins concernent aussi bien les outils d'apprentissage essentiels (lecture, écriture, expression orale, calcul, résolution de problèmes) que les contenus éducatifs fondamentaux (connaissances, aptitudes, valeurs, attitudes) dont l'être humain a besoin pour survivre, pour développer toutes ses facultés, pour vivre et travailler dans la dignité, pour participer pleinement au développement, pour améliorer la qualité de son existence, pour prendre des décisions éclairées et pour continuer à apprendre. (Article 1-1) (Déclaration mondiale sur l'éducation pour tous et Cadre d'action pour répondre aux besoins éducatifs fondamentaux, 1990).

Les besoins éducatifs fondamentaux mentionnés dans cette Déclaration concernent « toute personne – enfant, adolescent ou adulte ». Toute tendance à considérer l'éducation de base comme une sorte de bagage éducatif minimal réservé aux populations défavorisées serait, de fait, une erreur. La définition large de ce que doit être l'éducation de base n'est pas seulement applicable à toutes les sociétés, elle doit aussi amener à revoir les pratiques et les politiques éducatives en usage au stade initial dans tous les pays. Ce à quoi la communauté mondiale a souscrit à Jomtien était l'offre universelle d'une éducation digne de tous, éducation qui fournisse à la fois une base solide pour les apprentissages futurs et les compétences essentielles permettant de participer activement à la vie de la société. Le fait qu'une grande partie de l'éducation – tant dans les pays industrialisés que dans les pays en développement – n'atteint pas ce niveau doit nous inciter non pas à nous contenter de moins, mais bien plutôt à nous efforcer de faire davantage.

Se fixer pour buts le droit à l'éducation et l'égalité d'accès pour tous nécessite l'implication de différentes catégories d'acteurs à plusieurs niveaux. Les pouvoirs publics ne doivent pas seulement faire en sorte qu'une éducation de base soit dispensée, ils doivent aussi s'efforcer d'éliminer les obstacles à la fréquentation scolaire, en particulier pour les filles, en envisageant certaines des mesures suivantes :

– établir avec soin la carte scolaire pour faire en sorte que, dans la mesure du possible, les enfants et notamment les filles n'aient pas à parcourir une trop grande distance ;
– créer des écoles réservées aux filles ou des installations spéciales pour les filles dans les cultures où les parents n'envoient pas leurs filles à l'école pour les empêcher d'être en contact avec des garçons ;
– recruter un plus grand nombre d'institutrices lorsque les enseignants sont en majorité des hommes ;
– organiser des programmes de repas scolaires ;
– adapter les horaires scolaires pour tenir compte des tâches incombant aux enfants dans la famille ;
– soutenir des programmes non formels avec la participation des parents et d'organisations locales ;
– améliorer les infrastructures de base, et en particulier les accès à l'eau non polluée, pour éviter aux filles certaines corvées domestiques et leur procurer du temps libre pour l'éducation.

Dans tous les pays, d'autre part, même dans ceux où les enfants sont tous inscrits à l'école de base, il est souhaitable de mettre davantage l'accent sur la qualité de l'enseignement. L'éducation de base est à la fois une préparation pour la vie et le meilleur moment pour apprendre à apprendre. Lorsque les enseignants professionnels et le personnel d'encadrement sont encore peu nombreux, l'éducation de base est la clé de l'autodidaxie. Dans les pays qui offrent aux élèves un choix entre des cours variés, elle consolide les bases du savoir et constitue en même temps le premier stade de l'orientation.

Après la possibilité de disposer de manuels scolaires, l'un des facteurs les plus importants de l'apprentissage à tous les niveaux

Filles Garçons

Espérance de vie scolaire (en années) des filles et des garçons, dans divers pays, 1992

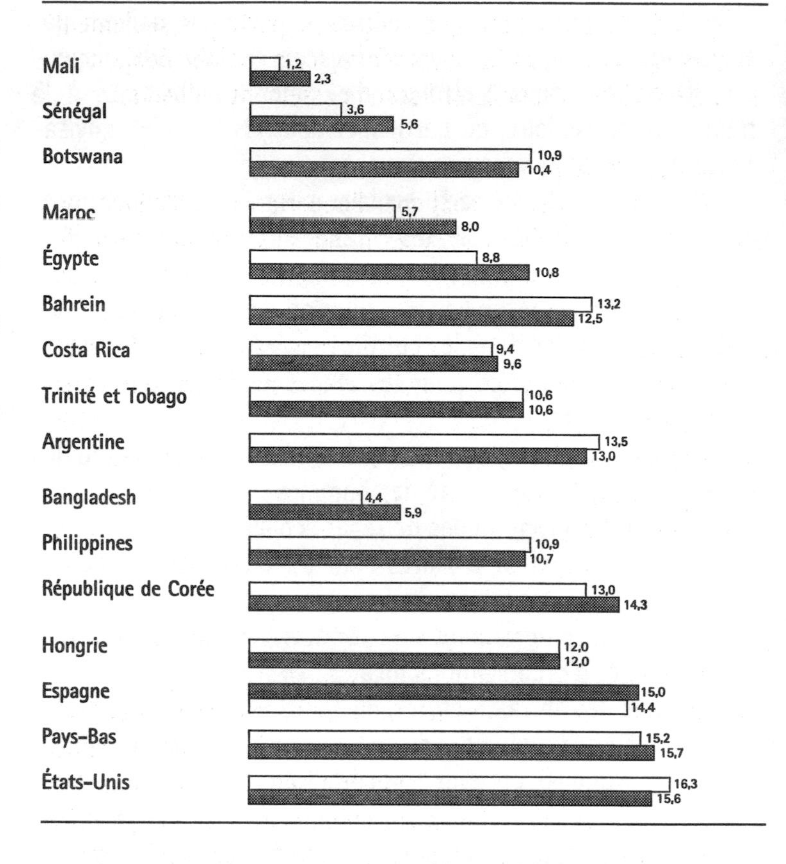

Dans ce graphique, l'espérance de vie scolaire correspond au nombre d'années d'éducation formelle dont un enfant de cinq ans scolarisé en 1992 peut espérer bénéficier. Les pays sont pris à titre d'exemple, dans différentes régions, sans qu'une raison particulière ait présidé à ce choix. Pour des détails complémentaires, voir le tableau 2.2 et l'appendice I du *Rapport mondial sur l'éducation, 1995,* de l'UNESCO.

et, par conséquent, à celui de l'éducation de base est le temps passé dans un milieu où l'on apprend. Chaque interruption, chaque incident réduisant le temps disponible pour apprendre compromettent la qualité des résultats : les responsables des politiques éducatives doivent se préoccuper davantage de faire en sorte que l'année scolaire officiellement prévue soit bien, dans la plupart des cas, l'année scolaire effective. Comme l'enseignement fait très souvent une place considérable à la réussite aux examens, il incombe aux autorités de s'assurer que les examens contrôlent de façon adéquate les connaissances et aptitudes qu'elles veulent voir les élèves acquérir. En outre, il est nécessaire de revoir avec soin le contenu des programmes d'études et les méthodes d'enseignement, si l'on veut élargir le champ de l'éducation pour que celle-ci ne porte pas seulement sur les connaissances et les savoir-faire, mais englobe également l'aptitude à vivre ensemble et l'accomplissement individuel.

L'éducation de la petite enfance

La Commission tient à souligner l'importance de l'éducation de la petite enfance. Outre le début de socialisation que permettent les centres et programmes pour la petite enfance, on a pu constater que les enfants bénéficiant d'une éducation pour la petite enfance sont plus favorablement disposés envers l'école et risquent moins d'abandonner celle-ci prématurément que ceux qui n'en ont pas bénéficié. Une scolarisation commencée tôt peut contribuer à l'égalité des chances en aidant à surmonter les handicaps initiaux de la pauvreté ou d'un milieu social ou culturel défavorisé. Elle peut faciliter considérablement l'intégration scolaire des enfants issus de familles immigrées ou de minorités culturelles ou linguistiques. En outre, l'existence de structures éducatives accueillant les enfants d'âge préscolaire facilite la participation des femmes à la vie sociale et économique.

Malheureusement, l'éducation de la petite enfance est encore très peu développée dans la plupart des pays du monde et même si, dans les pays hautement industrialisés, presque tous les enfants fréquentent l'enseignement préprimaire, bien des progrès restent à faire là aussi. La prise en compte par un service communautaire polyvalent des besoins liés au développement de l'enfant permet de mettre en place des programmes à très faible coût. L'éducation de la petite enfance peut ainsi être intégrée à des programmes d'éducation communautaire destinés aux parents, en particulier dans les pays en développement où les établissements d'éducation préscolaire, trop coûteux, ne sont accessibles qu'aux seuls privilégiés. Il faut espérer que des efforts seront entrepris ou poursuivis afin de multiplier un peu partout dans le monde les possibilités d'apprentissage offertes à la petite enfance, dans le cadre du mouvement visant à faire de l'éducation de base universelle une réalité.

Enfants ayant des besoins spécifiques

La famille est la première école de l'enfant, mais quand le milieu familial fait défaut ou est déficient, il incombe à l'école de maintenir vivantes, voire d'établir, les potentialités d'apprentissage. Il convient d'accorder une attention spéciale à tous les aspects de l'éducation destinée à des enfants issus de milieux défavorisés ; les enfants des rues, les orphelins, les victimes de la guerre ou d'autres catastrophes doivent bénéficier d'efforts concertés de la part des éducateurs. Lorsque des enfants ont des besoins spécifiques qui ne peuvent pas être diagnostiqués ou satisfaits au sein de la famille, c'est à l'école qu'il incombe de fournir l'aide et l'orientation spécialisées qui leur permettront de développer leurs talents malgré leurs difficultés d'apprentissage ou leurs handicaps physiques.

Estimation de la population d'adultes analphabètes (en millions), par région, 1980-2010

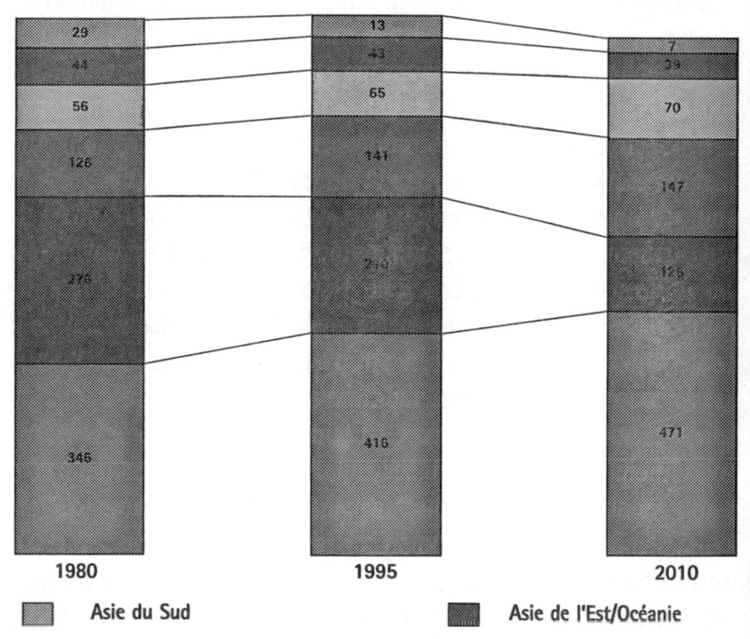

Données chiffrées recueillies par la Division des statistiques de l'UNESCO. Les régions correspondent à la nomenclature de l'UNESCO. Les pays de l'ancienne Union soviétique sont classés dans la catégorie des pays développés y compris ceux qui sont situés en Asie.

Éducation de base et alphabétisation des adultes

Pour les adultes, les programmes d'éducation de base et d'alphabétisation sont en général plus attractifs s'ils sont associés à l'acquisition de compétences utiles en rapport avec l'agriculture, l'artisanat ou d'autres activités économiques. L'éducation des adultes fournit aussi une excellente occasion d'aborder des questions d'environnement et de santé, l'éducation en matière de population et l'éducation pour la compréhension de valeurs et de cultures différentes. L'utilisation des médias à des fins éducatives peut contribuer à faire connaître à l'adulte un monde qui dépasse le cadre de son étroite expérience individuelle, et en particulier la science et la technologie qui sont omniprésentes dans le monde moderne, mais auxquelles les citoyens des pays en développement n'ont encore qu'un accès limité.

Participation et responsabilité de la collectivité

Le succès de la scolarisation dépend dans une très large mesure de la valeur que la collectivité attache à l'éducation. Quand celle-ci est hautement appréciée et activement recherchée, la mission et les objectifs de l'école sont partagés et soutenus par la communauté environnante. C'est pourquoi il faut encourager et soutenir le mouvement qui tend à accroître le rôle joué par les communautés de base. Il faut aussi que l'éducation soit perçue par la collectivité comme pertinente dans les situations de la vie réelle, et répondant à ses besoins et à ses aspirations. Il convient de tenir compte des spécificités de la vie en milieu rural comme en milieu urbain, en décidant de la langue d'enseignement et en analysant avec soin les adaptations à apporter au programme d'études, au contenu, à la formation des maîtres et aux matériels. Lorsque les parents répugnent à envoyer leurs enfants à l'école, il convient d'associer la communauté locale à l'évaluation des besoins, en instaurant un dialogue avec les autorités et autres groupes intéressés de la société et en poursuivant ce dialogue dans divers contextes (médias, débats communautaires, éducation et formation des parents, formation continue des enseignants).

Ainsi la communauté peut-elle prendre conscience des conditions nécessaires à son propre bien-être et à son développement. L'octroi par l'État de subventions aux communautés locales qui s'efforcent de s'aider elles-mêmes, de s'améliorer et de s'organiser s'est révélé plus efficace que les actions visant à imposer le progrès du sommet vers la base.

Il est nécessaire d'encourager les initiatives des dirigeants locaux et d'améliorer leurs compétences de gestion et leurs compétences techniques, notamment en matière de contrôle financier. Le rôle des groupes féminins, en particulier de ceux auxquels participent les mères de famille, peut être déterminant pour assurer le succès et la continuité des programmes d'éducation de base.

Une des formes de participation de la communauté est l'utilisation ou la création de centres communautaires où peut être organisé un large éventail d'actions diversifiées : éducation des parents ; éducation pour le développement social, s'agissant par exemple des soins de santé primaires ou de la planification familiale, éducation visant à améliorer les capacités économiques par des contributions à la fois techniques et financières, etc. On peut citer ainsi un certain nombre d'expériences, bénéficiant du soutien d'institutions des Nations unies ou d'ONG, qui associent avec succès l'alphabétisation et l'éducation à l'accès au crédit, avec des programmes destinés expressément aux femmes[4]. Les programmes de ces centres communautaires peuvent répondre à des besoins très divers, par exemple programmes alimentaires, programmes pour le troisième âge, programmes pour la jeunesse, manifestations sociales et culturelles, programmes d'activités génératrices de revenus. En dernière analyse, la participation accrue de la communauté devrait se traduire à la fois par une plus forte demande de services et par une meilleure compréhension de ce que ces services peuvent offrir.

Confier à des membres de la communauté des fonctions d'auxiliaires ou de paraprofessionnels au sein du système scolaire peut aussi être considéré comme une forme de participation. Cette association d'un enseignant issu de la communauté à un

[4]Pour un exposé d'une expérience novatrice de crédit destiné aux pauvres, voir par exemple Rahnuma Shehabuddin, The Impact of Grameen Bank in Bangladesh, *Bangladesh, Grameen Bank, 1992. L'un des faits marquants de la Conférence sur les femmes qui s'est tenue à Beijing en 1995 a été le lien établi entre activité bancaire et alphabétisation aux termes d'un accord signé par Mohammed Yunis, fondateur de la Grameen Bank, et Federico Mayor, directeur général de l'UNESCO.*

enseignant nommé par l'État s'est révélée extrêmement utile dans le cadre de la récente réforme de l'éducation en Guinée. Des programmes de formation destinés à relever le niveau théorique et pédagogique du personnel ainsi fourni par la communauté locale ont été très bien reçus par la communauté elle-même qui leur a apporté un vigoureux soutien dans le cas des programmes éducatifs destinés aux réfugiés du Mozambique au Zimbabwe. Ces maîtres issus de la communauté ont pu passer avec succès toutes les épreuves leur permettant d'obtenir le certificat normal d'aptitude à l'enseignement au bout de dix ans d'exercice en alternance avec des périodes d'études à plein temps.

Si nombreux que soient les avantages, la participation des communautés et les pouvoirs donnés à celles-ci comportent aussi des inconvénients. Les expériences sont très difficiles à généraliser. Lorsque la prise des décisions est décentralisée, il peut arriver que le pouvoir se trouve concentré entre les mains de dirigeants locaux qui ne représentent pas l'ensemble de la communauté. Il peut devenir plus difficile de maintenir le niveau et d'imposer un contrôle de la qualité. Mais, lorsque les conditions sont favorables et que l'État fournit le soutien voulu, les méthodes participatives peuvent donner des résultats positifs[5].

En conséquence, la participation de la communauté à l'éducation, en particulier au niveau de l'éducation de base, doit aller de pair avec une responsabilité et une action vigoureuse de la part de l'État. Celui-ci a un rôle important à jouer si l'on veut que toutes les communautés aient des chances égales de voir leurs enfants bénéficier d'une bonne éducation et que les adultes aient accès à des possibilités d'apprendre pour améliorer à la fois leur activité professionnelle et la qualité de leur vie.

Enseignement secondaire : la plaque tournante de toute une vie

L'enseignement secondaire semble cristalliser beaucoup des espoirs et des critiques que suscitent les systèmes formels.

[5] *Voir Sheldon Shaeffer,* Collaborating for Educational Change : the Role of Teachers, Parents and the Community in School Improvement. *Programme de recherche et d'études de l'IIPE, « Accroissement et amélioration de la qualité de l'éducation de base ». Paris, Institut international de planification de l'éducation, 1992.*

D'une part, les familles et les élèves le considèrent souvent comme la voie d'accès à la promotion sociale et économique. De l'autre, on l'accuse d'être inégalitaire et insuffisamment ouvert au monde extérieur et, d'une manière générale, d'échouer à préparer les adolescents non seulement à l'enseignement supérieur, mais encore à l'entrée dans le monde du travail. De surcroît, on soutient que les matières enseignées ne sont pas pertinentes et qu'une place insuffisante est faite à l'acquisition d'attitudes et de valeurs. Il est maintenant largement admis que, pour qu'il y ait développement[6], il faut qu'une proportion élevée de la population poursuive des études secondaires. Il serait donc utile de préciser ce que l'enseignement secondaire doit faire pour préparer les jeunes à la vie adulte.

Dès lors qu'on envisage l'éducation comme un processus devant se poursuivre tout au long de la vie, on est amené à reconsidérer aussi bien les contenus que l'organisation de l'enseignement secondaire. Sous la pression des exigences du marché du travail, la durée de la scolarité tend à s'allonger. Si l'on examine dans le monde entier la progression des taux de scolarisation, l'enseignement secondaire est de tous les secteurs de l'enseignement formel celui qui connaît l'expansion la plus rapide.

Dans de nombreux pays toutefois, la progression des effectifs s'accompagne d'une augmentation de l'échec scolaire, dont témoignent les taux élevés de redoublement et d'abandon. C'est ainsi qu'en Amérique latine la proportion de redoublants atteint chaque année jusqu'à 30 % de l'effectif total, ce qui entraîne un gaspillage de ressources humaines et financières précieuses. La Commission estime que, partout où les taux de redoublement et d'abandon sont élevés, des moyens énergiques doivent être mis en œuvre pour analyser les causes et tenter de trouver des remèdes. Les mesures à prendre peuvent consister notamment en des réformes de la formation des maîtres, une assistance financière, des expériences novatrices de travail en groupe, l'introduction d'un enseignement en équipe ou le recours à des technologies permettant l'utilisation de matériels didactiques modernes.

[6] *Luis Crouch, Emiliana Vegas et Ronald Johnson,* Policy Dialogue and Reform in the Education Sector : Necessary Steps and Conditions, *Washington D.C., Research Triangle Institute, USAID, 1993.*

En même temps, le principe de l'éducation permanente doit ouvrir des possibilités plus vastes d'accomplissement personnel et de formation après l'éducation de base, en permettant notamment aux adultes de retourner dans le système formel. Il est certain qu'on ne saurait s'interroger valablement sur l'enseignement secondaire sans envisager également les possibilités d'éducation à offrir aux adultes. L'idée d'un « crédit de temps d'éducation » utilisable tout au long de la vie pourrait faciliter l'élaboration d'une politique centrée sur les modalités pratiques du retour en formation des personnes ayant interrompu leur scolarité dans leur jeunesse ; parmi les questions à examiner, citons celles des congés d'études, de la reconnaissance des compétences, de la certification des expériences d'apprentissage non formelles et des passerelles entre diverses filières éducatives.

Il est donc possible, dans le contexte de l'éducation permanente, de relier l'enseignement secondaire aux trois grands principes que sont la diversité des formations, l'alternance à développer entre l'étude et une activité professionnelle ou sociale, et la recherche d'améliorations qualitatives.

La diversité dans l'enseignement secondaire

Alors que l'éducation de base, quelle qu'en soit la durée, doit avoir pour objet de répondre à des besoins communs à l'ensemble de la population, l'enseignement secondaire devrait être la période où les talents les plus variés se révèlent et s'épanouissent. Les éléments du tronc commun (langues, sciences, culture générale) devraient être enrichis et actualisés pour refléter la mondialisation croissante des phénomènes, la nécessité d'une compréhension interculturelle et l'utilisation de la science au service d'un développement humain durable. En d'autres termes, il faut se préoccuper davantage de la qualité ainsi que de la préparation à la vie dans un monde en mutation rapide, souvent soumis à l'empire de la technologie. Partout où elle s'est réunie, la Commission a entendu exprimer l'espoir de voir l'enseignement formel, et notamment secondaire, jouer un rôle accru dans la formation chez les élèves des qualités de caractère dont ils auront besoin plus tard pour anticiper les changements et s'y adapter. Il faut que les élèves puissent acquérir à l'école les instruments qui leur permettront, d'une part, de maîtriser les technologies nouvelles et, de l'autre, de faire face aux conflits et à la violence. Il faut cultiver en eux la créativité et l'empathie qui leur seront nécessaires pour être dans la société de demain des citoyens à la fois acteurs et créateurs.

Aujourd'hui, les enseignements théoriques dispensés au niveau secondaire servent surtout, le plus souvent, à préparer les jeunes aux études supérieures, laissant sur le bord de la route ceux qui échouent, qui abandonnent ou qui ne trouvent pas de place dans l'enseignement supérieur, mal équipés pour le travail et pour la vie. L'un des objectifs de toute réforme devrait être de diversifier la structure des enseignements et de se préoccuper davantage non seulement des contenus, mais de la préparation à la vie active. Le dévouement et la compétence du corps enseignant déterminent, autant que le contenu des programmes d'études, la qualité et la pertinence de l'éducation ; aussi la réforme des programmes serait-elle stérile sans la participation et le soutien plein et entier des enseignants.

L'enseignement et la formation techniques et professionnels qui préparent les techniciens et artisans de niveau intermédiaire sont particulièrement importants pour les pays en développement. L'insuffisance des ressources et le coût relativement élevé d'une formation technique de qualité rendent cependant très difficile le développement de ce secteur dans les pays mêmes où il serait le plus nécessaire. La formation professionnelle doit concilier deux objectifs divergents : la préparation aux emplois qui existent à l'heure actuelle et une capacité d'adaptation à des emplois qu'on n'imagine même pas encore. On peut trouver des modes d'approche pragmatiques pour la mise en place d'un système d'enseignement et de formation techniques et professionnels dans certains pays en développement : plusieurs pays d'Asie du Sud-Est comme Singapour, la Thaïlande et Hongkong ont su faire preuve d'imagination pour apporter des solutions valables. Certaines des formations mises en place sont relativement peu coûteuses et bien adaptées à l'application de technologies de niveau intermédiaire, propres à améliorer la productivité économique. Par exemple, les éléments d'une modernisation des savoir-faire agricoles n'entrainent pas de grosses dépenses et peuvent être introduits au niveau de l'éducation de base comme à celui de l'enseignement secondaire. Pour être pertinent, l'enseignement professionnel visant le secteur industriel doit se développer en relation étroite avec celui de l'emploi.

Les délais nécessaires à la mise en place de programmes éducatifs sont très longs, surtout si l'on y inclut la formation des enseignants, et il peut s'écouler dix ans avant que l'impact du nouveau programme se fasse sentir sur le marché du travail. Peut-être serait-il bon d'accorder plus d'attention au renforcement des arrangements informels existants et à la formation sur le tas, en développant des accords de partenariat avec les employeurs dans tous les secteurs et en recourant davantage aux nouvelles techniques d'enseignement[7]. Comme dans les autres types d'éducation, les politiques devraient viser à réduire les disparités entre les sexes et à encourager la participation des filles à toutes les formations techniques.

La durée des enseignements devrait elle aussi être diversifiée, dans la perspective d'une éducation tout au long de la vie. Dans bien des cas, une alternance de périodes de scolarité et de vie professionnelle conviendrait peut-être mieux à la façon dont les jeunes apprennent. Toutefois, il incombe aux autorités de veiller à ce que les portes leur restent ouvertes pour la poursuite de leurs études et à ce que l'enseignement technique et professionnel qu'ils auront suivi ainsi que leurs périodes d'apprentissage fassent l'objet d'une reconnaissance officielle. L'organisation de formations professionnelles en alternance de plus ou moins longue durée, combinant le travail avec des études de niveau secondaire, n'a d'intérêt durable que si elle donne aux intéressés la possibilité de reprendre une formation générale après avoir consacré plusieurs mois ou plusieurs années à une activité professionnelle. Un soutien financier des autorités sera donc nécessaire pour inciter les employeurs d'une part à offrir une formation en cours d'emploi à l'ensemble de leur personnel, et en particulier aux jeunes, et d'autre part à accorder des congés d'études aux salariés désireux de suivre un enseigne-

[7] *Voir Claude Pair,* La Formation professionnelle, hier, aujourd'hui, demain, *étude réalisée pour la Commission, Paris, UNESCO, 1994 (UNESCO doc. EDC/III/3 Rev. 1.)*

ment postscolaire. D'une façon plus générale, les principes directeurs d'une éducation tout au long de la vie doivent conduire à l'établissement de nouveaux parcours éducatifs (comportant notamment l'octroi d'un crédit de temps et d'argent) qui permettent d'alterner des périodes d'activité professionnelle et des périodes d'études.

Dans les sociétés pluriethniques, on se préoccupe maintenant de développer l'enseignement dans la langue maternelle, et, de plus en plus, les politiques tendent à dispenser au moins l'éducation de base dans la première langue de l'enfant chaque fois que cela est possible. Toutefois, il n'a pas été accordé suffisamment d'attention à l'enseignement généralisé d'une deuxième et d'une troisième langue. La Commission estime qu'il y aurait lieu d'insister davantage sur l'enseignement des langues pour permettre au plus grand nombre possible de jeunes d'apprendre à la fois une langue nationale et une autre langue de grande diffusion. La connaissance d'une langue internationale sera indispensable dans le village planétaire et sur le marché mondial du XXIe siècle. Le bilinguisme pour tous n'est pas un objectif irréalisable, et d'ailleurs la capacité de parler plusieurs langues a été historiquement la norme dans de nombreuses parties du monde. Dans bien des cas, la connaissance d'une langue internationale peut être indispensable à l'acquisition des connaissances scientifiques et technologiques les plus récentes qui aideront un pays à atteindre des niveaux modernes de développement économique. Encourager les enfants et les jeunes à apprendre plusieurs langues, c'est les doter des atouts indispensables pour réussir dans le monde de demain.

Dans le village mondial de demain, l'impossibilité d'accéder aux technologies informatiques les plus récentes risque d'avoir des répercussions négatives à tous les niveaux de l'enseignement scientifique et technologique, qu'il s'agisse de la formation des maîtres ou du système éducatif proprement dit, y compris l'enseignement du troisième degré. Aussi importe-t-il, pour intégrer l'apprentissage de la science et de la technique à l'éducation pour tous, comme le préconise la Commission, de parvenir à combler l'écart entre les pays industrialisés et ceux qui ne le sont pas en matière d'enseignement scientifique et technologique. Il faut en particulier trouver des moyens novateurs d'introduire les technologies informatiques et industrielles à des fins éducatives, mais aussi, et peut-être surtout, pour garantir la qualité de la formation pédagogique et permettre aux enseignants partout dans le monde de communiquer entre eux. Un premier pas, même dans les pays à faibles ressources, serait de doter des écoles « centrales » de l'équipement et du personnel nécessaires à la constitution d'une capacité informatique et de communication, pour qu'elles soient en mesure de desservir à leur tour des écoles « satellites ». La création de musées scientifiques, l'appel au concours du secteur de l'emploi et la constitution d'unités mobiles d'enseignement, par exemple, sont d'autres moyens de faire en sorte que les connaissances les plus récentes en matière de science et de technologie atteignent un plus grand nombre d'apprenants. Dans les pays où un enseignement scientifique de qualité fait défaut au niveau secondaire, c'est le développement de la capacité scientifique nationale qui se trouve compromis, et il convient de remédier d'urgence à ce problème, dans le pays même et par la coopération régionale.

Orientation professionnelle

C'est normalement pendant l'enseignement secondaire que les jeunes choisissent la voie par laquelle ils vont entrer dans la vie adulte et le monde du travail. L'orientation professionnelle, qui permet à des élèves différents de choisir entre des filières variées, ne devrait pas fermer la porte à d'autres options ultérieures. Les systèmes éducatifs devraient être suffisamment flexibles pour tenir compte des différences individuelles en organisant des modules d'étude, en jetant des passerelles entre les enseignements et, comme on l'a indiqué plus haut, en ménageant la possibilité d'un retour à l'éducation formelle après des périodes d'activité professionnelle.

Le choix d'une filière particulière de l'enseignement professionnel ou général devrait être fondé sur une évaluation sérieuse permettant de déterminer les points forts et les points faibles des élèves. Les évaluations scolaires, qui font partie de cette évaluation générale, ne devraient pas avoir pour résultat une sélection par l'échec ou selon des stéréotypes aiguillant systématiquement les mauvais élèves vers le travail manuel ou écartant systématiquement les filles de la technologie et des sciences.

En d'autres termes, l'orientation suppose une évaluation fondée sur un mélange subtil de critères éducatifs et de prévision de la personnalité future de l'adolescent. L'école doit parvenir à se faire une idée juste du potentiel de chacun de ses élèves, et il faudrait dans toute la mesure du possible que des orienteurs professionnels soient disponibles pour faciliter le choix du domaine d'études (en tenant compte des besoins du marché du travail), pour diagnostiquer les difficultés d'apprentissage et pour aider à résoudre les problèmes sociaux de certains élèves. La responsabilité de l'enseignement secondaire est donc immense, car c'est très souvent à l'intérieur des murs de l'école que la vie future de chaque élève prend forme. L'enseignement secondaire doit donc s'ouvrir davantage au monde extérieur, tout en permettant à chaque élève de corriger son parcours en fonction de son évolution culturelle et scolaire.

Les missions traditionnelles et nouvelles de l'enseignement supérieur

Dans une société, l'enseignement supérieur est tout à la fois l'un des moteurs du développement économique et l'un des pôles de l'éducation tout au long de la vie. Il est à la fois dépositaire et créateur de connaissances. En outre, il est l'instrument principal de transmission de l'expérience, culturelle et scientifique, que l'humanité a accumulée. Dans un monde où les ressources cognitives prendront de plus en plus le pas sur les ressources matérielles en tant que facteurs du développement, l'importance de l'enseignement supérieur et des institutions d'enseignement supérieur ne pourra qu'augmenter. De plus, du fait de l'innovation et du progrès technologique, les économies exigeront de plus en plus de compétences professionnelles nécessitant un niveau d'études élevé.

Partout il est fait pression sur les établissements d'enseignement supérieur pour qu'ils ouvrent plus largement leurs portes. À l'échelle mondiale, les inscriptions ont plus que doublé en vingt ans, passant de 28 millions d'étudiants en 1970 à plus de 60 millions aujourd'hui. Et pourtant, des inégalités considérables subsistent, tant pour l'accès que pour la qualité de l'enseignement et de la recherche. En Afrique subsaharienne en particulier, on compte un étudiant inscrit dans l'enseignement supérieur pour mille habitants, alors qu'en Amérique du Nord la proportion est de un pour cinquante. La dépense réelle par étudiant est dix fois plus élevée dans les pays industrialisés que dans les pays les moins avancés. Néanmoins, même s'il représente une dépense relativement faible, l'enseignement supérieur représente un fardeau très lourd pour certains des pays les plus pauvres, dont les difficultés budgétaires sont, hélas, fréquentes.

Dans une grande partie du monde en développement, l'enseignement supérieur est en crise depuis une dizaine d'années. Les politiques d'ajustement structurel et l'instabilité politique ont obéré le budget des établissements. Le chômage des diplômés et l'exode des cerveaux ont ruiné la confiance qu'on mettait dans l'enseignement supérieur. L'attrait démesuré exercé par les sciences sociales a amené des déséquilibres dans les catégories de diplômés disponibles sur le marché du travail, provoquant une désillusion des diplômés comme des employeurs quant à la qualité du savoir dispensé par les établissements d'enseignement supérieur.

Les pressions sociales et les exigences spécifiques du marché du travail se sont traduites par une extraordinaire diversification des types d'établissements et des filières d'études. L'enseignement supérieur n'a pas échappé à « la force et l'urgence avec lesquelles la nécessité d'une réforme de l'éducation est affirmée au niveau politique pour répondre à l'impératif économique[8] ». Les universités n'ont plus le monopole de l'enseignement supérieur. En fait, les systèmes nationaux d'enseignement supérieur sont désormais si variés et si complexes, pour ce qui est de leurs structures, de leurs programmes,

[8] *George Papadopoulos,* Learning for the Twenty-first Century, *étude réalisée pour la Commission, Paris, UNESCO, 1994.*

de leurs publics et de leur financement, qu'il est devenu difficile de les classer dans des catégories distinctes[9].

L'augmentation des effectifs et du nombre des établissements a entraîné un accroissement des dépenses consacrées à l'enseignement supérieur. Celui-ci est donc aux prises avec les redoutables problèmes posés par la massification. Or ce défi n'a pas encore été valablement relevé, ce qui doit nous conduire à revoir les missions de l'enseignement supérieur.

Ce sont en premier lieu les universités qui regroupent l'ensemble des fonctions traditionnelles associées à l'avancement et à la transmission du savoir : recherche, innovation, enseignement et formation, éducation permanente. À ces fonctions on peut en ajouter une autre qui ne cesse depuis quelques années de gagner en importance : la coopération internationale.

Ces fonctions peuvent toutes contribuer au développement durable. En leur qualité de centres autonomes de recherche et de création du savoir, les universités peuvent aider à résoudre certains des problèmes de développement qui se posent à la société. Ce sont elles qui forment les dirigeants intellectuels et politiques, les chefs d'entreprise de demain, ainsi qu'une grande partie du corps enseignant. Dans leur rôle social, les universités peuvent mettre leur autonomie au service du débat sur les grandes questions éthiques et scientifiques auxquelles la société de demain sera confrontée, et faire le lien avec le reste du système éducatif en offrant aux adultes la possibilité de reprendre des études et en faisant fonction de centres d'étude, d'enrichissement et de préservation de la culture. Alors que des pressions croissantes s'exercent sur l'enseignement supérieur pour qu'il prenne en compte les préoccupations sociales, l'attention s'est également focalisée sur les autres attributs précieux et indispensables des universités que sont la liberté académique et l'autonomie institutionnelle. Bien qu'elles n'offrent pas une garantie d'excellence, cette liberté et cette autonomie en sont une condition préalable.

Nulle part, cette responsabilité des universités dans le développement de la société tout entière n'est plus évidente que dans les pays en développement, où les travaux de recherche

[9] Changement et développement dans l'enseignement supérieur : document d'orientation, *Paris, UNESCO, 1995. (UNESCO doc. ED. 94/WS/30.)*

des établissements d'enseignement supérieur fournissent la base essentielle des programmes de développement, de la formulation des politiques et de la formation des ressources humaines de niveau moyen et supérieur. On ne saurait trop insister sur l'importance du rôle que les institutions d'enseignement supérieur locales et nationales peuvent jouer dans le relèvement du niveau de développement de leur pays. C'est à elles qu'il incombe en grande partie de jeter des ponts entre les pays industrialisés développés et les pays non industrialisés en développement. Elles peuvent en outre être les instruments de la réforme et de la rénovation de l'éducation.

Un lieu où l'on apprend et une source de savoir

Étant donné le rôle croissant joué par le savoir scientifique et technologique dans la société, dans l'industrie et les échanges économiques et dans l'application de la recherche aux problèmes du développement humain, il est extrêmement important que les institutions d'enseignement supérieur maintiennent un potentiel de recherche de haut niveau dans leurs domaines de compétence. Pour obtenir des fonds destinés à la recherche, elles sont aujourd'hui en concurrence avec toute une série d'agents, dont certains du secteur privé. Ces institutions, en revanche, sont mieux placées que quiconque pour s'acquitter de leur mission traditionnelle et nécessaire d'avancement du savoir, de par la liberté intellectuelle, la liberté de débat et la garantie d'une évaluation rigoureuse qu'elles offrent aux chercheurs.

Dans les sciences sociales comme dans les sciences exactes et naturelles, la recherche scientifique se doit certes d'être indépendante et à l'abri des pressions politiques et idéologiques, mais elle n'en doit pas moins contribuer au développement à long terme de la société. L'écueil à éviter, surtout dans les pays qui ont particulièrement besoin de progresser dans le domaine de la technologie, est que l'enseignement des sciences cède à un académisme stérile et s'enferme dans une tour d'ivoire. Mais à l'inverse, la qualité de la science ne doit pas être sacrifiée au souci de productivité immédiate, car l'enjeu est à la fois universel, comme la science elle-même, et à longue portée.

À une époque où le volume des connaissances et de l'information connaît une croissance exponentielle et où l'on fait confiance aux institutions d'enseignement supérieur pour répondre aux besoins éducatifs d'un public de plus en plus nombreux et varié, la qualité de la formation donnée aux enseignants et celle de l'enseignement dispensé dans les institutions d'enseignement supérieur revêtent une importance de plus en plus grande. Ces institutions ont un rôle décisif à jouer dans la formation des maîtres, l'instauration de liens avec les établissements de formation pédagogique n'appartenant pas à l'enseignement supérieur, et la formation des professeurs de la formation pédagogique. Elles doivent s'ouvrir à des enseignants issus du secteur économique et d'autres secteurs de la société, de manière à favoriser les échanges entre ces secteurs et celui de l'éducation.

Ainsi, tout être humain devrait être en mesure de compter plus ou moins directement sur l'enseignement supérieur pour accéder au patrimoine cognitif commun et aux bénéfices des recherches les plus récentes. Cela suppose que l'université passe avec la société une sorte de contrat moral en échange des ressources que celle-ci lui alloue.

L'enseignement supérieur et l'évolution du marché du travail

Les structures de l'emploi évoluent à mesure que les sociétés progressent et que la machine remplace l'homme : le nombre des ouvriers est en baisse alors que les tâches de supervision, d'encadrement et d'organisation se développent, accroissant ainsi le besoin de capacités intellectuelles chez les travailleurs à tous les niveaux.

En matière de qualification, les exigences ne cessent de croître. Dans l'industrie et dans l'agriculture, la pression des technologies modernes donne l'avantage à ceux qui sont capables de les comprendre et de les maîtriser. De plus en plus, les employeurs exigent de leur personnel qu'il soit en mesure de résoudre des problèmes nouveaux et de prendre des initiatives. Quant au secteur des services, qui en vient à occuper une place prédominante dans les pays depuis longtemps industrialisés, il requiert souvent une culture générale et une connaissance des possibilités offertes par l'environnement humain qui constituent des demandes nouvelles adressées à l'éducation.

Les universités ont été amenées à faire une plus large place aux formations scientifiques et technologiques pour répondre à la demande de spécialistes qui soient au fait des technologies les plus récentes et capables de gérer des systèmes de plus en plus complexes. Comme rien ne permet de penser que cette tendance s'inversera, il faut que les universités continuent à être en mesure de répondre à la demande, en adaptant sans cesse des filières spéciales aux besoins de la société.

Cependant, la difficulté de la tâche ne doit pas être sous-estimée. Il y a souvent concurrence entre les missions de la recherche et de l'enseignement. Les divisions par disciplines peuvent ne pas correspondre aux besoins du marché du travail, et les institutions qui obtiennent les meilleurs résultats sont celles qui ont su mettre en place avec souplesse et dans un esprit de coopération des enseignements transcendant les limites entre les disciplines. Dans beaucoup d'universités scientifiques, la question se pose de savoir s'il convient d'orienter les meilleurs étudiants vers la recherche ou vers l'industrie. Le souci de flexibilité impose de préserver, dans toute la mesure du possible, le caractère pluridimensionnel de l'enseignement supérieur afin d'assurer aux diplômés une préparation appropriée à l'entrée sur le marché du travail.

L'université, lieu de culture et d'étude ouvert à tous

Outre sa tâche consistant à préparer un grand nombre de jeunes soit à la recherche, soit à des emplois qualifiés, l'université doit demeurer la source capable d'étancher la soif de savoir de ceux, toujours plus nombreux, qui trouvent dans leur propre curiosité d'esprit le moyen de donner un sens à leur vie. La culture telle qu'elle est envisagée ici inclut tous les domaines de l'esprit et de l'imagination, des sciences les plus mathématiques à la poésie.

À cet égard, les universités ont certaines particularités qui en font des milieux privilégiés. Elles constituent le conservatoire vivant du patrimoine de l'humanité, patrimoine qui trouve sans cesse une vie nouvelle par l'usage qu'en font les enseignants et les chercheurs. Les universités sont généralement multidisciplinaires, ce qui permet à chaque individu de déborder les limites de son environnement culturel initial. Elles ont généralement plus de contacts avec le monde international que les autres structures éducatives.

Chaque université devrait devenir « ouverte » et offrir la possibilité d'apprendre à distance dans l'espace et à des moments variés dans le temps. L'expérience de l'enseignement à distance a montré qu'au niveau de l'enseignement supérieur un dosage judicieux d'utilisation des médias, de cours par correspondance, de technologies de communication informatisées et de contacts personnels peut élargir les possibilités offertes, pour un coût relativement faible. Ces possibilités doivent inclure à la fois la formation professionnelle et les enseignements d'enrichissement personnel. De plus, en vertu de l'idée selon laquelle chacun doit à la fois apprendre et enseigner, il faudrait faire appel davantage au concours de spécialistes autres que les professeurs de l'enseignement supérieur : le travail en équipe, la coopération avec la collectivité environnante, le travail des étudiants au service de la communauté, sont au nombre des facteurs qui peuvent enrichir le rôle culturel des institutions d'enseignement supérieur et doivent être encouragés.

En traitant de l'Université comme d'un lieu de culture et d'étude ouvert à tous, la Commission n'entend pas seulement concrétiser son orientation centrale : l'éducation tout au long de la vie. Elle veut également que soit reconnue la mission de l'Université, ses responsabilités même, dans sa participation aux grands débats qui concernent la conception et le devenir de la société.

L'enseignement supérieur et la coopération internationale

Les institutions d'enseignement supérieur sont admirablement placées pour tirer parti de la mondialisation en vue de combler le « déficit de connaissances » et d'enrichir le dialogue entre les peuples et entre les cultures. La coopération entre scientifiques de la même discipline transcende les frontières nationales et constitue un instrument puissant pour l'internationalisation de la recherche, de la technologie, des conceptions, des attitudes et des activités. Toutefois, la concentration de la recherche et des moyens de recherche dans les pays membres de l'Organisation de coopération et de développement économique (OCDE) est un défi lancé au développement durable dans les pays les moins avancés économiquement.

Les réseaux qui ont été constitués entre les pays les plus riches, membres de l'Union européenne et de l'OCDE, se sont révélés extraordinairement avantageux sur le plan scientifique et culturel. Cependant, si utiles et si puissants qu'ils soient, ces réseaux risquent d'exacerber les différences entre les pays qui y participent et ceux qui sont laissés à l'écart s'il n'y a pas en même temps renforcement de la coopération Nord-Sud et de la coopération Sud-Sud. À moyen terme en tout cas, l'exode de personnel hautement qualifié en quête de postes de recherche dans les grands centres continuera à appauvrir davantage encore les régions du monde les plus pauvres. Il est cependant réconfortant de voir que, dès que des possibilités se présentent, si modestes soient-elles, certains diplômés et chercheurs commencent à retourner dans leur pays d'origine. L'une des tâches urgentes auxquelles doit faire face la communauté universitaire dans les régions les plus riches est de mettre au point des moyens permettant d'accélérer la coopération et d'aider à renforcer les capacités de recherche des pays les moins développés.

Des jumelages entre institutions de recherche de pays industrialisés et leurs homologues de pays en développement seront profitables pour les deux parties, car une meilleure compréhension des problèmes de développement s'impose pour résoudre les problèmes du village mondial. La coopération Sud-Sud est également riche de possibilités ; c'est ainsi que des travaux faits en Asie ou en Amérique latine ont une pertinence extrême pour l'Afrique et inversement.

Le secteur économique a besoin, lui aussi, d'établir des partenariats de recherche avec des universités, dans le monde développé comme dans le monde en développement, pour étudier les problèmes du développement dans les différentes régions. Les donateurs internationaux peuvent provoquer un élan nouveau de tous ces partenariats.

La libre circulation des personnes et le partage des connaissances scientifiques sont des principes importants que la Commission fait siens. Compte dûment tenu du respect de la propriété intellectuelle, les universités et les gouvernements des pays « riches en savoir » devraient s'efforcer par tous les moyens d'accroître le potentiel des régions les plus pauvres du monde et leur accès à l'information. Citons parmi ces moyens les échanges d'étudiants et d'enseignants, l'aide à la mise en place de systèmes de communication, notamment de systèmes télématiques, la mise en commun des résultats de recherche, la formation de réseaux interuniversitaires et la création de centres d'excellence régionaux.

Un impératif : la lutte contre l'échec scolaire

Tout au long de la réflexion de notre Commission est apparue notre hantise de l'échec scolaire et de sa prolifération. Il frappe l'ensemble des catégories sociales, même si les jeunes issus de milieux défavorisées y sont plus particulièrement exposés. Les formes en sont multiples : redoublements répétés, abandons en cours d'études, relégation dans des filières qui n'offrent pas de réelles perspectives, et, en fin de compte, sortie en fin d'études de jeunes sans qualifications ni compétences reconnues. L'échec scolaire constitue dans tous les cas un gâchis, absolument navrant sur le plan moral, humain et social ; il est bien souvent générateur d'exclusions qui marqueront les jeunes durant toute leur vie d'adultes.

Le premier objectif des systèmes éducatifs doit être de réduire la vulnérabilité sociale des enfants issus de milieux marginaux et défavorisés, afin de rompre le cercle vicieux de la pauvreté et de l'exclusion. Les mesures à prendre passent par la détection, chez les jeunes élèves, de handicaps souvent liés à leur situation familiale et par l'adoption de politiques de discrimination positive à l'égard de ceux qui éprouvent le plus de difficultés. Des moyens supplémentaires doivent ainsi être ainsi dégagés, et des méthodes pédagogiques spéciales mises en place, comme c'est d'ores et déjà le cas dans de nombreux pays, en faveur de publics-cibles et d'établissements situés dans des zones urbaines ou des banlieues défavorisées. Il conviendra cependant d'éviter de créer des ghettos éducatifs, et, partant, toute forme de ségrégation avec les élèves qui suivent une scolarité traditionnelle. On peut fort bien concevoir que des systèmes d'appui soient organisés à l'intérieur de tous les établissements : des parcours plus souples, plus flexibles, seront alors imaginés pour les élèves qui sont moins adaptés au système scolaire, mais qui se révèlent souvent doués pour d'autres types d'activités. Cela suppose notamment des rythmes d'enseignement particuliers, et des classes à effectifs réduits. Des possibilités d'alternance entre l'école et l'entreprise permettent d'autre part une meilleure insertion dans le monde du travail. L'ensemble de ces mesures devrait en particulier, sinon

L'expérience des *accelerated schools* aux États-Unis

Menée avec succès aux États-Unis, l'expérience des accelerated schools *ou « écoles intensives » est l'une des meilleures réponses que les Américains aient apportée à la crise de leur système éducatif, confronté à l'échec de près d'un tiers des élèves dans l'enseignement primaire et secondaire.*

Ces élèves en échec, dits « élèves à risque », ont généralement deux ans de retard dans leur scolarité ; plus de la moitié d'entre eux quittent l'école sans diplôme ; ils sont, pour la plupart, issus de milieux défavorisés, pauvres, appartenant à des minorités ethniques ne parlant pas l'anglais ; beaucoup vivent également au sein de familles monoparentales.

Le principe des écoles intensives repose sur la conviction que l'on peut conduire tous les élèves d'une même classe d'âge au même niveau de réussite scolaire au terme de leur scolarité. Cela implique de faire travailler les élèves en échec à un rythme accéléré par rapport à ceux des milieux privilégiés. Il s'agit d'offrir aux élèves en difficulté des écoles d'excellence.

La conception de ces écoles repose sur l'idée que l'enseignement utilisé pour les élèves « doués » convient également à tous les enfants. Elle implique de ne pas considérer les élèves en difficulté comme des élèves lents, incapables d'apprendre dans des délais normaux, mais de leur fixer, au contraire, des objectifs ambitieux à réaliser au terme de périodes impérativement fixées.

Chaque élève, chaque parent, chaque professeur doit être convaincu qu'il n'existe pas de fatalité de l'échec. Tous sont appelés ensemble à former, avec le personnel de l'établissement scolaire, une communauté responsable qui prend tous les pouvoirs. Après s'être forgé une vision de ce que devrait être l'école, cette communauté scolaire s'engage dans la construction d'une école intensive qui apprend à résoudre elle-même, au fur et à mesure, les problèmes qui se présentent.

Cette communauté doit prendre appui sur les talents de chacun, généralement sous-utilisés. Le processus de transformation de l'école aboutit à un changement des attitudes et à la création d'une nouvelle culture.

Source : *Commission Européenne.* Enseigner et apprendre. Vers la société cognitive, *p. 95. Luxembourg, Office des publications officielles des Communautés européennes, 1995.*

supprimer, du moins limiter significativement les abandons en cours d'études et les sorties du système scolaire sans qualifications.

Des mesures de réinsertion et de rattrapage doivent également être envisagées pour permettre aux jeunes qui accèdent au marché du travail sans qualifications d'acquérir les compétences nécessaires à leur vie professionnelle. Par la suite, des dispositifs offrant une nouvelle chance à des populations jeunes ou adultes marginalisées, par l'accès à de nouveaux cycles de formation, doivent systématiquement être développés. On peut dire en généralisant le propos que le développement de l'éducation et de l'apprentissage tout au long de la vie constitue un moyen privilégié d'acquisition de qualifications nouvelles, adaptées à l'évolution de chaque société.

Reconnaître les compétences acquises grâce à de nouveaux modes de certification

Afin que chacun soit ainsi à même de construire, de manière continue, ses propres qualifications, la Commission estime qu'il est indispensable de procéder, selon les conditions propres à chaque région et à chaque pays, à un réexamen en profondeur des procédures de certification, afin que soient prises en compte les compétences acquises au-delà de l'éducation initiale.

En effet, le diplôme acquis en fin de scolarité constitue encore trop souvent la seule voie d'accès aux emplois qualifiés, et les jeunes non diplômés, n'ayant aucune compétence reconnue, non seulement se trouvent en situation d'échec sur un plan

[10] *Commission européenne,* Enseigner et apprendre, vers la société cognitive, *Luxembourg, Office des publications officielles des Communautés européennes,1995.*

personnel, mais sont également défavorisés, le plus souvent de façon durable, sur le marché du travail. Il est donc important que les compétences acquises, en particulier dans le cours d'une vie professionnelle, puissent être reconnues auprès des entreprises, mais aussi au sein du système éducatif formel, y compris à l'université. De tels projets sont actuellement à l'étude dans certaines régions du monde : c'est ainsi que la Commission européenne, dans un récent *Livre Blanc*[10], prévoit la création de « cartes personnelles de compétences », permettant à chaque individu de faire reconnaître ses connaissances et ses savoir-faire au fur et à mesure de leur acquisition. Il semble bien que, partout dans le monde, la mise en œuvre, sous diverses formes, de tels systèmes de certification, à côté des diplômes acquis lors de la formation initiale, conduirait à valoriser l'ensemble des compétences et à multiplier les transitions entre l'éducation et le monde du travail. Ces propositions valent d'ailleurs aussi bien pour les diplômés que pour les non-diplômés.

Pistes et recommandations

▶ *Une exigence valable pour tous les pays, mais selon des modalités et contenus différents : le renforcement de l'éducation de base, d'où l'accent mis sur l'enseignement primaire et ses apprentissages de base classiques, c'est-à-dire lire, écrire, calculer, mais aussi pouvoir s'exprimer dans un langage qui ouvre au dialogue et à la compréhension.*

▶ *La nécessité — plus forte encore demain — d'une ouverture à la science et à son univers, clé d'entrée dans le* XXI*e* *siècle et ses bouleversements scientifiques et technologiques.*

▶ *Adapter l'éducation de base aux contextes particuliers, aux pays comme aux populations les plus démunis. Partir des données de la vie quotidienne, qui offre des opportunités de comprendre les phénomènes naturels comme d'accéder à différentes formes de sociabilité.*

▶ *Rappel des impératifs de l'alphabétisation et de l'éducation de base pour les adultes.*

▶ *Privilégier, dans tous les cas, la relation entre maître et élève, les technologies les plus avancées ne pouvant venir qu'à l'appui du rapport (transmission, dialogue et confrontation) entre l'enseignant et l'enseigné.*

▶ *L'enseignement secondaire doit être repensé dans cette perspective générale d'éducation tout au long de la vie. Le principe essentiel est d'organiser la diversité des parcours sans jamais fermer la possibilité d'un retour ultérieur dans le système éducatif.*

▶ *Les débats sur la sélectivité et sur l'orientation seraient grandement clarifiés si ce principe était pleinement appliqué. Chacun aurait alors le sentiment que, quels que soient les choix opérés et les cursus suivis à l'adolescence, aucune porte ne lui serait fermée dans l'avenir, y compris celle de l'école elle-même. L'égalité des chances prendrait alors tout son sens.*

▶ *L'université doit être au centre du dispositif, même si, comme cela est le cas dans de nombreux pays, il existe, en dehors d'elle, d'autres établissements d'enseignement supérieur.*

▶ *Elle se verrait assigner quatre fonctions essentielles :*

1. La préparation à la recherche et à l'enseignement ;

2. L'offre de formations très spécialisées et adaptées aux besoins de la vie économique et sociale ;

3. L'ouverture à tous, pour répondre aux multiples aspects de ce que l'on appelle l'éducation permanente au sens le plus large ;

4. La coopération internationale.

▶ *Elle doit aussi pouvoir s'exprimer, en toute indépendance et en toute responsabilité, sur les problèmes éthiques et sociaux — comme une sorte de pouvoir intellectuel dont la société a besoin pour l'aider à réfléchir, à comprendre et à agir.*

▶ *La diversité de l'enseignement secondaire et les possibilités offertes par l'université devraient apporter une réponse valable aux défis de la massification en supprimant l'obsession de la « voie royale et unique ». Combinées à la généralisation de l'alternance, elles devraient aussi permettre de lutter efficacement contre l'échec scolaire.*

▶ *Le développement de l'éducation tout au long de la vie implique que soient mises à l'étude de nouvelles formes de certification, qui tiennent compte de l'ensemble des compétences acquises.*

(chapitre 7)

Les enseignants en quête de nouvelles perspectives

Les chapitres qui précèdent ont montré que la Commission assigne à l'éducation un rôle ambitieux dans le développement des individus et des sociétés. Nous voyons le siècle à venir comme le temps où, partout dans le monde, les individus et les pouvoirs publics considéreront la poursuite de la connaissance non pas seulement comme un moyen en vue d'une fin, mais aussi comme une fin en soi. Chacun sera encouragé à saisir les occasions d'apprendre qui s'offriront à lui tout au long de sa vie, et aura la possibilité de le faire. Cela signifie que nous attendons beaucoup des enseignants, qu'il sera beaucoup exigé d'eux, car il dépend d'eux en grande partie que cette vision devienne réalité. L'apport des enseignants est crucial pour préparer les jeunes non seulement à aborder l'avenir avec confiance, mais à le construire eux-mêmes de manière déterminée et responsable. C'est dès l'enseignement primaire et secondaire que l'éducation doit chercher à relever ces nouveaux défis : contribuer au développement, aider tout un chacun à comprendre et à maîtriser dans une certaine mesure le phénomène de la mondialisation, favoriser la cohésion sociale. Les enseignants jouent un rôle déterminant dans la formation des attitudes – positives ou négatives – envers l'étude. Ils doivent éveiller la curiosité, développer l'autonomie, encourager la rigueur intellectuelle et créer les conditions nécessaires au succès de l'éducation formelle et de l'éducation permanente.

L'importance du rôle que joue l'enseignant en tant qu'agent de changement, favorisant la compréhension mutuelle et la tolérance, n'a jamais été aussi patente qu'aujourd'hui. Ce rôle sera sans doute encore plus décisif au XXIe siècle. Les nationalismes étroits devront faire place à l'universalisme, les préjugés ethniques et culturels à la tolérance, à la compréhension et au pluralisme, le totalitarisme devra être remplacé par la démocratie dans ses diverses manifestations, et un monde divisé, où la haute technologie est l'apanage de certains, par un monde technologiquement uni. Cet impératif confère d'énormes responsabilités aux enseignants, qui concourent à former les caractères et les esprits de la nouvelle génération. L'enjeu est considérable, et met au premier plan les valeurs morales acquises dans l'enfance et tout au long de la vie.

Pour améliorer la qualité de l'éducation, il faut d'abord améliorer le recrutement, la formation, le statut social et les conditions de travail des enseignants, car ceux-ci ne pourront répondre à ce qu'on attend d'eux que s'ils ont les connaissances et les compétences, les qualités personnelles, les possibilités professionnelles et la motivation voulues[1]. Dans le présent chapitre, nous examinerons plus particulièrement les questions qui se posent à cet égard dans l'enseignement primaire et secondaire, et les mesures qu'il peut être envisagé de prendre à ces niveaux pour améliorer la qualité de l'enseignement.

Que peut raisonnablement attendre la société de ses enseignants ? Quelles exigences est-il réaliste de formuler à leur égard ? À quelle contrepartie peuvent-ils prétendre — conditions de travail, droits, statut dans la société ? Qui peut faire un bon enseignant, et comment trouver une telle personne, la former, et préserver sa motivation ainsi que la qualité de son enseignement ?

L'école s'ouvre au monde

On assiste presque partout, depuis quelques années, à un développement spectaculaire de l'information, qu'il s'agisse de ses sources ou de sa diffusion. De plus en plus, les enfants arrivent en classe porteurs de l'empreinte d'un monde — réel ou fictif — qui dépasse largement les limites de la famille et

[1] *Voir A.-R. Thompson,* The Utilization and Professionnal Development of Teachers : Issues and Strategies, *Paris, Institut international de planification de l'éducation, 1995.* (The Management of Teachers Series.)

de la communauté de voisinage. Les messages de nature variée divertissement, informations, publicité — transmis par les médias concurrencent ou contredisent ce que les enfants apprennent à l'école. Ces messages sont toujours organisés en brèves séquences, ce qui, dans de nombreuses régions du monde, influe négativement sur la durée d'attention des élèves, et donc sur les relations au sein de la classe. Lorsque les élèves passent moins de temps à l'école que devant le poste de télévision, le contraste est grand, à leurs yeux, entre la gratification instantanée offerte par les médias, qui ne leur demande aucun effort, et les exigences de la réussite scolaire.

Ayant ainsi perdu en grande partie la prééminence qui était la leur dans l'expérience éducative, les enseignants et l'école se trouvent confrontés à de nouvelles tâches : faire de l'école un lieu plus attirant pour les élèves et leur fournir les clés d'une compréhension véritable de la société de l'information.

Les problèmes de la société environnante, d'autre part, ne peuvent plus être laissés à la porte de l'école : la pauvreté, la faim, la violence, la drogue entrent avec les élèves dans les établissements scolaires, alors qu'il n'y a pas si longtemps encore elles demeuraient à l'extérieur avec les enfants non scolarisés. On attend des enseignants non seulement qu'ils soient capables de faire face à ces problèmes et d'éclairer leurs élèves sur un ensemble de questions de société, depuis le développement de la tolérance jusqu'à la régulation des naissances, mais encore qu'ils réussissent là où les parents, les institutions religieuses ou les pouvoirs publics ont souvent échoué. Il leur revient, de surcroît, de trouver le juste équilibre entre tradition et modernité, entre les idées et attitudes qui sont propres à l'enfant et le contenu du programme.

Dans la mesure où la séparation entre la salle de classe et le monde extérieur devient moins rigide, les enseignants doivent également s'efforcer de prolonger le processus éducatif en dehors de l'institution scolaire, en organisant des expériences d'apprentissage pratiqué à l'extérieur, et, en termes de contenus, en établissant un lien entre les matières enseignées et la vie quotidienne des élèves.

Cet accent mis sur les tâches traditionnelles ou nouvelles qui incombent aux enseignants ne doit pas prêter à ambiguïté. Elle ne doit pas notamment justifier le jugement de ceux qui imputent tous les maux de notre société à des politiques de l'éducation qu'ils jugent mauvaises. Non, c'est à la société elle-même, dans toutes ses composantes, de remédier aux graves dysfonctionnements qui l'affectent et de reconstituer les éléments indispensables à la vie sociale et aux relations interpersonnelles.

Dans le passé, les élèves étaient généralement contraints d'accepter ce que l'école leur offrait, qu'il s'agît de la langue, du contenu ou de l'organisation de l'enseignement. Aujourd'hui, le public estime de plus en plus avoir son mot à dire dans les décisions relatives à l'organisation scolaire. Ces décisions influent directement sur les conditions de travail des enseignants et sur ce qu'on exige d'eux, et sont à l'origine d'une autre contradiction interne de la pratique pédagogique moderne. D'une part, les enfants n'apprennent avec profit que si le maître prend pour point de départ de son enseignement les connaissances que ceux-ci apportent avec eux à l'école – observation qui vaut non seulement pour la langue d'enseignement mais aussi pour les sciences, les mathématiques ou l'histoire. D'autre part, pour leur permettre d'acquérir l'autonomie, la créativité et la curiosité d'esprit qui sont les compléments nécessaires de l'acquisition du savoir, l'enseignant doit absolument maintenir une certaine distance entre l'école et le milieu environnant, afin que les enfants et les adolescents aient l'occasion d'exercer leur sens critique. L'enseignant doit établir une relation nouvelle avec l'apprenant, passer du rôle de « soliste » à celui d'« accompagnateur », devenant désormais non plus tant celui qui dispense les connaissances que celui qui aide ses élèves à trouver, à organiser et à gérer le savoir, en guidant les esprits plutôt qu'en les modelant[2], mais en demeurant d'une très grande fermeté quant aux valeurs fondamentales qui doivent guider toute vie.

[2] Teaching in the Information Age : Problems and New Perspectives, *document présenté à la Commission en mars 1994 par le Syndicat général du personnel enseignant et l'Institut national d'élaboration des programmes scolaires des Pays-Bas.*

Attentes et responsabilités

La compétence, le professionnalisme et le dévouement que l'on exige des enseignants font peser sur eux une très lourde responsabilité. Il leur est beaucoup demandé, et les besoins à satisfaire semblent presque illimités. Dans bien des pays, l'expansion quantitative de l'enseignement se traduit souvent par une pénurie d'enseignants et des classes surchargées, avec les pressions qui en résultent sur le système éducatif. Les politiques de stabilisation, dites par euphémisme d'« ajustement structurel », se sont répercutées de plein fouet, dans de nombreux pays en développement, sur les budgets de l'éducation et par conséquent sur la rémunération des enseignants.

La profession enseignante est l'une des plus fortement organisées au monde, et les organisations d'enseignants peuvent jouer – et jouent – un rôle très influent dans divers domaines. La plupart des quelque 50 millions d'enseignants que compte le monde sont syndiqués, ou s'estiment représentés par des syndicats. Ces organisations, dont l'action vise à améliorer les conditions de travail de leurs adhérents, pèsent d'un grand poids dans la répartition des crédits alloués à l'éducation, et ont dans bien des cas une connaissance et une expérience approfondies des différents aspects du processus éducatif et de la formation des enseignants. Ce sont, dans bon nombre de pays, des participants incontournables pour le dialogue entre l'école et la société. Il est souhaitable d'améliorer le dialogue entre les organisations d'enseignants et les autorités responsables de l'éducation et, au-delà des questions de salaires et de conditions de travail, d'étendre le débat à la question du rôle central que les enseignants devraient jouer dans la conception et la mise en œuvre des réformes. Les organisations d'enseignants peuvent contribuer de façon déterminante à instaurer dans la profession un climat de confiance et une attitude positive à l'égard des innovations éducatives. Dans tous les systèmes éducatifs, elles offrent une voie de concertation avec les praticiens de l'enseignement à tous les niveaux. La conception et l'application des réformes devraient être l'occasion de rechercher un consensus sur les buts et sur les moyens. On n'a jamais réussi une réforme de l'éducation contre ou sans les enseignants.

Enseigner, un art et une science

La forte relation qui s'établit entre l'enseignant et l'enseigné est au cœur du processus pédagogique. Le savoir peut, bien entendu, s'acquérir de diverses façons, et l'enseignement à distance comme l'utilisation des technologies nouvelles dans le cadre scolaire se sont révélés efficaces. Mais pour la quasi-totalité des élèves, en particulier ceux qui ne maîtrisent pas encore les démarches de la réflexion et de l'apprentissage, l'enseignant demeure irremplaçable. Si la poursuite du développement individuel suppose une capacité d'apprentissage et de recherche autonomes, cette capacité ne s'acquiert qu'après un certain temps d'apprentissage auprès d'un ou de plusieurs enseignants. Qui n'a gardé le souvenir d'un professeur qui savait faire réfléchir, qui donnait envie de travailler un peu plus pour approfondir une question ? Qui, ayant au cours de son existence à prendre certaines décisions majeures, n'a été guidé au moins en partie par ce qu'il avait appris sous la conduite d'un enseignant ?

Le travail de l'enseignant ne consiste pas simplement à transmettre des informations ni même des connaissances, mais à présenter celles-ci sous la forme d'une problématique, en les situant dans un contexte, et à mettre les problèmes en perspective, de telle sorte que l'élève puisse faire le lien entre leur solution et des interrogations plus larges. La relation pédagogique vise le plein épanouissement de la personnalité de l'élève dans le respect de son autonomie, et, de ce point de vue, l'autorité dont les enseignants sont investis a toujours un caractère paradoxal puisqu'elle ne se fonde pas sur une affirmation de leur pouvoir, mais sur la libre reconnaissance de la légitimité du savoir. Cette notion d'autorité est sans doute appelée à évoluer mais demeure essentielle, car c'est d'elle que procèdent les réponses aux questions que se pose l'élève sur le monde et c'est elle qui conditionne le succès du processus pédagogique. En outre, la nécessité pour l'enseignement de contribuer à la formation du jugement et du sens des responsabilités individuelles s'impose de plus en plus dans les sociétés modernes, si l'on veut que les élèves soient plus tard capables d'anticiper les changements et de s'y adapter, en continuant à apprendre tout au long de leur vie. C'est le travail et le dialogue avec l'enseignant qui contribuent à développer le sens critique de l'élève.

La grande force des enseignants est celle de l'exemple qu'ils donnent, en manifestant leur curiosité et leur ouverture d'esprit, et en se montrant prêts à mettre leurs hypothèses à l'épreuve des faits, voire à reconnaître leurs erreurs. Il leur appartient surtout de transmettre le goût de l'étude. La Commission estime que la formation des enseignants demande à être repensée, de manière à cultiver chez les futurs enseignants précisément les qualités humaines et intellectuelles propres à favoriser une nouvelle approche de l'enseignement dans la direction proposée par le présent rapport.

La qualité des enseignants

L'augmentation rapide de la population scolaire mondiale a entraîné un recrutement massif d'enseignants. Ce recrutement a souvent dû se faire avec des ressources financières limitées, et il n'a pas toujours été possible de trouver des candidats qualifiés. Le manque de crédits et de moyens pédagogiques ainsi que le surpeuplement des classes se sont souvent traduits par une sérieuse dégradation des conditions de travail des enseignants. L'accueil d'élèves en grande difficulté sur le plan social ou familial impose aux enseignants de nouvelles tâches auxquelles ils sont souvent mal préparés.

On ne saurait trop insister sur l'importance de la qualité de l'enseignement et donc des enseignants. C'est à un stade précoce de l'éducation de base que se forment pour l'essentiel les attitudes de l'apprenant à l'égard de l'étude, ainsi que l'image qu'il a de lui-même. L'enseignant joue, à ce stade, un rôle décisif.

Données chiffrées recueillies par la Division des statistiques de l'UNESCO. Les régions correspondent à la nomenclature de l'UNESCO. Les pays de l'ancienne Union soviétique sont classés dans la catégorie des pays développés, y compris ceux qui sont situés en Asie.

Nombre d'enseignants (tous degrés) par million de personnes âgées de 15 à 64 ans, par région, 1992

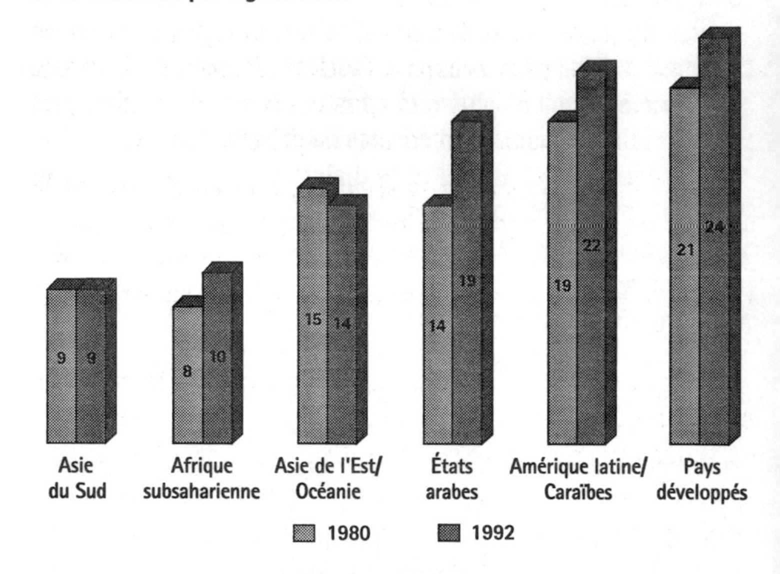

Plus lourds sont les handicaps que l'écolier doit surmonter – pauvreté, milieu social difficile, infirmités physiques –, plus on demande à l'enseignant. Celui-ci, pour être efficace, doit pouvoir mettre en œuvre des compétences pédagogiques très diverses, ainsi que des qualités humaines non seulement d'autorité mais aussi d'empathie, de patience et d'humilité. Si le premier maître que rencontrent un enfant ou un adulte est insuffisamment formé et peu motivé, ce sont les fondations mêmes sur lesquelles se construiront leurs apprentissages à venir qui manqueront de solidité. La Commission estime que les gouvernements de tous les pays doivent s'attacher à réaffirmer l'importance des maîtres de l'éducation de base et à améliorer leur qualification. Les mesures à prendre pour recruter les futurs enseignants parmi les étudiants les plus motivés, pour améliorer leur formation et pour inciter les meilleurs d'entre eux à accepter les postes les plus difficiles, sont à définir en fonction des circonstances propres à chaque pays. L'adoption de telles mesures est impérative, sans quoi on ne pourra guère espérer voir la qualité s'améliorer de façon significative, là où cela serait pourtant le plus nécessaire.

Améliorer la qualité et la motivation des enseignants doit donc être une priorité dans tous les pays. Certaines des mesures à prendre pour y parvenir sont indiquées ci-après et décrites de manière plus détaillée dans des sections ultérieures du présent chapitre.

– **Recrutement :** Améliorer la sélection, tout en élargissant la base de recrutement par une recherche plus active des candidats. Des mesures spéciales peuvent être envisagées pour faciliter le recrutement de candidats d'origines linguistiques et culturelles diverses.

– **Formation initiale :** Établir des liens plus étroits entre les universités et les instituts de formation des futurs enseignants du primaire comme du secondaire. À terme, l'objectif devrait être de faire en sorte que tous les enseignants, mais plus particulièrement ceux du secondaire, aient suivi des études supérieures, leur formation étant assurée en coopération avec les universités ou même dans un cadre universitaire. En outre, afin de prendre en compte le rôle du futur enseignant dans le développement d'ensemble de la personnalité des élèves, cette formation devrait mettre sans tarder l'accent sur les quatre piliers de l'éducation décrits au chapitre 4.

– **Formation continue :** Développer les programmes de formation continue, de manière que chaque enseignant puisse y avoir fréquemment accès, notamment au moyen de technologies de communication appropriées. De tels programmes peuvent être mis à profit pour familiariser les enseignants avec les derniers progrès de la technologie de l'information et de la communication. De manière générale, la qualité de l'enseignement est déterminée autant, sinon plus, par la formation continue des enseignants que par leur formation initiale[3]. Le recours aux techniques de l'enseignement à distance peut être une source d'économies et permettre aux enseignants de continuer à assurer leur service, au moins à temps partiel. Ce peut être aussi un moyen efficace de mettre en œuvre des réformes, d'introduire de nouvelles technologies ou de nouvelles méthodes. La formation

[3] *Ken Gannicott et David Throsby,* Educational Quality and Effective Schooling, *Paris, UNESCO, 1994. Étude réalisée pour la Commission. (UNESCO doc. EDC/IV/2.)*

continue ne doit pas nécessairement se dérouler dans le seul cadre du système éducatif : une période de travail ou d'étude dans le secteur économique peut aussi être profitable en contribuant à rapprocher savoir et savoir-faire.

– **Professeurs de la formation pédagogique :** Une attention particulière doit être portée au recrutement et au perfectionnement des professeurs de la formation pédagogique, afin qu'ils puissent contribuer à la rénovation, à terme, des pratiques éducatives.

– **Contrôle :** L'inspection doit offrir l'occasion non seulement de contrôler les « performances » des enseignants, mais de maintenir avec eux un dialogue sur l'évolution des savoirs, des méthodes et des sources d'information. Il convient de réfléchir aux moyens d'identifier et de récompenser les bons enseignants. Il est indispensable de mesurer de façon concrète, cohérente et régulière les acquis des élèves. Il importe de mettre l'accent sur les résultats de l'apprentissage et sur le rôle joué par les enseignants dans l'obtention de ces résultats.

– **Gestion :** Des réformes de gestion tendant à améliorer la direction des établissements scolaires peuvent alléger les tâches administratives quotidiennes qui incombent aux enseignants et permettre une concertation sur les buts et les méthodes de l'enseignement dans des contextes particuliers. Certains services auxiliaires, tels que ceux d'une assistante sociale ou d'une psychologue scolaire, s'avèrent nécessaires et devraient être mis en place partout.

– **Participation d'intervenants extérieurs :** Les parents peuvent être associés de diverses façons au processus pédagogique ; il en est de même des personnes qui ont une expérience pratique de certains sujets enseignés dans les écoles professionnelles.

– **Conditions de travail :** Il faut s'attacher davantage à soutenir la motivation des enseignants dans les situations difficiles et, pour retenir les bons enseignants dans la profession, leur offrir des conditions de travail satisfaisantes et des rémunérations analogues à celles d'autres catégories d'emplois exigeant un niveau comparable de formation. L'octroi d'avantages spéciaux aux enseignants exerçant dans des zones reculées ou particulièrement déshéritées est manifestement nécessaire pour les inciter à y rester, afin que les populations défavorisées ne le soient pas davantage encore par le manque d'enseignants qualifiés. Si souhaitable que soit la mobilité géographique, les affectations ne devraient pas être décidées arbitrairement par les autorités centrales. La mobilité entre la profession enseignante et d'autres professions, pour des périodes de durée limitée, pourrait être encouragée avec profit.

– **Moyens d'enseignement :** La qualité de la formation pédagogique comme de l'enseignement dépend dans une large mesure de celle des moyens d'enseignement, notamment des manuels[4]. La rénovation des programmes scolaires est un processus permanent auquel les enseignants doivent être associés aux stades de la conception comme de la mise en œuvre. L'introduction de moyens technologiques permet une plus large diffusion de documents audiovisuels, et le recours à l'informatique, pour présenter des connaissances nouvelles, enseigner des savoir-faire ou évaluer les apprentissages, est riche de possibilités. Bien utilisées, les technologies de la communication peuvent rendre l'apprentissage plus efficace et offrir à l'élève une voie d'accès séduisante à des connaissances et à des compétences parfois difficiles à trouver dans l'environnement local. La technologie peut jeter un pont entre les pays industrialisés et les pays qui ne le sont pas, et aider les enseignants comme les apprenants à se hisser à des niveaux de connaissance qu'ils ne pourraient pas atteindre sans elle. De bons moyens d'enseignement peuvent aider des enseignants dont la formation est insuffisante à améliorer à la fois leur compétence pédagogique et le niveau de leurs propres connaissances.

Apprendre ce qu'il faudra enseigner et comment l'enseigner

Le monde dans son ensemble évolue aujourd'hui si rapidement que les enseignants, comme les membres de la plupart des

[4] Cf. Priorities and Strategies for Education : A World Bank Review, *Washington, D.C., Banque mondiale, 1995.*

autres professions, doivent désormais admettre que leur formation initiale ne leur suffira pas pour le restant de leur vie : il leur faudra, tout au long de leur existence, actualiser et perfectionner leurs connaissances et leurs techniques. L'équilibre entre la compétence dans la discipline enseignée et la compétence pédagogique doit être soigneusement respecté. Dans certains pays, il est reproché au système de négliger la pédagogie ; dans d'autres, celle-ci est privilégiée à l'excès, estime-t-on, ce qui produit des enseignants ayant une connaissance insuffisante de la matière qu'ils enseignent. Les deux sont nécessaires, et ni la formation initiale ni la formation continue ne doivent sacrifier l'une à l'autre. La formation des enseignants doit, en outre, leur inculquer une conception de la pédagogie qui transcende l'utilitaire et encourage le questionnement, l'interaction, l'examen d'hypothèses différentes. Une des missions essentielles de la formation des enseignants, tant initiale que continue, est de développer en eux les qualités d'ordre éthique, intellectuel et affectif qu'attend d'eux la société, afin qu'ils puissent ensuite cultiver chez leurs élèves le même éventail de qualités.

Une formation de qualité suppose que les futurs enseignants soient mis au contact de professeurs expérimentés, ainsi que de chercheurs travaillant dans leurs disciplines respectives. Les enseignants en exercice devraient se voir offrir régulièrement l'occasion de se perfectionner grâce à des sessions de travail en groupe et des stages de formation continue. Le renforcement de la formation continue – dispensée selon des modalités aussi souples que possible – peut faire beaucoup pour accroître le niveau de compétence et la motivation des enseignants, et améliorer leur condition. Étant donné l'importance de la recherche pour l'amélioration qualitative de l'enseignement et de la pédagogie, la formation des enseignants devrait inclure une composante renforcée de formation à la recherche, et les liens entre les instituts de formation pédagogique et l'université devraient être encore resserrés.

Il faut s'attacher tout particulièrement à recruter et former des professeurs de science et de technologie et à les initier aux technologies nouvelles. Partout, en effet, mais surtout dans les pays pauvres, l'enseignement scientifique laisse à désirer, alors qu'on sait à quel point le rôle de la science et de la technologie est déterminant pour surmonter le sous-développement et lutter efficacement contre la pauvreté. Il importe donc, en particulier dans les pays en développement, de remédier aux faiblesses de l'enseignement des sciences et de la technologie aux niveaux élémentaire et secondaire, en améliorant la formation des professeurs de ces disciplines. L'enseignement professionnel manque souvent, dans ce domaine, de professeurs qualifiés, ce qui n'est pas de nature à rehausser son prestige.

La formation dispensée aux enseignants a tendance à être une formation à part, qui les isole des autres professions : cette situation demande à être corrigée. Les enseignants devraient aussi avoir la possibilité d'exercer d'autres professions, en dehors du cadre scolaire, afin de se familiariser avec d'autres aspects du monde du travail, comme la vie des entreprises, que bien souvent ils connaissent mal.

Les enseignants à l'œuvre

L'école et la collectivité

On peut trouver des pistes pour améliorer la performance et la motivation des enseignants dans la relation qu'ils établissent avec les autorités locales. Quand les enseignants font eux-mêmes partie de la collectivité où ils enseignent, leur implication est plus nette. Ils sont plus sensibilisés aux besoins de cette collectivité et mieux à même d'œuvrer à la réalisation de ses objectifs. Renforcer les liens entre l'école et la communauté locale constitue donc l'un des principaux moyens de faire en sorte que l'enseignement se développe en symbiose avec son milieu.

L'administration scolaire

La recherche comme l'observation empirique montrent que l'un des principaux facteurs de l'efficacité scolaire (sinon le principal) est le chef d'établissement. Un bon administrateur, capable d'organiser un travail d'équipe efficace, et perçu comme compétent et ouvert, réussit souvent à introduire dans son établissement des améliorations qualitatives majeures. Il faut donc veiller à ce que la direction des établissements scolaires soit confiée à des professionnels qualifiés, ayant reçu une formation spécifique, notamment en matière de gestion. Cette qualification doit valoir aux chefs d'établissement un pouvoir de décision accru et des gratifications récompensant le bon exercice de leurs délicates responsabilités. Dans la perspective de l'éducation tout au long de la vie, où chacun est tour à tour enseignant et apprenant, des personnes extérieures à la profession, recrutées pour des périodes de durée déterminée ou des tâches particulières, peuvent apporter certaines compétences que ne possède pas le corps enseignant mais qui répondent à un besoin, qu'il s'agisse de dispenser un enseignement dans la langue d'une minorité, d'enseigner à des réfugiés ou d'établir un lien plus étroit entre l'enseignement et le monde du travail, par exemple. Dans cer-

Écoles et familles travaillent main dans la main aux Philippines pour améliorer les résultats scolaires

Aux Philippines, le PLSS (Système de soutien pédagogique parental) a permis d'améliorer les résultats scolaires et de resserrer les liens entre les écoles et les familles. Ce programme novateur reconnaît le rôle que les parents jouent dans l'éducation de leurs enfants et facilite leur collaboration avec les enseignants professionnels.

Le programme est géré dans chaque établissement par un groupe composé d'enseignants et de parents. L'accent est mis tout particulièrement sur la formation. Les maîtres et le chef d'établissement sont initiés à certaines techniques de gestion, comme les méthodes permettant d'instaurer des rapports de collaboration efficaces et de prendre des décisions concertées, et apprennent à dialoguer avec les parents et avec les élèves. Des séminaires sont organisés à l'intention des parents afin de les conseiller sur la manière de contribuer à l'éducation de leurs enfants. Ces derniers participent à certains séminaires aux côtés des parents.

Au cours du programme, les parents sont associés au processus pédagogique. Sous la direction de l'enseignant, ils aident leurs enfants dans leur travail, à la maison ou à l'école. Ils assistent également l'enseignant dans la conduite de la classe en observant le comportement de leurs enfants en classe, ainsi que les méthodes pédagogiques utilisées. Leurs commentaires et suggestions sont débattus au cours de réunions qu'ils tiennent à intervalles réguliers avec les enseignants, et des mesures spécifiques sont adoptées de concert.

Les premières expériences de ce type ont été menées dans une communauté rurale de la province de Leyte et dans un quartier de Quezon occupé par des squatters dans la grande banlieue de Manille. Étant donné les

tains cas, il s'est révélé utile, pour améliorer l'assiduité scolaire, la qualité de l'enseignement et la cohésion sociale, de faire collaborer les parents aux enseignements dispensés par des enseignants professionnels.

progrès considérables qui ont été constatés sur le plan des résultats scolaires et la baisse spectaculaire des taux d'abandon, le projet a été étendu avec succès à d'autres parties du pays.

D'après : *I.D. Cariño ; M. Dumlao Valisno, « The Parent Learning Support System (PLSS) : School and community collaboration for raising pupil achievement in the Philippines », dans S. Shaeffer (dir. publ.),* Collaborating for Educational Change : the Role of Teachers, Parents and the Community in School Improvement. *Paris, UNESCO-IIEP, 1992.*

Faire participer les enseignants aux décisions qui intéressent l'éducation

Les enseignants devraient être associés plus étroitement aux décisions relatives à l'éducation. L'élaboration des programmes scolaires et des matériels pédagogiques devrait se faire avec la participation d'enseignants en exercice, dans la mesure où l'évaluation des apprentissages ne peut être dissociée de la pratique pédagogique. De même, le système d'administration scolaire, d'inspection et d'évaluation des enseignants a tout à gagner à ce que ces derniers soient associés aux processus décisionnels.

Des conditions propices à un enseignement efficace

Il est souhaitable d'accroître la mobilité des enseignants — à l'intérieur de la profession enseignante comme entre celle-ci et d'autres professions — de manière à élargir leur expérience.

Pour pouvoir faire du bon travail, les enseignants doivent non seulement être qualifiés mais aussi bénéficier d'appuis suffisants. Outre des conditions matérielles et des moyens d'enseignement appropriés, cela suppose l'existence d'un système d'évaluation et de contrôle qui permette de diagnostiquer les difficultés et d'y remédier, et où l'inspection serve d'instrument pour distinguer un enseignement de qualité et pour l'encourager. Cela implique en outre que chaque collectivité ou administration locale examine comment les talents présents dans la société environnante peuvent être mis à profit pour améliorer l'éducation : concours apporté par des spécialistes extérieurs à l'enseignement scolaire ou à des expériences éducatives extrascolaires ; participation des parents, selon des modalités appropriées, à la gestion des établissements ou à la mobilisation de ressources additionnelles ; liaison avec des associations pour l'organisation de contacts avec le monde du travail, de sorties, d'activités culturelles ou sportives ou d'autres activités éducatives sans lien direct avec le travail scolaire, etc.

Certes, améliorer la qualité des enseignants, du processus pédagogique et des contenus de l'enseignement ne va pas sans poser divers problèmes dont la solution n'est pas aisée. Les enseignants revendiquent à juste titre des conditions d'emploi et un statut qui témoignent de la reconnaissance de leurs efforts. Il faut leur donner les outils dont ils ont besoin pour pouvoir jouer au mieux leurs divers rôles. En contrepartie, les élèves et la société dans son ensemble sont en droit d'attendre d'eux qu'ils s'acquittent de leur mission avec dévouement et avec un sens aigu de leurs responsabilités.

Pistes et recommandations

▶ *Bien que la situation psychologique et matérielle des enseignants soit très différente selon les pays, une revalorisation de leur statut s'impose, si l'on veut que l'« éducation tout au long de la vie » remplisse la mission centrale que la Commission lui assigne pour le progrès de nos sociétés et pour le renforcement de la compréhension mutuelle entre les peuples. Le maître doit être reconnu comme tel par la société et disposer de l'autorité nécessaire et de moyens de travail adéquats.*

▶ *Mais l'éducation tout au long de la vie conduit tout droit au concept de société éducative, une société dans laquelle s'offrent de multiples opportunités d'apprendre, à l'école comme dans la vie économique, sociale et culturelle. D'où la nécessité de multiplier les concertations et les partenariats avec les familles, les milieux économiques, le monde des associations, les acteurs de la vie culturelle, etc.*

▶ *Les enseignants sont donc aussi concernés par cet impératif d'actualisation des connaissances et des compétences. Leur vie professionnelle doit être aménagée de telle sorte qu'ils soient en mesure, voire qu'ils aient l'obligation, de perfectionner leur art et de bénéficier d'expériences menées au sein de diverses sphères de la vie économique, sociale et culturelle. De telles possibilités sont généralement prévues dans les multiples formes de congé-éducation ou de congé sabbatique. Ces formules doivent être étendues, moyennant les adaptations voulues, à l'ensemble des enseignants.*

▶ *Même si fondamentalement le métier d'enseignant est une activité solitaire, en ce sens que chacun d'entre eux est en face de ses propres responsabilités et de ses devoirs professionnels, le travail en équipe est indispensable, notamment dans les cycles secondaires, pour améliorer la qualité de l'éducation et mieux l'adapter aux caractéristiques particulières des classes ou des groupes d'élèves.*

▶ *Le rapport insiste sur l'importance des échanges d'enseignants et des partenariats entre institutions de pays différents. Ceux-ci apportent une indispensable valeur ajoutée pour la qualité de l'éducation et aussi pour une plus grande ouverture à d'autres cultures, à d'autres civilisations, à d'autres expériences. Les réalisations en cours le confirment.*

▶ *Toutes ces orientations doivent faire l'objet d'un dialogue, voire de contrats, avec les organisations d'enseignants, en dépassant le caractère purement corporatiste de telles concertations. En effet, les organisations syndicales, au-delà de leurs objectifs de défense des intérêts moraux et matériels de leurs adhérents, ont accumulé un capital d'expérience dont elles sont prêtes à faire bénéficier les décideurs politiques.*

(chapitre 8)

Choix pour l'éducation : le rôle du politique

Les systèmes éducatifs sont actuellement, dans le monde entier, sommés de faire à la fois plus et mieux. Sollicités de toutes parts, ils doivent, ainsi que nous l'avons vu, répondre à une exigence de développement économique et social, particulièrement cruciale pour les populations les plus pauvres. Il leur faut aussi répondre à une exigence culturelle et éthique qu'il est de leur responsabilité d'assumer. Enfin, ils ont à relever le défi de la technologie, qui, avec les risques éventuels que cela comporte, constitue l'un des principaux modes d'accès au XXIe siècle. Chacun attend donc quelque chose de l'éducation. Parents, adultes au travail ou chômeurs, entreprises, collectivités, gouvernements et, bien sûr, enfants et jeunes élèves ou étudiants mettent beaucoup d'espoir en elle.

Cependant, l'éducation ne peut pas tout faire et certains des espoirs qu'elle suscite seront nécessairement déçus. Il faut donc assumer des choix qui peuvent être difficiles, s'agissant notamment d'équité et de qualité des systèmes éducatifs. Ces choix sont des choix de société, et même si quelques principes communs doivent les inspirer, ils peuvent varier selon les pays. Toutefois, il importe qu'il y ait cohérence entre ces choix et les stratégies adoptées, dans l'espace social et dans le temps. Parmi ces stratégies, la Commission inclut le recours aux moyens offerts par la société de l'information, ainsi que les possibilités créées par l'innovation et la décentralisation. Mais de telles stratégies supposent aussi une régulation d'ensemble de l'éducation : c'est le rôle du politique, à qui il appartient d'éclairer l'avenir par une vision à long terme, d'assurer à la fois la stabilité du système éducatif et sa capacité de se réformer, de garantir la cohérence de l'ensemble tout en établissant des priorités, et d'ouvrir enfin un véritable débat de société sur les choix économiques et financiers.

Choix éducatifs, choix de société

La demande d'éducation

Les systèmes éducatifs ne peuvent répondre indéfiniment à une demande en forte croissance. Il leur faudrait à la fois donner les mêmes chances d'éducation à tout le monde, respecter la diversité des goûts et des cultures et répondre à tous les types de demandes. Compte tenu des contraintes financières, force est d'affecter les ressources au mieux, pour concilier quantité et pertinence, équité et qualité. En l'absence de modèle unique de répartition optimale, l'affectation des ressources doit surtout refléter clairement les choix collectifs correspondant aux arbitrages que fait chaque société pour assurer son développement économique, social et culturel.

Dans les pays en développement, où une très forte demande d'éducation s'accompagne d'une pénurie de ressources souvent dramatique, les choix sont particulièrement difficiles et conduisent parfois à faire l'impasse sur certains enseignements. Dans les pays plus développés qui, par comparaison, sont moins étranglés par la contrainte financière, les choix politiques se présentent moins comme des alternatives brutales. Il s'agit plutôt de doser les différentes options dans les budgets de l'éducation, les réformes éducatives ou les modes de sélection et d'orientation des jeunes, et aussi de répondre aux critiques qui voudraient que le système éducatif soit en partie responsable de l'inadéquation entre l'offre et la demande d'emplois.

Cependant, dans l'un et l'autre cas, l'afflux des diverses demandes, convergeant pour la plupart vers les collectivités publiques, impose des choix d'organisation qui sont souvent, en fait, des choix sociopolitiques. Les décideurs se trouvent en effet confrontés à des intérêts contradictoires. Le monde économique réclame de plus en plus de qualifications et de compétences. Le monde scientifique réclame des crédits pour la recherche et pour l'enseignement supérieur de haut niveau, producteur de jeunes chercheurs. Le monde de la culture et de l'enseignement, des moyens pour le développement de la scolarisation et de la formation générale. Enfin, les associations de parents d'élèves veulent toujours plus d'éducation de qualité, c'est-à-dire de bons enseignants en nombre croissant. Les dilemmes sont particulièrement graves, dès lors que toutes les demandes ne peuvent être satisfaites, car il ne s'agit pas ici d'arbitrages ordinaires entre des intérêts particuliers : derrière ces demandes se profilent des attentes légitimes, qui correspondent toutes aux missions fondamentales de l'éducation.

Évaluation et débat public

Les choix éducatifs engagent donc l'ensemble de la société et nécessitent l'ouverture d'un débat démocratique, qui doit porter non seulement sur les moyens, mais aussi sur les finalités de l'éducation. Les principes que le présent rapport s'est efforcé de dégager doivent en particulier y être rappelés, et aucun des éléments fondamentaux de la connaissance – apprendre à connaître, apprendre à faire, apprendre à être, apprendre à vivre ensemble – ne doit être négligé au profit des autres.

Ce débat doit s'appuyer sur une évaluation solide du système éducatif, dont les termes puissent être acceptés par tous, et qui ne saurait être de nature strictement économique. Si l'on peut en effet parler d'un marché de la formation professionnelle dans la mesure où certaines des prestations qu'il offre peuvent être évaluées en termes de coûts et rendement, il n'en est évidemment pas de même pour toutes les activités d'éducation. Certaines d'entre elles échappent à l'ordre économique et renvoient, par exemple, à la participation à la vie collective ou à l'épanouissement de la personne. Par ailleurs, le système éducatif forme un tout ; l'interdépendance de ses parties est si grande et l'intégration à la société si forte qu'il est parfois bien difficile de repérer les causes d'un dysfonctionnement précis. L'évaluation de l'éducation doit être conçue au sens large. Elle ne vise pas uniquement l'offre éducative et les méthodes d'enseignement, mais aussi les financements, la gestion, l'orientation générale et la poursuite d'objectifs à long terme. Elle renvoie aux notions de droit à l'éducation, d'équité, d'efficience, de qualité, d'allocation globale de ressources, et relève dans une grande mesure des pouvoirs publics. Elle peut inclure une évaluation au plan local, pour ce qui concerne, par exemple, la gestion des établissements ou la qualité des enseignants.

Ce qu'il faut, en tout état de cause, c'est mettre en place un dispositif d'évaluation objectif et public, afin que l'opinion soit à même d'appréhender la situation du système éducatif ainsi que son impact sur le reste de la société. L'ampleur des budgets publics consacrés à l'éducation justifie largement que la collectivité demande des comptes avant de les augmenter davantage. Le débat public, au Parlement par exemple, ou même dans les médias, peut alors devenir un vrai débat de société s'appuyant sur des évaluations objectives et pertinentes.

Enfin, on doit aussi considérer que toute opération d'évaluation a une valeur pédagogique. Elle donne aux différents acteurs une meilleure connaissance de leur action. Elle diffuse éventuellement la capacité d'innovation en faisant connaître les initiatives couronnées de succès et leurs conditions de réalisation. Plus profondément, elle incite à reconsidérer la hiérarchie et la compatibilité des choix et des moyens à la lumière des résultats.

Les chances offertes par l'innovation et la décentralisation

Associer les différents acteurs au projet éducatif

Le débat sur le degré de centralisation ou de décentralisation à donner à la gestion du système éducatif apparaît comme essentiel pour la réussite des stratégies d'amélioration et de réforme des systèmes éducatifs.

La Commission s'accorde avec de nombreux observateurs pour constater que les réformes éducatives rencontrent, à l'heure actuelle, un profond scepticisme. Tout, ou presque, a été essayé dans ce domaine, et les résultats ont bien rarement été à la hauteur des attentes suscitées. Les tentatives de réformes successives et contradictoires ont même, semble-t-il, renforcé l'immobilisme des systèmes éducatifs dans de nombreux pays.

Les explications données à ce phénomène sont diverses[1], mais conduisent toutes à remettre en cause les modalités de mise en œuvre des réformes. Celles-ci sont décidées le plus souvent dans les ministères centraux, sans véritable consultation des différents acteurs et sans évaluation des résultats. Il importe de chercher au contraire à ouvrir les institutions éducatives aux besoins de la société et d'introduire des facteurs de dynamisme dans les mécanismes internes de la gestion éducative.

Associer les différents acteurs sociaux à la prise de décision constitue en effet l'un des principaux objectifs, et sans doute le moyen essentiel, d'une amélioration des systèmes éducatifs. C'est dans cette perspective, qui n'est pas seulement technique mais très largement politique, que la Commission tient à souligner l'importance des mesures de décentralisation en matière éducative. La question se pose évidemment de manière différente selon les traditions historiques ou l'organisation administrative propres à chaque pays, et l'on ne peut guère prôner un modèle idéal. Cependant, un certain nombre d'arguments plaident en faveur d'un transfert de responsabilités au niveau régional ou local, si l'on veut en particulier améliorer la qualité de la prise de décision, augmenter le sens de la responsabilité des individus et des collectivités et, plus généralement, encourager l'innovation et la participation de tous. Dans le cas de groupes minoritaires, la décentralisation des processus permet de mieux prendre en compte les aspirations culturelles ou linguistiques et d'améliorer la pertinence de l'enseignement dispensé, grâce à l'élaboration de programmes mieux adaptés.

Les conditions doivent cependant être réunies pour permettre une meilleure coopération, sur le plan local, entre les enseignants, les parents et l'ensemble du public. La première semble être la volonté, de la part du gouvernement central,

[1] *Juan Carlos Tedesco,* Tendances actuelles des réformes éducatives, *étude réalisée pour la Commission, Paris, UNESCO, 1993. (UNESCO doc. EDC/1/1.)*

d'ouvrir un espace de prise de décision démocratique où les attentes de la communauté locale, des enseignants, des associations de parents d'élèves ou des organisations non gouvernementales puissent être prises en compte. Les institutions qui composent le système éducatif doivent, d'autre part, faire preuve d'une réelle volonté de s'adapter aux conditions locales et adopter une attitude ouverte vis-à-vis du changement. Enfin, l'autonomie des établissements d'enseignement constitue un facteur essentiel de développement des initiatives sur le plan local, car elle permet une meilleure collégialité dans le travail des enseignants. Amenés à prendre des décisions en commun, ceux-ci échappent à l'isolement traditionnel de leur métier. La notion de «projet d'établissement», dans certains pays, illustre bien cette volonté d'atteindre ensemble des objectifs permettant d'améliorer la vie de l'institution scolaire et la qualité de l'enseignement.

Favoriser une véritable autonomie des établissements

L'autonomie des établissements revêt différents aspects. Elle se manifeste d'abord dans la gestion des ressources : il importe que l'emploi d'une partie significative des ressources allouées puisse être décidé au niveau de l'établissement. Dans certains cas, des structures spéciales, par exemple des comités de parents (ou d'élèves) et d'enseignants, pourront être créés pour se prononcer sur la gestion de l'établissement ou sur certains aspects des programmes éducatifs. Plus généralement, il convient de mettre en place dans chaque établissement des procédures qui précisent le rôle des différents acteurs, en favorisant la coopération entre les enseignants, les chefs d'établissement et les parents, ainsi que le dialogue avec l'ensemble de la communauté locale. La pratique de la négociation et de la concertation constitue en soi un facteur d'apprentissage démocratique dans la gestion des établissements et dans la vie scolaire. D'autre part, l'autonomie des établissements encourage fortement l'innovation. Dans les systèmes centralisés à l'excès, l'innovation tend à se limiter à des expériences pilotes, destinées à servir de base, en cas de succès, à des mesures de portée générale. Celles-ci ne seront pas nécessairement appliquées de manière pertinente dans toutes les situations : il semble admis, en effet, que le succès des innovations dépend pour l'essentiel des conditions locales. Dès lors, l'important paraît être de généraliser la capacité d'innover plutôt que les innovations elles-mêmes.

La Commission est donc favorable à une large décentralisation des systèmes éducatifs, reposant sur l'autonomie des établissements et sur une participation effective des acteurs locaux. La nécessité d'une éducation prolongée tout au long de la vie ainsi que l'émergence de sociétés éducatives faisant appel aux ressources de l'éducation informelle lui paraissent devoir renforcer cette tendance. Elle est néanmoins consciente de ce que les modes d'organisation et de gestion de l'éducation ne sont pas des fins en soi, mais des instruments dont la valeur et l'efficacité dépendent pour beaucoup du contexte politique, économique, social et culturel. Des mesures de décentralisation peuvent tout aussi bien s'inscrire dans le cadre de processus démocratiques que dans celui de processus arbitraires et générateurs d'exclusions sociales. De nombreux exemples, et tout particulièrement celui de l'Amérique latine, ont montré que la décentralisation peut renforcer l'inégalité déjà existante entre les régions et entre les groupes sociaux ; l'affaiblissement du rôle de l'État central ne permet pas alors la mise en place de mécanismes compensatoires. D'une manière générale, « l'expérience internationale démontre que, dans les cas où la décentralisation est réussie, elle a eu lieu à partir d'une administration centrale bien établie[2] ». Cela conduit à affirmer la nécessité d'une régulation d'ensemble et à préciser le rôle que la puissance publique doit jouer dans cette régulation.

La nécessité d'une régulation d'ensemble du système

Quelle que soit l'organisation du système éducatif, plus ou moins décentralisé ou plus ou moins diversifié, l'État doit assumer

[2] *J.C. Tedesco, étude citée.*

un certain nombre de responsabilités à l'égard de la société civile, dans la mesure où l'éducation constitue un bien de nature collective, qui ne peut faire l'objet d'une simple régulation par le marché. Il s'agit en particulier de créer un consensus national sur l'éducation, d'assurer une cohérence d'ensemble et de proposer une vision à long terme.

L'une des premières tâches des pouvoirs publics consiste à susciter un large accord entre les différents acteurs sur l'importance de l'éducation et sur son rôle dans la société. Dans les pays en développement en particulier, seul un dialogue permanent avec l'ensemble des partis politiques, des associations professionnelles ou autres, des syndicats et des entreprises peut assurer la stabilité et la durabilité des programmes éducatifs. Ce dialogue doit s'ouvrir dès la conception du programme et se prolonger tout au long de sa mise en œuvre, tout en offrant la possibilité d'évaluations et d'ajustements. L'expérience montre qu'un tel consensus sociétal est nécessaire pour tout processus de réforme et qu'il ne se produit que rarement de manière spontanée. Il est dès lors nécessaire de lui donner une forme institutionnelle et de permettre son expression selon des procédures démocratiques.

Il est également nécessaire d'assurer la gestion programmée des interdépendances entre les différents éléments du système éducatif, sans perdre de vue le caractère organique des liens entre les différents ordres d'enseignement. Un individu passe successivement de l'enseignement de base à d'autres niveaux d'enseignement ou à d'autres types d'éducation. Les différentes parties du système sont elles-mêmes interdépendantes : l'enseignement secondaire fournit à l'enseignement supérieur ses étudiants, mais l'université fournit à l'enseignement secondaire, et souvent primaire, ses enseignants. En termes quantitatifs mais aussi qualitatifs, ces ordres d'enseignement sont donc solidaires, et il faut en tenir compte en ce qui concerne tant la régulation des flux que la définition des contenus et des modes d'évaluation. C'est en ayant à l'esprit cette interdépendance d'ensemble qu'il convient d'optimiser les choix à ressources données. Les priorités seront bien évidemment variables selon les pays, mais il importera de veiller, non seulement à maintenir la cohérence du système, mais aussi à prendre en compte les exigences nouvelles d'une éducation qui se déploie tout au long de la vie. Le lien entre l'éducation et les besoins de l'économie devra également être assuré.

Au total, les politiques éducatives doivent être des politiques à long terme, ce qui suppose qu'une continuité puisse être assurée dans les choix et dans la mise en œuvre des réformes. C'est pourquoi il importe de dépasser, lorsqu'il s'agit d'éducation, le stade des politiques à courte vue ou les réformes en cascade, qui risquent d'être remises en cause à chaque changement gouvernemental. Cette capacité d'anticipation doit s'appuyer sur une analyse précise de la situation des systèmes éducatifs : diagnostics confirmés, analyse prospective, information sur le contexte social et économique, connaissance des tendances mondiales de l'éducation, évaluation des résultats.

Ainsi se justifie essentiellement le rôle de l'État, en tant que représentant de l'ensemble de la collectivité, dans une société plurielle et partenariale où l'éducation se déploie sur l'ensemble de la vie. Il concerne principalement les choix de société qui impriment leur marque à l'éducation, mais aussi la régulation de l'ensemble du système ainsi que la promotion de la valeur de l'éducation. Ce rôle ne doit pas s'exercer cependant comme un strict monopole. Il consiste plutôt à canaliser les énergies, à valoriser les initiatives, et à fournir les conditions d'émergence de nouvelles synergies. Il correspond également à une exigence d'équité et de qualité en matière d'éducation. Dans la logique de l'équité et de respect du droit à l'éducation, il s'agit au minimum d'éviter que l'accès à l'éducation ne soit refusé à certains individus ou à certains groupes sociaux ; en particulier, il est important que l'État puisse avoir un rôle de redistribution, notamment en faveur de groupes minoritaires ou défavorisés. La garantie de la qualité de l'éducation suppose, d'autre part, que des normes globales soient élaborées et que différents moyens de contrôle soient institués[3]. Au cœur du dispositif éducatif, les institutions formelles, publiques ou privées, doivent à l'évidence se développer de

[3] *Pour une problématique d'ensemble sur le rôle de l'État dans l'éducation, voir : Twelfth Conference of Commonwealth Education Ministers, Islamabad, Pakistan, 27 novembre-1er décembre 1994.* The Changing Role of the State in Education : Politics and Partnerships. *Londres, Secrétariat du Commonwealth, 1994.*

manière concertée et conformément à une vision à long terme. Il appartient donc aux politiques publiques d'assurer cette cohérence dans l'espace et dans le temps, c'est-à-dire d'assumer les doubles fonctions de cadrage et de régulation. La coordination entre les différents ordres d'enseignement, primaire, secondaire et supérieur, et le développement de l'offre d'éducation tout au long de la vie sont particulièrement cruciaux pour éviter les dysfonctionnements. En outre, dans les sociétés de demain, la nécessité de mobiliser des forces bien au-delà des institutions formelles donnera aux pouvoirs publics un rôle nouveau, selon deux orientations complémentaires. Il leur faudra, d'une part, assurer la visibilité et la lisibilité du système éducatif, en garantissant ainsi la stabilité de l'ensemble, et, d'autre part, susciter des partenariats, encourager des innovations éducatives, c'est-à-dire libérer des énergies nouvelles pour l'éducation. La primauté du politique se trouve dès lors confirmée : il faut guider tous les acteurs de l'éducation vers des objectifs collectifs dans le respect des valeurs communes.

Les choix économiques et financiers

Le poids des contraintes financières

Ces objectifs de nature collective impliquent des choix économiques et financiers partout difficiles, même si les problèmes se posent de manière différente selon les principales catégories de pays. Les pays développés sont confrontés à une demande de scolarisation fortement croissante et doivent trouver les moyens d'y faire face. Cependant, leurs contraintes financières sont sans commune mesure avec celles des pays en développement, qui, entre les besoins accrus liés à la croissance démographique et aux retards de scolarisation et la limitation des ressources disponibles, se trouvent pris dans une véritable tenaille financière[4].

[4] *Serge Péano,* Le Financement des systèmes éducatifs, *étude réalisée pour la Commission, Paris, UNESCO, 1993. (UNESCO doc. EDC/1/2.)*

Les effectifs scolarisés correspondent à plus du quart de la population mondiale, et les dépenses publiques d'éducation représentent environ 5 % du produit national brut mondial. On note cependant des écarts considérables, qui reflètent l'inégale répartition de la richesse dans le monde, mais qui résultent aussi d'un effort financier relativement plus important dans les pays développés (5,3 % du PNB en 1992) que dans les pays en développement (4,2 % du PNB).

Dépenses publiques d'enseignement, 1980-1992

	Dollars des États-Unis (milliards)				Pourcentage du PNB			
	1980	1985	1990	1992	1980	1985	1990	1992
Total mondial*	526,7	566,2	1017,0	1196,8	4,9	4,9	4,9	5,1
Pays en développement	102,2	101,2	163,4	209,5	3,8	4,0	4,0	4,2
dont :								
Afrique subsaharienne	15,8	11,3	15,2	16,0	5,1	4,8	5,3	5,7
États arabes	18,0	23,6	24,7	26,0	4,1	5,8	5,2	5,6
Amérique latine/Caraïbes	34,2	28,9	47,1	56,8	3,9	4,0	4,1	4,4
Asie de l'Est/Océanie	16,0	20,1	31,8	41,4	2,8	3,2	3,0	3,1
dont : Chine	7,6	7,7	9,1	9,8	2,5	2,6	2,3	2,0
Asie du Sud	12,8	14,7	35,8	60,4	4,1	3,3	3,9	4,4
dont : Inde	4,8	7,1	11,9	10,0	2,8	3,4	4,0	3,7
Pays les moins avancés	3,1	2,7	4,2	4,1	2,7	2,8	2,9	2,8
Pays développés*	424,5	465,0	853,6	987,3	5,2	5,1	5,1	5,3
dont :								
Amérique du Nord	155,1	221,6	330,2	369,7	5,2	5,1	5,4	5,7
Asie/Océanie*	73,0	79,3	160,8	225,5	5,8	5,1	4,8	4,8
Europe*	196,3	164,2	362,6	419,3	5,1	5,1	5,0	5,2

* Non compris les pays de l'ex-URSS.

Source : *Rapport mondial sur l'éducation 1995*, p. 108. Paris, UNESCO, 1995.

Les prévisions démographiques pour le début du XXIe siècle conduisent, malgré les hypothèses de baisse de la fécondité, à anticiper des augmentations importantes du nombre des naissances. Les projections effectuées par la Banque mondiale montrent en particulier que, dans les pays à faible revenu, les enfants de moins de cinq ans constitueront encore, en 2025, le groupe le plus nombreux de la pyramide des âges[5]. Les consé-

[5] *Edward Bos, My T. Vu, Ernest Massiah et Rodolpho A. Bulato,* World Population Projections, 1994-1995 Edition *(publié pour la Banque mondiale), Baltimore/Londres, The Johns Hopkins University Press, 1994.*

quences de ces évolutions démographiques sur les capacités d'accueil des systèmes éducatifs seront amplifiées par le développement de la scolarisation : on constate des hausses d'effectifs supérieures aux évolutions démographiques, à la seule exception de l'enseignement primaire dans les pays développés.

Conjugués à la croissance de la population, souvent particulièrement forte dans les pays où le système éducatif est le plus défaillant, les retards de scolarisation impliquent que des efforts particulièrement importants soient accomplis dans les pays en développement. Les projections réalisées par l'UNESCO[6] amènent à anticiper de nouvelles hausses des effectifs scolaires. Ceux-ci devraient passer, pour l'ensemble du monde et tous niveaux confondus, d'un peu plus de 1 milliard actuellement à près de 1,15 milliard en l'an 2000 et 1,30 milliard en l'an 2025. Dans ce total, la part des pays développés devrait continuer à diminuer, en raison de la baisse prévue des taux de natalité. C'est dans la catégorie des pays en développement que l'augmentation sera la plus sensible ; elle sera en grande partie attribuable à la croissance des effectifs en Afrique subsaharienne, dans les États arabes et en Asie du Sud. Cette augmentation des effectifs dans les pays en développement sera observable pour tous les degrés d'enseignement : dans le primaire (589 millions à l'horizon de l'an 2000, contre 522 millions en 1992), dans le secondaire (269 millions contre 227 millions) et aussi dans le supérieur (40 millions contre 32 millions).

Face à ces besoins accrus, les ressources disponibles sont souvent en diminution, notamment dans certaines régions comme l'Afrique subsaharienne, sous l'effet de multiples facteurs comme le ralentissement de l'activité économique ou le poids de la dette extérieure. De plus, les systèmes éducatifs se trouvent en concurrence pour l'utilisation des ressources publiques avec les autres domaines d'intervention des États et ont tendance à souffrir de la contrainte budgétaire globale et des choix politiques quant à la répartition des budgets publics. Compte tenu de la place centrale qu'elle assigne aux choix éducatifs dans le développement social, la Commission estime qu'il convient

[6]Tendances et projections des effectifs scolaires par degré d'enseignement, par âge et par sexe, 1960-2025 (ré-évaluées en 1993), *Paris, UNESCO, 1993.*

d'accroître en premier lieu les ressources publiques consacrées au secteur de l'éducation. Bien entendu, les situations diffèrent grandement, surtout si l'on compare de façon globale celle des pays en développement à celle des pays développés, où la pression démographique est moindre, où les ressources disponibles sont plus abondantes et où les taux de scolarisation sont déjà élevés. Dans les pays industrialisés, la part du PNB consacrée aux dépenses publiques d'éducation est restée relativement stable au cours de ces dernières années. Cette quasi-stabilité de l'effort public s'est conjuguée à une évolution de la démographie contrastant avec celle des pays en développement, puisque la population âgée de moins de quinze ans y a baissé de 6 % entre 1970 et 1990, contre une augmentation de 31 % dans cette dernière catégorie de pays. On notera cependant que divers facteurs – tels que l'avènement d'un enseignement de masse, y compris dans le supérieur, l'accroissement des besoins en formation

Dépenses publiques d'enseignement (tous degrés), par rapport à la population adulte, 1992 (en dollars des États-Unis)

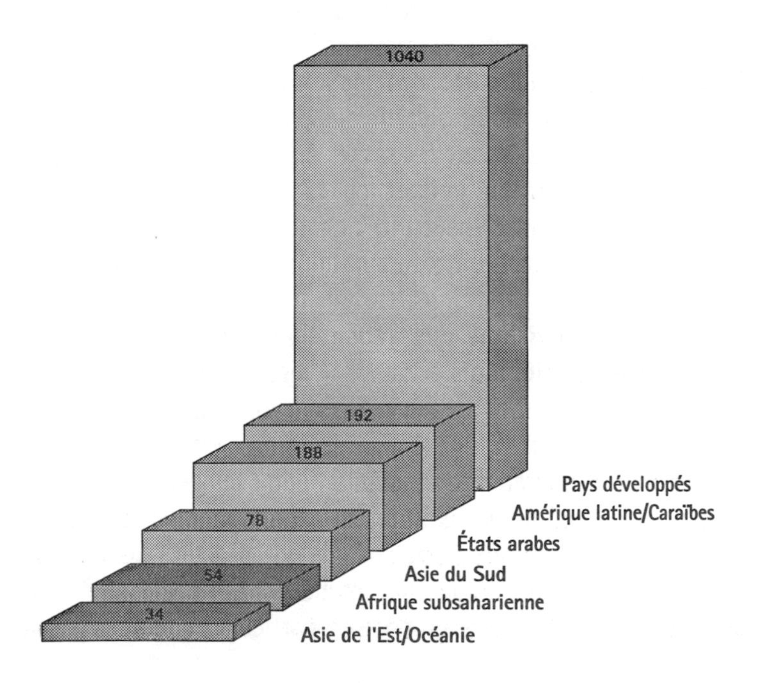

Données chiffrées recueillies par la Division des statistiques de l'UNESCO. Les régions correspondent à la nomenclature de l'UNESCO. Les pays de l'ex-URSS n'y sont pas compris.

permanente, ou la réduction probable du temps de travail, qui offre de nouvelles occasions d'apprendre – devraient contribuer à accroître également la demande sociale d'éducation dans les pays développés.

La Commission a conscience qu'il n'existe pas de réponse unique au problème du financement de l'éducation, compte tenu des différences entre les niveaux de développement économique et entre des systèmes éducatifs dont l'état varie selon les pays. Elle se bornera donc à dégager certaines orientations générales, en s'efforçant de distinguer le cas des pays en développement et celui des pays développés.

Orientations pour l'avenir

Accroître les ressources publiques destinées à l'éducation, par substitution à d'autres dépenses, doit être considéré comme une nécessité pour l'ensemble des pays, mais plus particulièrement pour les pays en développement, dans la mesure où il s'agit d'un investissement essentiel pour l'avenir. Pour fixer un ordre d'importance, la part du produit national brut consacrée à l'éducation ne devrait en aucun cas être inférieure à 6 % dans les pays où cet objectif n'est pas encore atteint. Parmi d'autres possibilités, la logique du développement humain conduit à envisager le transfert d'une partie des crédits militaires, souvent supérieurs à ceux qui sont consacrés à l'éducation. Le développement de l'éducation permet en effet de lutter contre un ensemble de facteurs d'insécurité : chômage, exclusion, inégalités de développement entre les nations, conflits ethniques ou religieux.

Rappelons cependant que l'éducation n'est pas seulement une dépense sociale, mais aussi un investissement économique et politique produisant des bénéfices à long terme. « Les systèmes éducatifs ont pour mission de former les individus à la citoyenneté, d'assurer la transmission entre les générations des connaissances et de la culture, de développer les aptitudes personnelles. Ils ont aussi pour mission de procurer les qualifications dont les économies auront besoin dans le futur[7]. » Le développement d'un pays suppose en particulier que sa popula-

[7] *Serge Péano, étude citée.*

tion active soit capable d'utiliser des technologies complexes et de faire preuve de créativité et d'esprit d'adaptation, aptitudes qui dépendent pour une grande part du niveau de formation initiale des individus. L'investissement éducatif est donc une condition essentielle du développement économique et social à long terme et doit être protégé en période de crise.

D'autre part, la Commission estime qu'il est non seulement légitime, mais souhaitable de mobiliser des ressources financières privées, afin de limiter la pression qui s'exerce sur le budget des

Dépenses d'éducation par source de financement, tous niveaux confondus*, pour certains pays, 1991 (pourcentages)

Groupes et pays	Financement public	Financement privé
Pays de l'OCDE		
Allemagne	72,9	27,1
Australie	85,0	15,0
Canada	90,1	9,9
Danemark	99,4	0,6
Espagne	80,1	19,9
États-Unis	78,6	21,4
Finlande	92,3	7,7
France	89,7	10,3
Irlande	93,4	6,6
Japon	73,9	26,1
Pays-Bas	98,0	2,0
Pays à faible revenu et à revenu intermédiaire		
Haïti	20,0	80,0
Hongrie	93,1	6,9
Inde	89,0	11,0
Indonésie[a]	62,8	37,2
Kenya[b] (1992/1993)	62,2	37,8
Ouganda (1989/1990)	43,0	57,0
Venezuela (1987)	73,0	27,0

a Enseignement public seulement. Les sources de financement privées comprennent uniquement les ménages.

b Enseignement primaire et secondaire seulement. Les sources de financement privées comprennent uniquement les ménages.

Source : *Priorities and Strategies for Education*, p. 54. Washington, D.C., Banque mondiale, 1995.

*Enseignement formel primaire, secondaire et supérieur (NDLR)

États. Le recours à des financements privés sera nécessairement différent selon la situation de chaque pays et ne doit pas remettre en cause l'engagement financier de l'État. Cet engagement demeure en particulier primordial dans les pays les plus pauvres, où le recours à des fonds privés ne saurait à lui seul assurer un financement sain et durable du système éducatif. Les formes de financement privé sont multiples : participation — même limitée — des familles ou des étudiants aux frais de scolarité ; prise en charge par les communautés locales d'une partie des coûts de la construction et de l'entretien des écoles ; implication des entreprises dans le financement de la formation professionnelle ; autofinancement partiel, dans le cas des écoles techniques et professionnelles ou dans celui des universités, grâce à l'établissement de contrats de recherche.

Il est également possible d'envisager des systèmes de financement mixte, combinant fonds publics et privés dans des proportions variables selon les niveaux d'enseignement, tout en assurant la gratuité de l'éducation de base. La Commission a été particulièrement attentive aux propositions formulées en ce sens par la Banque mondiale pour ce qui est des pays en développement qui mettent l'accent sur l'éducation de base dans l'investissement public (voir ci-contre). De telles orientations semblent constituer une bonne base permettant à chaque pays d'établir des priorités dans la répartition des

Priorité à l'éducation de base dans l'investissement public

Une répartition plus efficace, plus équitable et plus durable des nouveaux investissements publics consacrés à l'éducation aiderait beaucoup les systèmes éducatifs à relever les défis auxquels ils sont aujourd'hui confrontés. L'efficacité consiste à investir les deniers publics là où ils produiront le rendement le plus élevé — en général, s'agissant d'éducation, dans l'éducation de base. Par souci d'équité, le gouvernement doit veiller à ce qu'aucun élève ayant les aptitudes voulues ne se voie refuser l'accès à l'éducation parce qu'il n'a pas les moyens de payer. L'écart entre bénéfice personnel et rendement social étant plus marqué dans le cas de l'enseignement supérieur que dans celui de l'éducation de base, il y a de bonnes raisons de penser que les étudiants et leurs parents accepteront de supporter une part du coût des études. Les gouvernements peuvent également encourager les financements privés en prenant à leur charge certains des risques qui font hésiter les institutions financières à consentir des prêts pour le financement d'études supérieures.

ressources. Elle tient cependant à souligner l'importance des ressources publiques pour l'enseignement supérieur : le recours à des financements privés ne doit pas remettre en question les fondements et l'existence de ce type d'enseignement dans les pays en développement, où il représente un élément essentiel de la cohérence du système éducatif ainsi qu'un facteur important de progrès scientifique et technologique. Néanmoins, à financement public constant, les ressources dégagées par la perception de droits de scolarité peuvent permettre une amélioration qualitative des enseignements universitaires.

La Commission estime toutefois que le recours à des financements privés ne doit pas répondre à la recherche d'équilibres à court terme risquant de se traduire par des incohérences, des gaspillages ou des inégalités. C'est aux autorités gouvernementales qu'il appartient d'organiser les partenariats financiers en effectuant les corrections nécessaires. Il faut avant tout éviter que l'éducation n'accroisse les inégalités sociales, et pour cela mobiliser des

Les autorités pourraient combiner droits de scolarité et investissements efficaces, dans le secteur public, selon les principes suivants :

– gratuité de l'éducation de base, avec prise en charge d'une partie des coûts par les collectivités locales, et allocations réservées aux enfants de familles modestes ;

– si nécesssaire, perception sélective de droits de scolarité dans le deuxième cycle de l'enseignement secondaire, avec octroi de bourses à certaines catégories d'élèves ;

– perception généralisée de droits de scolarité dans l'enseignement supérieur public, combinée à des prêts, des exonérations fiscales et d'autres mécanismes permettant aux étudiants sans ressources de différer le paiement de leurs études jusqu'au moment où ils commenceront à gagner leur vie, et attribution sélective de bourses afin de surmonter la réticence des gens peu fortunés à s'endetter en prévision de revenus ultérieurs ;

– garantie d'accès à un enseignement primaire de qualité pour tous les enfants, la priorité absolue étant donnée par tous les pays à ce niveau d'enseignement dans les dépenses publiques d'éducation ;

– élargissement de l'accès à l'enseignement secondaire général (d'abord au niveau du premier cycle, puis à tous les niveaux du secondaire), deuxième priorité une fois assuré l'accès de tous les enfants à une éducation primaire de qualité ;

– rationalisation des dépenses publiques au niveau des établissements.

La stabilité des budgets exige en outre des projections régulières des dépenses publiques à prévoir, ainsi que des efforts soutenus pour s'assurer de la mise en place de plans et de mécanismes de financement.

Source : Priorities and Strategies for Education, *p. 10. Washington, D.C., Banque mondiale, 1995.*

ressources importantes en faveur des groupes de population les moins favorisés, afin de mettre en place, par exemple, des mesures de soutien spécifiques destinées à lutter contre l'échec scolaire, ou une éducation de qualité à l'intention des minorités ethniques et des habitants des régions reculées. Un financement public s'avère dès lors nécessaire pour assurer le respect de l'équité et le maintien de la cohésion sociale.

Il s'agit donc en somme de mieux gérer les ressources existantes sans nuire à la qualité et à l'équité, en inscrivant cette gestion dans le long terme. Ce principe conduit à examiner différents moyens d'améliorer l'efficacité interne de l'éducation. Par exemple, la réduction des taux de redoublement et d'abandon scolaire, particulièrement élevés en Afrique ou en Amérique latine, en allégeant le nombre total d'élèves à accueillir, devrait permettre d'accroître la pertinence et l'efficacité de la dépense d'éducation. On a ainsi estimé que, pour un pays comme le Brésil, le coût des redoublements représente environ 2,5 milliards de dollars par an ; une telle somme pourrait être utilement investie dans le développement de l'enseignement préscolaire afin de permettre une meilleure scolarisation ultérieure des enfants. La décentralisation de l'administration, une plus grande autonomie des établissements, permettent également d'améliorer l'efficacité de la dépense d'éducation par une meilleure adaptation aux besoins locaux. Encore doivent-elles, on l'a vu, s'inscrire dans le cadre d'une régulation d'ensemble, afin d'éviter les incohérences gestionnaires. Diverses mesures peuvent d'autre part être envisagées pour améliorer le rapport coût-efficacité de l'éducation dans les pays en développement, comme l'allongement de la durée de l'année scolaire, la construction de locaux scolaires à moindre coût ou le développement de l'enseignement à distance. Mais il importe de proscrire vigoureusement tout effort de productivité à court terme de nature à compromettre la qualité de l'enseignement. Ainsi, l'augmentation du nombre d'élèves par classe ne saurait se justifier lorsque ce nombre est déjà très élevé, ce qui est le cas dans les pays les plus en difficulté. Enfin, il ne faut pas oublier que toute mesure tendant à abaisser le niveau de recrutement ou de formation des enseignants est préjudiciable à la qualité de l'enseignement et compromet gravement l'avenir.

La Commission considère enfin que le principe d'une éducation prolongée tout au long de la vie devrait conduire tous les pays, mais peut-être dans un premier temps les pays développés (où la contrainte financière est moins forte), à réexaminer dans une perspective plus large les modalités de financement de l'éducation, en cherchant à concilier le principe fondamental de l'égalité des chances avec la nécessaire diversification des parcours individuels au terme de la scolarité obligatoire financée par des fonds publics. L'alternance entre les périodes consacrées à la vie professionnelle et les temps de formation et d'éducation implique une diversité des financements. Il est légitime de mettre à contribution les entreprises lorsqu'il s'agit d'accroître les qualifications de la main-d'œuvre et de faire participer les individus à ce qui constitue pour eux à la fois un investissement personnel leur donnant l'espoir d'accéder à un niveau de rémunération plus élevé et un moyen d'épanouissement personnel. Quant aux financements publics, ils se justifient pleinement par les bénéfices d'ordre collectif que la société dans son ensemble retire du développement de l'éducation. La question du financement de l'enseignement supérieur peut être envisagée dans cette perspective : le développement d'un enseignement supérieur de masse justifie un recours accru à des droits de scolarité, compensés par l'octroi de bourses sélectives pour les étudiants les plus défavorisés et par la mise en place de systèmes de prêts.

La Commission a aussi débattu d'une solution plus audacieuse. Puisque l'éducation est appelée à se déployer tout au long de la vie, on pourrait envisager d'attribuer à chaque jeune, au moment où il va commencer sa scolarité, un crédit de temps pour l'éducation correspondant à un certain nombre d'années d'enseignement. Ce crédit serait inscrit à son compte dans une banque qui gérerait en quelque sorte, pour chacun, un capital de temps choisi, assorti de moyens financiers adéquats. Chacun disposerait de ce capital selon son expérience scolaire et ses propres choix. Il pourrait conserver une partie de ce capital pour être en mesure, dans sa vie postscolaire, dans sa vie d'adulte, de bénéficier des possibilités de formation permanente. Il aurait également la faculté d'augmenter son capital, en faisant des versements financiers au crédit de son compte à la « banque du temps choisi », selon une sorte de système d'épargne-prévoyance consacrée à l'éducation. Cette réforme paraîtra peut-être trop radicale ou trop systématique au regard des conditions et pratiques existant dans tel ou tel pays, mais l'idée pourrait en être retenue dans sa motivation – lutter contre l'inégalité des chances –, sous la forme d'un crédit dont l'octroi n'interviendrait qu'à la fin de la période de scolarité obligatoire, et qui permettrait à l'adolescent de choisir sa voie sans hypothéquer son avenir.

Le recours aux moyens offerts par la société de l'information

L'impact des technologies nouvelles sur la société et sur l'éducation

La Commission ne saurait examiner les principaux choix de société auxquels l'éducation se trouve confrontée sans évoquer la place qu'il convient d'accorder aux nouvelles technologies de l'information et de la communication. La question dépasse en effet le cadre de leur simple utilisation pédagogique et engage une réflexion d'ensemble sur l'accès à la connaissance dans le monde de demain. Cette réflexion ne sera qu'esquissée ici, mais la Commission entend bien souligner que ces technologies nouvelles sont en train d'engendrer sous nos yeux une véritable révolution qui affecte tout autant les activités liées à la production et au travail que les activités liées à l'éducation et à la formation.

Les innovations qui ont marqué l'ensemble du XXe siècle, qu'il s'agisse du disque, de la radio, de la télévision, de l'enregistrement audio et vidéo, de l'informatique ou de la transmission des signaux électroniques par voie hertzienne, par câble ou par satellite, ont revêtu une dimension qui n'a pas été purement technologique, mais essentiellement économique et sociale. La plupart de ces systèmes technologiques sont aujourd'hui suffisamment miniaturisés et bon marché pour avoir pénétré dans la plupart des foyers du monde industrialisé et être utilisés par un nombre croissant de personnes dans le monde en développement[8]. Tout laisse à penser que l'impact des technologies nouvelles, liées au développement des réseaux informatiques, va s'étendre, de manière très rapide, à l'ensemble du monde.

Les sociétés actuelles sont donc toutes, peu ou prou, des sociétés de l'information, dans lesquelles le développement des technologies peut créer un environnement culturel et éducatif susceptible de diversifier les sources de la connaissance et du savoir. D'autre part, ces technologies se caractérisent par leur complexité croissante et par la gamme de plus en plus large des possibilités qu'elles offrent. Elles peuvent en particulier combiner une capacité élevée de stockage de l'information avec des modes d'accès quasiment individualisés et une distribution à grande échelle. Cependant, ces possibilités, si étendues qu'elles soient en théorie, doivent être replacées dans un contexte social et économique précis : la Commission est pleinement consciente des contrastes très marqués entre pays industrialisés et pays en développement en matière de capacité d'investissement, de potentiel de recherche et de conception, de débouchés commerciaux ou de taux de rentabilité. À cela s'ajoute le fait que les pays en développement ont également des priorités éducatives différentes, parce qu'ils ont des niveaux de scolarisation moins élevés et des infrastructures moins développées. Les priorités en matière d'utilisation des technologies pour l'éducation seront donc elles aussi différentes : « Dans le monde en développement, c'est la possibilité d'accroître la portée et de réaliser des économies d'échelle qui présente l'intérêt le plus immédiat, et non l'accès individualisé ou l'interactivité ; dans le monde industrialisé, c'est l'inverse, du fait que la distribution et l'accès sont à peu près assurés et que l'individualisation peut compter beaucoup plus[9]. »

Ainsi, la plupart des projets mis en œuvre dans les pays en développement visent surtout à toucher des publics très nombreux ou des publics normalement impossibles à atteindre

[8] *Voir sur ce point A. Hancock,* L'Éducation et les technologies contemporaines de la communication, *étude réalisée pour la Commission, Paris, UNESCO, 1993. (UNESCO doc. EDC/1/3.)*

[9] *A. Hancock, étude citée.*

(utilisation du satellite en Inde pour atteindre des villages reculés ; réseau de radio éducative mis en place en Thaïlande dans les années 80 ; programme national d'enseignement à distance en Chine, par exemple). Dans les pays développés, ce sont plutôt les propriétés illustratives des médias audiovisuels, ainsi que la possibilité d'atteindre grâce à eux des groupes spécifiques, minoritaires ou défavorisés, que l'on cherche à exploiter.

Rappelons à cet égard que l'utilisation pédagogique des technologies de l'information et de la communication ne constitue pas un fait nouveau : c'est, par exemple, dès avant la Première Guerre mondiale que la radio éducative a fait son apparition. Cependant, ce n'est pas seulement la gamme des technologies employées et leur degré de complexité qui ont changé avec le temps ; c'est aussi la volonté de toucher, au-delà du système scolaire formel, un éventail de publics de plus en plus étendu, et de tous âges, depuis les enfants d'âge préscolaire jusqu'à la population adulte dans son ensemble. Les expériences ont été nombreuses, des périodes d'euphorie ont succédé aux périodes de doute, et il semble aujourd'hui difficile d'établir un bilan d'ensemble de ce qui a été accompli, compte tenu de la diversité des formules utilisées. Mais les évaluations approfondies dont ont fait l'objet certains programmes

L'École nationale pour tous en Inde

L'École nationale pour tous (National Open School) est un institut pilote d'éducation ouverte au niveau scolaire. Elle a été créée en 1989 par le gouvernement indien et joue un rôle central dans le processus d'universalisation de l'éducation de base, en assurant plus d'équité et de justice sociale et en encourageant l'étude dans toutes les couches de la société.

L'École propose des programmes d'enseignement primaire, secondaire, secondaire-supérieur, professionnel, ainsi que des cours d'enrichissement de la vie quotidienne. Les élèves ont la possibilité de choisir librement leurs cours et optent fréquemment pour diverses combinaisons de formation générale et de formation professionnelle. Les cours sont proposés en anglais et dans diverses langues locales.

L'établissement est ouvert aux personnes de tous âges au-dessus de quatorze ans et remporte un vif succès auprès des femmes puisque celles-ci constituent 38 % des effectifs. Plus de 50 % des élèves appartiennent de manière générale à des groupes marginalisés – dont les femmes.

Faisant appel à différents médias, l'enseignement met fortement l'accent sur les aspects qualitatifs des techniques fondées sur le texte, mais ne craint pas de faire appel à des technologies plus avancées, comme

expérimentaux (télévision éducative en Côte-d'Ivoire, ou projet expérimental d'utilisation du satellite [SITE] en Inde, par exemple), montrent que la technologie ne peut pas à elle seule apporter une solution miracle aux difficultés rencontrées par les systèmes éducatifs. Elle doit notamment être utilisée en liaison avec les formes classiques d'éducation, et non être considérée comme un procédé de substitution, autonome par rapport à elles.

des programmes de télévision ou des enregistrements audio et vidéo éducatifs qui servent à enrichir les cours et à compléter le face-à-face enseignant-enseignés. Le coût unitaire est inférieur au quart du coût par élève des écoles de type classique. En tirant parti du réseau des écoles existantes, l'École nationale pour tous fait bénéficier ses élèves de cette infrastructure et met de surcroît à leur disposition des moyens auxquels ces établissements n'ont normalement pas accès.

Un débat qui engage largement l'avenir

C'est en tenant compte de la richesse de l'expérience accumulée que la Commission souhaite indiquer un certain nombre de points sur lesquels pourraient à l'avenir porter la réflexion et les efforts de la communauté internationale concernant l'utilisation des technologies nouvelles pour l'éducation.

L'utilisation de ces technologies dans l'enseignement à distance, déjà largement répandue, constitue une première voie, indiscutablement prometteuse pour l'ensemble des pays du monde. La communauté éducative peut en effet s'appuyer en la matière sur une solide expérience internationale depuis la création de l'« Open University » au Royaume-Uni, au début des années 70. L'enseignement à distance a recours à des vecteurs diversifiés : cours par correspondance, radio, télévision, supports audiovisuels, leçons par téléphone ou téléconférence. La place des médias et des technologies éducatives à l'intérieur des différents systèmes d'enseignement à distance est très variable et peut être adaptée à la situation et aux infrastructures de chaque pays : c'est ainsi que les pays en développement ont généralement préféré l'utilisation de la radio à celle de la télévision.

Si les technologies les plus récentes ne font pas encore nécessairement partie d'un tel processus, elles semblent en mesure d'apporter des améliorations significatives, notamment en matière d'individualisation de l'apprentissage. D'autre part, on peut envisager une convergence croissante entre l'enseignement à distance et d'autres types d'activités éloignées dans l'espace, comme le « télétravail », qui seront sans doute amenés à se développer. Pour ceux qui apprendront comme pour ceux qui travailleront à distance, il est possible que les frontières entre l'éducation, le travail, voire les loisirs, s'estompent sous l'effet d'un phénomène de convergence technologique, un même canal permettant la mise en œuvre d'activités diverses.

Tout laisse également à penser que les nouvelles technologies seront appelées à jouer un rôle majeur dans l'éducation des adultes, selon les conditions propres à chaque pays, et qu'elles devraient être l'un des outils de l'éducation tout au long de la vie, dont la Commission s'est efforcée de préciser les contours. D'ores et déjà employées avec succès dans le cadre de la formation permanente dispensée au sein des entreprises, elles constituent un élément essentiel de ce potentiel éducatif diffus au sein de la société qu'il importe de mobiliser dans la perspective du XXIe siècle.

Enfin, la Commission souhaite prendre clairement parti dans le débat sur l'introduction des nouvelles technologies de l'information et de la communication dans les systèmes éducatifs : il s'agit à ses yeux d'un enjeu décisif, et il importe que l'école et l'université se situent au cœur d'un changement profond, qui affecte l'ensemble de la société. Il ne fait aucun doute que la capacité des individus d'accéder à l'information et de la traiter va devenir déterminante pour leur intégration non seulement dans le monde du travail, mais aussi dans leur environnement social et culturel. Aussi est-il indispensable, afin d'éviter en particulier que les inégalités sociales ne se creusent davantage, que les systèmes éducatifs puissent former tous les élèves à dominer et à maîtriser ces techniques. Deux objectifs doivent dès lors orienter une telle démarche : assurer une meilleure diffusion des savoirs, accroître l'égalité des chances.

D'autre part, les nouvelles technologies offrent, comme outils d'éducation des enfants et des adolescents, une chance sans précédent de pouvoir répondre, avec toute la qualité nécessaire, à une demande de plus en plus massive et de plus en plus diversifiée. Les possibilités qu'elles apportent, ainsi que leurs avantages sur le plan pédagogique, sont considérables. En particulier, le recours à l'ordinateur et aux systèmes multimédia permet de dessiner des parcours individualisés, où chaque élève peut progresser à son rythme. Il offre également aux enseignants la possibilité d'organiser plus facilement les apprentissages dans des classes de niveau hétérogène. La technologie du disque compact semble tout particulièrement riche d'avenir, dans la mesure où elle permet de gérer un volume considérable d'informations, tout en intégrant le son, l'image et le texte, et sans exiger de connaissances informatiques préalables. L'interactivité permet à l'élève de poser des questions, de chercher par lui-même des informations ou d'approfondir certains aspects des sujets traités en classe. Le recours aux technologies nouvelles constitue parfois un moyen de lutte contre l'échec scolaire : on a observé, lors de certaines expériences pilotes, que les élèves qui éprouvent des difficultés dans le système traditionnel sont plus motivés lorsqu'ils sont amenés à utiliser ces technologies et qu'ils peuvent ainsi mieux révéler leurs talents.

Vers une société qui apprend

Enseigner est un art, et rien ne peut remplacer la richesse du dialogue pédagogique. Néanmoins, la révolution médiatique ouvre à l'enseignement des voies inexplorées. Les technologies informatiques ont décuplé les possibilités de recherche d'informations et les équipements interactifs et multimédia mettent à la disposition des élèves une mine inépuisable d'informations :

– des ordinateurs de toute taille et de toute complexité ;

– des programmes de télévision éducative par câble ou satellite ;

– un équipement multimédia ;

– des systèmes d'échanges d'informations interactifs incluant le courrier électronique et l'accès direct aux librairies électroniques et banques de données ;

– les simulateurs électroniques ;

– les systèmes de réalité virtuelle à trois dimensions.

Armés de ces nouveaux outils, les élèves et les étudiants deviennent des chercheurs. Les enseignants apprennent aux élèves à évaluer et à gérer pratiquement l'information qui s'offre à eux. Cette démarche se révèle beaucoup plus proche de la vie réelle que les méthodes traditionnelles de transmission de savoir. Dans les salles de cours, un nouveau partenariat se fait jour.

Source : *Le Groupe Éducation de l'ERT,* Une éducation européenne. Vers une société qui apprend, *p. 27, Bruxelles, La Table Ronde des Industriels Européens (ERT), 1994.*

La Commission estime donc, eu égard à ces divers avantages, que la question de l'utilisation des nouvelles technologies dans l'éducation constitue un choix financier, sociétal et politique, et doit être au centre des préoccupations des gouvernements et des organisations internationales. Les pays en développement étant à l'heure actuelle désavantagés par des capacités technologiques moindres et des ressources financières limitées, tout doit être mis en œuvre pour éviter que l'écart avec les pays riches ne se creuse : le renforcement des infrastructures et des capacités ainsi que la diffusion des technologies dans l'ensemble de la société doivent être considérés comme des priorités et bénéficier à ce titre de l'aide internationale. La création de centres expérimentaux, reliés en réseau aux établissements scolaires, pourrait constituer le moyen, relativement peu coûteux, d'une large diffusion de l'information et de la connaissance. Une sorte de « raccourci » technologique paraît, dans bien des cas, envisageable : il n'est pas nécessaire que les pays en développement passent successivement par toutes les étapes qu'ont parcourues les pays développés, et ils auront souvent avantage à opter d'emblée pour les technologies les plus innovantes. La formulation de politiques de diffusion dans les pays en développement représente donc un défi pour l'éducation et nécessite une étroite concertation entre les entreprises, les gouvernements et les organisations internationales. La Commission entend bien souligner cependant que le développement des technologies, loin de s'effectuer au détriment de l'écrit, lui restitue un rôle essentiel, et que le livre, s'il n'est plus le seul outil pédagogique, n'en conserve pas moins une place centrale dans l'enseignement : il reste le support le plus maniable et le plus économique, illustrant le cours du professeur tout en permettant à l'élève de réviser ses connaissances et d'accéder à l'autonomie.

Un point capital mérite à cet égard d'être rappelé : le développement des technologies nouvelles ne diminue en rien le rôle des enseignants, bien au contraire ; mais il le modifie profondément, et constitue pour eux une chance qu'il importe de saisir (*cf.* chapitre 7). Certes, l'enseignant ne peut plus, dans une société de l'information, être considéré comme l'unique détenteur d'un savoir qu'il lui suffirait de transmettre. Il devient en quelque sorte le partenaire d'un savoir collectif, qu'il lui revient d'organiser, en se situant résolument à l'avant-garde du changement. Aussi est-il indispensable que la formation initiale, et davantage encore la formation continue, des enseignants leur permette d'accéder à une réelle maîtrise de ces nouveaux outils. L'expérience a en effet montré que la technologie la plus performante n'est d'aucune utilité dans le milieu éducatif en l'absence d'un enseignement adapté à son utilisation. Il faut donc élaborer un contenu d'enseignement qui permette à ces technologies de devenir de véritables outils, ce qui suppose que les enseignants acceptent de remettre en question leurs pratiques pédagogiques. Par ailleurs, ils doivent être sensibilisés aussi aux modifications profondes que ces nouvelles technologies entraînent dans les processus de cognition. Il ne s'agit plus seulement pour eux d'apprendre aux élèves à apprendre, mais aussi de leur apprendre à chercher et à relier entre elles les informations, tout en faisant preuve d'esprit critique. Compte tenu de la masse considérable d'informations qui circulent actuellement sur les réseaux, la navigation dans le savoir devient un préalable au savoir lui-même et nécessite ce que d'aucuns considèrent déjà comme une nouvelle forme d'alphabétisation. Cette « alphabétisation informatique » est de plus en plus nécessaire pour parvenir à une véritable compréhension du réel. Elle constitue ainsi une voie d'accès privilégiée à l'autonomie, en permettant à tout un chacun de se comporter dans la société en individu libre et éclairé.

*

* *

La Commission est bien persuadée en effet que, sur ce point comme sur tant d'autres, choisir un type d'éducation donné équivaut à opter pour un certain type de société. Sa profonde conviction est que les choix éducatifs doivent se faire dans le sens d'une plus grande responsabilité de chaque citoyen, en préservant le principe fondamental de l'égalité des chances. C'est pourquoi l'ensemble des mesures qu'elle préconise ne sont pas purement techniques, mais pour une large part politiques : une décentralisation réussie associe les différents acteurs sociaux aux processus de décision et libère les capacités d'innovation, sans remettre en cause la nécessité d'une régulation d'ensemble. Des financements diversifiés et fondés sur la logique du partenariat nécessitent des dispositifs permettant des parcours éducatifs différenciés. Une prise en compte résolue des implications sociales et éducatives des nouvelles technologies de la communication et de l'information conduit à une maîtrise accrue des savoirs. L'éducation tout au long de la vie permet de donner une orientation à cette dimension sociale de l'éducation. Elle suppose la mise en place d'une école de base universelle, de bonne qualité et accessible à chacun quelle que soit sa situation géographique, matérielle, sociale ou culturelle. Elle offre à tous la possibilité de saisir de nouvelles chances après la fin du cycle d'éducation initiale. Elle passe aussi par l'encouragement de la diversité des talents, par l'ouverture de filières multiples, et elle doit mobiliser à cet effet l'ensemble des ressources accumulées par la société.

Pistes et recommandations

▶ *Les choix éducatifs sont des choix de société : ils appellent dans tous les pays un large débat public, fondé sur une évaluation précise des systèmes éducatifs. La Commission invite les autorités politiques à favoriser un tel débat, de façon à parvenir à un consensus démocratique, qui constitue la meilleure voie de réussite des stratégies de réforme éducative.*

▶ *La Commission préconise la mise en œuvre de mesures permettant d'associer les différents acteurs sociaux à la prise de décision en matière éducative ; la décentralisation administrative et l'autonomie des établissements lui semblent pouvoir conduire, dans la plupart des cas, au développement et à la généralisation de l'innovation.*

▶ *C'est dans cette perspective que la Commission entend réaffirmer le rôle du politique : le devoir lui incombe de poser clairement les options et d'assurer une régulation d'ensemble, au prix des adaptations nécessaires. L'éducation constitue en effet un bien collectif, qui ne saurait être régulé par le simple jeu du marché.*

▶ La Commission ne sous-estime pas pour autant le poids des contraintes financières et préconise la mise en œuvre de partenariats public-privé. Pour les pays en développement, le financement public de l'éducation de base demeure une priorité, mais les choix opérés ne doivent pas remettre en cause la cohérence d'ensemble du système ni conduire à sacrifier les autres niveaux d'enseignement.

▶ Il est d'autre part indispensable que les structures de financement soient réexaminées au regard du principe selon lequel l'éducation doit se déployer tout au long de la vie des individus. Dans cet esprit, la Commission estime que la proposition d'un crédit-temps pour l'éducation, telle qu'elle est formulée sommairement dans ce rapport, mérite d'être débattue et approfondie.

▶ Le développement des nouvelles technologies de l'information et de la communication doit susciter une réflexion d'ensemble sur l'accès à la connaissance dans le monde de demain. La Commission recommande :

- *la diversification et l'amélioration de l'enseignement à distance par le recours aux technologies nouvelles ;*
- *l'utilisation accrue de ces technologies dans le cadre de l'éducation des adultes, en particulier pour la formation continue des enseignants ;*
- *le renforcement des infrastructures et des capacités des pays en développement dans ce domaine, ainsi que la diffusion des technologies dans l'ensemble de la société : il s'agit en tout état de cause de préalables à leur utilisation dans le cadre des systèmes éducatifs formels ;*
- *le lancement de programmes de diffusion des technologies nouvelles sous les auspices de l'UNESCO.*

(chapitre 9)

La coopération internationale : éduquer le village-planète

La mondialisation des activités, qui est le trait marquant de notre époque, fait ressortir, comme nous l'avons montré dans les premiers chapitres de ce rapport, l'ampleur, l'urgence et l'imbrication des problèmes auxquels se trouve confrontée la communauté internationale. La croissance démographique accélérée, le gaspillage des ressources naturelles et la dégradation de l'environnement, la pauvreté persistante d'une grande partie de l'humanité, l'oppression, l'injustice et la violence dont souffrent encore des millions d'individus, appellent des actions correctives de grande envergure. Seule une coopération internationale renouvelée dans son esprit et renforcée dans ses moyens permettra de les mettre en œuvre. Irréversible, la mondialisation exige des réponses globales, et bâtir un monde meilleur – ou moins mauvais – est devenu plus que jamais l'affaire de tous.

L'éducation constitue indéniablement l'une de ces réponses, sans doute la plus fondamentale. Aussi convient-il d'inscrire la coopération en matière d'éducation dans le cadre plus général des efforts que devrait accomplir la communauté internationale pour susciter une prise de conscience de l'ensemble des problèmes qu'il lui faut résoudre et rechercher un consensus sur les questions exigeant une action concertée. Une telle action suppose la collaboration de multiples partenaires : organisations internationales et intergouvernementales, gouvernements, organisations non gouvernementales, monde de l'industrie et des affaires, organisations professionnelles syndicales et, bien entendu, dans le domaine qui nous concerne, les acteurs du système éducatif et le monde intellectuel.

À cet égard, la tenue sous l'égide de l'Organisation des Nations unies d'une série d'importantes conférences mondiales[1] et la création toute récente de l'Organisation mondiale du commerce ont posé les jalons de l'action collective qu'appelle l'interdépendance des nations. Ces conférences, leur suivi et la mise en œuvre de projets concrets qui s'y rattachent définissent le cadre et tracent les contours de ce qu'on pourrait appeler les grands chantiers de la coopération internationale à la fin du XXe siècle. Étapes d'une approche véritablement mondialiste, elles témoignent de la volonté de beaucoup d'acteurs de la scène internationale de transformer, par la coopération, la mondialisation des problèmes en une force positive. De même, les travaux de commissions internationales telles que les Commissions Brandt et Brundtland, la Commission de gouvernance globale ou la Commission mondiale de la culture et du développement attestent la vigueur de ces tendances.

Ce recours grandissant à l'action internationale pour tenter de trouver des solutions collectives aux problèmes de portée mondiale se reflète aussi dans l'accroissement significatif, au cours des dernières années, des interventions de l'Organisation des Nations unies visant à assurer la paix et la sécurité en différents points du monde. Ainsi le nombre de conflits dans lesquels l'ONU s'est interposée (diplomatie préventive et maintien de la paix) est-il passé de onze en 1987 à cinquante-trois en 1991 et à soixante-dix-huit en 1994. Certes, les résultats obtenus dans ce domaine et dans d'autres sont parfois décevants et obligent, au moment où l'ONU vient de fêter son 50e anniversaire, à s'interroger sur la nature des réformes qu'il devient indispensable d'apporter au système des Nations unies, ainsi qu'à ses modalités d'action, si l'on veut accroître l'efficacité de ses interventions. Mais un mouvement général se dessine, qui préfigure — faut-il espérer — l'émergence au XXIe siècle d'une société véritablement mondiale.

Parce que ses champs de compétence touchent à des domaines vitaux, l'UNESCO a de toute évidence de grandes responsabilités à assumer aux côtés des autres organisations internationales. En particulier, à un moment de l'histoire où le

[1] Conférence mondiale chargée d'examiner et d'évaluer les résultats de la Décennie des Nations unies pour la femme : égalité, développement et paix (Nairobi, Kenya, juillet 1985 ; Conférence mondiale sur l'éducation pour tous — Répondre aux besoins éducatifs fondamentaux (Jomtien, Thaïlande, 5-9 mars 1990) ; Conférence des Nations unies sur l'environnement et le développement (CNUED) (Rio de Janeiro, Brésil, juin 1992) ; Conférence internationale sur la population et le développement (Le Caire, Égypte, 5-13 septembre 1994) ; Sommet mondial pour le développement social (Copenhague, Danemark, 6-12 mars 1995) ; Quatrième Conférence mondiale sur les femmes : lutte pour l'égalité et la paix (Beijing, Chine, 4-15 septembre 1995).

rôle clé de l'éducation dans le développement national et humain est « universellement reconnu et proclamé – pour reprendre les termes de son directeur général[2] –, il est logique qu'elle se trouve associée à beaucoup des projets à travers lesquels la communauté internationale entend fonder son avenir. Pour la même raison, plusieurs recommandations de notre Commission se situent dans le droit-fil des travaux de conférences mondiales des Nations unies.

Femmes et jeunes filles : une éducation pour l'égalité

La Commission entend souligner l'intérêt de la Déclaration adoptée par la quatrième Conférence mondiale sur les femmes, tenue à Beijing en septembre 1995. Celle-ci analyse les différentes formes que peut revêtir la discrimination à l'encontre des jeunes filles et des femmes, notamment dans les domaines de l'éducation et de la formation, et fixe à la communauté internationale plusieurs objectifs fondamentaux : assurer l'égalité d'accès des femmes à l'éducation, éliminer l'analphabétisme féminin, améliorer l'accès des femmes à la formation professionnelle, à l'enseignement scientifique et technologique et à l'éducation permanente.

La Commission reprend à son compte ces diverses recommandations. D'une manière générale, elle estime que le déni de l'égalité avec les hommes dont les femmes sont toujours victimes dans la plupart des régions du monde, de façon massive ou sous des formes plus insidieuses selon les traditions et les circonstances, demeure en cette fin du XXe siècle, par son extension et sa gravité, une atteinte aux droits de la personne. S'associant aux nombreuses déclarations solennelles qui ont été faites à ce sujet dans différentes instances au cours des dernières années, elle demeure convaincue que la communauté internationale a le devoir de tout mettre en œuvre pour abolir ces inégalités. Assurer aux jeunes filles et aux femmes une éducation qui leur permette de combler le plus rapidement possible

[2]Allocution du directeur général de l'UNESCO à la cérémonie d'ouverture de la vingt-huitième session de la Conférence générale, le 25 octobre 1995.

l'écart qui les sépare des hommes, afin de leur ouvrir, dans le travail, dans la société, dans le domaine politique, des voies d'action et d'accès au pouvoir qui leur étaient jusqu'alors barrées, n'est pas seulement une exigence éthique. De multiples études mettent en évidence un fait social majeur : les femmes sont devenues, partout dans le monde, des acteurs économiques de premier plan, même si les indicateurs retenus tendent trop souvent à minimiser, ou à occulter, leur contribution véritable au développement (*cf.* chapitre 3). L'éducation des femmes et des jeunes filles est, de ce point de vue, un des meilleurs investissements dans l'avenir. Que l'objectif soit d'améliorer la santé des familles, la scolarisation des enfants ou la vie communautaire, c'est en éduquant les mères et en promouvant de manière générale la condition féminine que les sociétés ont le plus de chances de voir leurs efforts aboutir. Notre monde, trop exclusivement dominé par les hommes, a beaucoup à apprendre et à attendre de l'émancipation féminine.

Éducation et développement social

La Commission a également accordé une attention toute particulière au déroulement et aux recommandations du Sommet mondial sur le développement social qui s'est tenu à Copenhague en mars 1995. Traitant de la pauvreté, du chômage et de l'exclusion sociale, cette conférence a mis l'accent sur la contribution que pouvaient apporter les politiques de l'éducation.

Les orientations dégagées lors de ce Sommet doivent être rappelées, car elles éclairent bien la dimension sociale des politiques de l'éducation. Les États participants se sont en effet engagés à promouvoir l'accès universel et équitable à un enseignement de qualité, ainsi qu'à assurer à tous le plus haut niveau de santé physique et mentale et les soins de santé primaires. Ils ont déclaré qu'ils veilleraient particulièrement, à cet égard, à corriger les inégalités de condition sociale, sans distinction aucune liée à la race, à l'origine nationale, au sexe, à l'âge ou à un handicap physique. Ils se sont également engagés à respecter et à promouvoir leurs cultures communes et particulières, et à renforcer le rôle de la culture dans le processus de développement ; ainsi qu'à préserver les fondements essentiels d'un développement durable centré sur l'être humain et à contribuer à une mise en valeur optimale des ressources humaines et au développement social. Les buts doivent être d'éliminer la pauvreté, de promouvoir le plein-emploi et l'emploi productif, et de favoriser l'intégration sociale[3].

Bien entendu, notre Commission fait siennes ces conclusions, qui rejoignent ses propres conceptions concernant les finalités de l'éducation et les champs qu'elle couvre. Elle n'en est que renforcée dans son plaidoyer pour une coopération internationale fondée sur la solidarité et le partenariat. Même s'il convient de ne pas abuser des objectifs quantitatifs, il lui semble que, compte tenu de la contribution propre de l'éducation au développement social, une proportion significative de l'aide publique au développement devrait y être consacrée. Elle pourrait être fixée, en liaison avec l'action des organisations internationales, à un quart de l'aide globale, laquelle doit être augmentée. Une inflexion similaire en faveur de l'éducation devrait également être consentie par les institutions financières internationales, en premier lieu la Banque mondiale.

La Commission espère qu'un suivi régulier du Sommet de Copenhague permettra d'accroître la prise de conscience générale, de stimuler les initiatives, de développer les coopérations, de mesurer les résultats obtenus.

Développer la conversion des dettes au bénéfice de l'éducation

Investissement à long terme économique, social et humain, l'éducation est trop souvent sacrifiée dans les plans d'ajustement, alors que l'expansion de la scolarisation exigerait un accroissement des budgets nationaux dans ce domaine. Il faut donc tenter de compenser les effets négatifs qu'ont sur les dépenses publiques d'éducation les politiques d'ajustement et de réduction des déficits

[3] Rapport du Sommet mondial pour le développement social, *New York, Nations unies, 1995. (UN doc. A/CONF. 166/9.)*

intérieurs et extérieurs. La Commission juge prometteuses, à cet égard, les expériences récentes de conversion de dettes en actions en faveur de l'éducation. La dette extérieure d'un pays, achetée à l'escompte – en devises – aux banques commerciales ou autres créanciers par une agence de développement (généralement une organisation internationale non gouvernementale), est partiellement rachetée en monnaie locale par le débiteur par l'intermédiaire de sa banque centrale, et ce montant en monnaie locale est affecté exclusivement au financement (parfois sur des périodes relativement longues) de programmes éducatifs spécifiques. Ces accords de conversion de dette sont difficiles à négocier et ne sont pas applicables dans tous les cas. Cependant, dans certains pays où le trésor public ploie sous le fardeau des dettes à rembourser, l'organisme externe qui négocie un tel accord peut contribuer à une augmentation des dépenses d'éducation. Dans nombre des pays les plus lourdement endettés où le pourcentage du PNB consacré à l'éducation est en baisse, de même que les effectifs scolaires, l'allégement de la dette est essentiel pour dégager au bénéfice de l'éducation une part du revenu national. Mais il ne se traduit pas toujours à lui seul par un accroissement des dépenses sociales, et la conversion offre à cet égard aux bailleurs de fonds extérieurs un certain moyen de pression. Elle peut en outre aider à résoudre les problèmes que pose aux organismes d'aide au développement l'utilisation de devises pour financer des dépenses en monnaie locale ou la prise en charge de coûts récurrents. Notant que ce sont des gouvernements et les organismes de crédit officiels multilatéraux qui détiennent l'essentiel des créances, la Commission estime qu'ils devraient étudier la possibilité de participer eux aussi à ces accords de conversion.

Pour un observatoire UNESCO des nouvelles technologies de l'information

S'efforçant de recenser aussi bien les obstacles, financiers ou autres, qui freinent le progrès de l'éducation que les voies nouvelles où celle-ci pourrait s'engager, la Commission a été particulièrement attentive aux domaines où s'opère un changement rapide. L'un de ceux-ci, plus longuement analysé aux chapitres 2 et 8, est celui des nouvelles technologies de l'information. Celles-ci transforment déjà les sociétés où elles s'implantent en modifiant les relations de travail et en créant, en marge du monde réel, un monde virtuel dont les promesses et les dangers sont encore très difficiles à évaluer. Elles peuvent aussi — beaucoup en conviennent maintenant — apporter une contribution croissante aux systèmes éducatifs. Il importe donc de veiller à ce qu'elles soient diffusées dans tous les pays, pour éviter que ne se creuse un nouveau fossé entre pays riches et pays pauvres, qui pourrait compromettre les tentatives de rééquilibrage. Parce que l'avènement de la société de l'information est une des grandes données du futur, la Commission recommande que l'UNESCO crée un observatoire chargé d'élucider et d'évaluer, dans la perspective du XXIe siècle, deux aspects de la question : l'incidence prévisible de ces nouvelles technologies, d'une part sur le développement des sociétés, de l'autre sur les processus éducatifs proprement dits. Un tel projet correspondrait bien, à notre sens, à la fonction de « pilotage » intellectuel de la communauté internationale qui est dévolue à l'UNESCO et permettrait sans doute de mieux éclairer une voie d'avenir dans laquelle le monde moderne avance à grands pas, mais pour ainsi dire sans repères. La maîtrise intellectuelle, politique et sociale de ces technologies est un des grands défis du XXIe siècle.

La Commission estime également que l'UNESCO devrait jouer un rôle déterminant en tant que centre d'échange d'informations (*clearing house*) dans le domaine des logiciels éducatifs. Deux orientations principales devraient guider concrètement son action : l'octroi d'un label permettant de distinguer les matériels éducatifs de qualité ; l'encouragement à la production de logiciels respectant la spécificité culturelle de chaque peuple. Pour ce faire, il lui revient de prendre l'initiative d'un dialogue avec les éditeurs de logiciels et les entreprises informatiques, en vue de la création et de l'attribution de prix récompensant chaque année les meilleures initiatives en la matière.

De l'assistance au partenariat

On assiste aujourd'hui à une mutation de la conception et des rôles de l'assistance internationale. Nous sommes à un tournant où sont remises en question les formes classiques d'assistance et de coopération et où commence à s'imposer la nécessité de transformer l'« assistance » en « partenariat ». Tant les pays qui reçoivent l'aide que ceux qui la donnent sont à la recherche de nouvelles formes de coopération reposant véritablement sur l'échange et l'avantage mutuel. Dans un contexte où, indépendamment des facteurs locaux, la plupart des problèmes à résoudre transcendent les frontières aussi bien locales que régionales, la coopération est un impératif à la fois politique et pratique.

Comment progresser efficacement dans ce domaine ? Entre les deux groupes de pays concernés, les vues à ce sujet peuvent être très divergentes. De plus en plus, les pays bénéficiaires exigent d'être traités en partenaires égaux. Pour eux, dépendre trop étroitement de l'expérience d'autres pays, être assujettis à des modèles étrangers entraînent souvent des contraintes inacceptables, sur le plan économique comme sur le plan culturel.

Pour leur part, les pays économiquement développés (et, dans ces pays, les institutions et les agences qui s'emploient à stimuler les transferts de ressources et d'assistance technique) savent bien qu'il n'y a pas de solutions toutes faites. Il est indéniable que, dans le passé, outre un capital de connaissances et une aide matérielle, c'est bien souvent aussi leurs préjugés, leurs partis pris et leurs erreurs qu'ils ont transmis au monde en développement. Dans beaucoup de pays développés, les crises économiques et celles de l'emploi ont mis en lumière la complexité des rapports entre l'éducation et l'emploi, ou entre l'éducation et la cohésion sociale. Aussi les pays donateurs sont-ils davantage portés aujourd'hui à tirer les enseignements de leur propre expérience nationale et à tenir compte des succès et des échecs passés de la coopération internationale.

La Commission a pu dégager, au cours de ses travaux, des thèmes communs susceptibles de guider une réflexion future en vue de renouveler les stratégies de développement. Il semble en particulier qu'il soit indispensable, pour la coopération internationale comme pour l'élaboration des politiques nationales, de considérer le système éducatif dans sa totalité, et de concevoir les réformes comme un processus démocratique, impliquant la consultation et lié à une politique sociale qui soit elle-même respectueuse de la pratique démocratique, des droits de l'homme et du droit en général. Il importe aussi de trouver les moyens d'infléchir plus efficacement la coopération internationale vers la lutte contre la pauvreté : dans le domaine de l'éducation, il y faut un effort concerté pour faire bénéficier d'un enseignement ceux qui en ont été jusqu'à présent exclus.

Quelle que soit l'urgence de réformes à court terme, il est également capital de consacrer une partie de l'énergie et des ressources disponibles à la constitution, dans les pays pauvres,

Une coopération multilatérale : l'OECO

L'Organisation des États des Caraïbes orientales (OECO) se compose de huit pays et territoires (Antigua et Barbuda, Dominique, Grenade, îles Vierges britanniques, Montserrat, Sainte-Lucie, Saint Kitts et Nevis, Saint Vincent et Grenadines) dont la population totale est d'environ 550 000 habitants.

Bien que la plupart des enfants des pays concernés suivent une scolarité d'au moins sept ans et que l'enseignement secondaire soit dispensé à près de la moitié du groupe d'âge correspondant, la qualité de cet enseignement suscite de vives préoccupations. Plus de la moitié des 7 500 enseignants, ayant embrassé la profession directement après avoir terminé leurs études secondaires, sont dépourvus de toute formation. L'enseignement supérieur, mis en place tardivement en raison de la faible population de ces pays, ne compte encore que 4 000 étudiants.

À partir de 1990, les pays de l'OECO ont décidé d'élaborer en commun une stratégie régionale de réforme de l'éducation visant à mettre en place un vaste système de développement des ressources humaines. Ils collaborent dans douze secteurs essentiels touchant l'élaboration des programmes et le perfectionnement du personnel enseignant, l'évaluation des élèves, la réforme de l'enseignement et de la formation techniques et professionnels, l'éducation des adultes et l'éducation permanente, l'enseignement à distance, la gestion des ressources sectorielles et celle du processus de réforme. À partir d'une analyse continue des politiques éducatives, une loi commune sur l'éducation sera élaborée qui harmonisera les fondements législatifs des systèmes éducatifs de tous les pays de l'OECO. La collecte et l'évaluation en commun des données faciliteront le suivi de tous les aspects de l'éducation.

Le Secrétariat de l'OECO a mené des négociations avec les bailleurs de fonds et les organismes techniques pour assurer une coopération maximale avec ceux-ci, ainsi qu'entre eux, dans l'appui fourni à ce projet régional de stratégie de réforme éducative.

d'une capacité de recherche et de réforme à plus long terme. Celle-ci suppose notamment la collecte et l'analyse d'informations sur les systèmes éducatifs qui se prêtent à des comparaisons internationales. Enfin, il convient d'encourager la libre circulation des personnes et celle des connaissances pour tenter de combler l'écart existant, dans ce domaine, entre les pays développés et le reste du monde.

L'observation des mécanismes régionaux et internationaux existants permet de tirer certains enseignements et de discerner les conditions indispensables à la durabilité des échanges. En se concentrant sur des domaines clés qui intéressent tous les pays coopérants, l'Union européenne a réussi à être le catalyseur d'une coopération intellectuelle à l'œuvre dans un ensemble de programmes novateurs. Elle encourage les échanges universitaires et scolaires, stimule l'enseignement des langues étrangères, et promeut l'égalité des chances (dans le cadre du programme de coopération européenne SOCRATES, englobant notamment les programmes ERASMUS, COMENIUS et LINGUA) et contribue à la constitution d'un fonds commun de travaux de recherche et de statistiques (EURYDICE). Cette collaboration entre les pays est conçue pour leur permettre de tirer collectivement parti des points forts de chacun à tous les niveaux de

Un programme européen : ERASMUS

Le programme ERASMUS, lancé en 1987 par la Communauté européenne, a été le premier programme conçu et appliqué au niveau européen pour favoriser la mobilité des étudiants ainsi que d'autres activités de coopération interuniversitaire (mobilité des enseignants, élaboration de nouveaux cursus en commun, programmes intensifs). Depuis 1995, ERASMUS est intégré dans le nouveau programme de l'Union européenne SOCRATES, qui englobe tous les types et tous les niveaux d'éducation, et qui met l'accent sur la notion d'« éducation européenne pour tous ».

ERASMUS a connu un incontestable succès, dont témoignent les chiffres globaux : entre 1987 et 1995, environ 400 000 étudiants ont eu la possibilité d'accomplir une période d'études reconnue dans un autre établissement de la CE, et 50 000 enseignants d'aller dispenser des cours dans une autre université ; 1 800 établissements ont participé aux activités de coopération européenne, chiffre qui comprend presque la tota-

lité des universités ainsi qu'un grand nombre d'établissements d'enseignement supérieur non universitaire.

ERASMUS s'organise autour de deux actions principales : octroi d'aides financières aux universités pour des activités de dimension européenne ; encouragement de la mobilité des étudiants et octroi de bourses à cet effet. Ainsi, dans le cadre du nouveau « Contrat institutionnel », des aides financières sont accordées aux universités aux fins de promouvoir la mobilité des étudiants et des enseignants et d'élaborer des cursus communs entre universités de différents États membres. Un ensemble de dispositions facilite la reconnaissance académique des périodes d'études effectuées à l'étranger. Les bourses ERASMUS apportent une aide financière directe aux étudiants qui vont accomplir une période d'études dans un autre pays membre. Les bourses (de trois à douze mois) servent à couvrir les coûts de mobilité liés aux études à l'étranger, comme la préparation linguistique, les frais de voyage, les différences de coût de la vie.

Sources : *Commission européenne et EURYDICE (Réseau d'information sur l'éducation dans l'Union européenne).*

l'éducation et pour compenser les handicaps nationaux. Elle permet aux jeunes, notamment aux étudiants, de bénéficier des enseignements dispensés par les différents pays membres de l'Union. Elle contribue ainsi à une meilleure compréhension mutuelle entre les peuples.

À un autre niveau, des groupes de pays – du Commonwealth et de la francophonie, entre autres – ont su capitaliser des éléments d'un passé commun, en particulier la langue, pour construire des réseaux d'échange et d'assistance dont bénéficient les pays en développement. Diverses organisations régionales et sous-régionales sont en train de prendre du poids comme animatrices d'une coopération liant des pays aux intérêts communs. Il est de toute évidence possible, par le moyen de partenariats, de centres d'excellence ou de programmes communs, de réaliser au profit des petits pays des synergies plus efficaces qu'une action isolée. Et les pays industrialisés, pour leur part, peuvent aussi tirer d'appréciables avantages du partenariat.

Les scientifiques, la recherche et les échanges internationaux

Le rôle fondamental de la recherche scientifique dans le renforcement des potentiels nationaux n'est plus à démontrer. La tendance actuelle, selon laquelle les programmes de recherche sont fixés pour l'essentiel dans les pays riches et centrés sur leurs préoccupations, n'est pas la meilleure voie pour développer l'esprit même du partenariat. Cependant, on note actuellement certains signes positifs : mise en œuvre de recherches endogènes (dans les sciences exactes et naturelles comme dans les sciences sociales) et, en particulier, constitution de réseaux « Sud-Sud ». L'efficacité de tels réseaux dépend dans une large mesure de la mobilité des enseignants, des étudiants et des chercheurs, qu'il convient de favoriser du mieux possible, et notamment, pour ce qui est de l'UNESCO, par une action normative appropriée.

Dans les pays riches, on constate que la coopération entre scientifiques travaillant dans la même discipline transcende les frontières nationales et constitue un puissant outil d'internationalisation des idées, des attitudes et des activités. Les réseaux que l'Union européenne a mis en place ou renforcés fonctionnent comme une sorte de laboratoire d'investigation à l'échelle européenne dans certains domaines, avec des retombées tant scientifiques que culturelles. Quant aux régions les plus pauvres du monde, leurs ressources continuent d'être minées par l'exode des scientifiques hautement qualifiés en quête de postes de recherche dans les grands centres. Signe d'espoir cependant, on commence à voir des diplômés et des chercheurs retourner dans leur pays d'origine sitôt que l'occasion s'en présente, si modeste soit-elle.

S'il est indéniable que les pays riches s'emploient de plus en plus à combler le déficit de connaissances du reste du monde, il convient de renforcer sans relâche les mesures destinées à aider les pays pauvres à accroître leurs capacités de recherche. Parmi les plus utiles, citons l'aide à la création de centres d'excellence (*cf.* chapitre 3) permettant aux pays dotés de moyens insuffisants de dépasser, en conjuguant leurs efforts, le seuil critique d'efficacité au-dessous duquel aucune action n'est vraiment viable en matière de recherche, d'enseignement supérieur ou d'investissement dans des techniques coûteuses, telles que celles de l'enseignement à distance, par exemple.

Une mission renouvelée pour l'UNESCO

Le mandat assigné à l'UNESCO dans le système des Nations unies et la place qu'elle occupe effectivement dans le dispositif de la coopération internationale font d'elle une institution clé pour l'avenir. Sa mission, définie il y a un demi-siècle au lendemain d'une guerre planétaire aux conséquences tragiques, demeure des plus actuelles, mais les mutations du monde lui imposent de se transformer avec lui.

Ni organisme de financement ni simple institution de recherche, l'UNESCO a toujours eu pour tâche de développer le potentiel humain, en collaboration avec les États membres de l'Organisation et ses multiples partenaires et interlocuteurs de la scène internationale. La coopération intellectuelle qu'elle stimule est à la fois un élément de rapprochement et de compréhension mutuelle entre les peuples et les individus, et un instrument indispensable à l'action. Plus que jamais, le transfert et le partage des connaissances, la confrontation des idées, les concertations de niveau élevé, la constitution de réseaux d'innovation, la diffusion d'informations et d'expériences réussies, les travaux d'évaluation et de recherche qu'elle favorise dans ses domaines de compétence, apparaissent comme des activités indispensables à l'édification d'un monde plus solidaire et plus pacifique. Il importe que ces aspects de son action aillent en se développant.

L'originalité de l'UNESCO tient à l'éventail de ses compétences – l'éducation, mais aussi la culture, la recherche et la science, la communication – qui font d'elle une organisation intellectuelle au sens large, moins assujettie que d'autres à une vision uniquement économiste des problèmes. Sa polyvalence répond à la complexité du monde contemporain, où tant de phénomènes se trouvent en relation symbiotique. Autorité morale, productrice de normes internationales, elle demeure aussi attentive au développement humain qu'au seul progrès matériel. Toutes ces caractéristiques la prédisposent à mener, dans le domaine de l'éducation, une action sur plusieurs fronts :

aider les États membres à bâtir et à rénover leurs systèmes éducatifs, à tirer le meilleur parti de la révolution scientifique et technologique, mais aussi à faire du droit à l'éducation une réalité pour tous les habitants de la planète, et à promouvoir partout l'idée de paix et l'esprit de justice et de tolérance.

La Commission émet le vœu que l'UNESCO puisse être dotée par ses États membres des moyens nécessaires pour mener à bien cette tâche multiple. Cela suppose tout d'abord qu'elle soit en mesure d'élargir et de renforcer, dans les années à venir, tout un faisceau d'actions fondées à la fois sur son expérience et sur des idées novatrices, en vue d'encourager, notamment par des alliances et des partenariats entre pays, le développement des systèmes éducatifs nationaux. La Commission engage l'UNESCO à promouvoir aussi, à travers son programme, le concept d'éducation tout au long de la vie proposé dans le présent rapport, afin de l'inscrire progressivement dans la réalité éducative du monde contemporain.

D'autre part, l'UNESCO peut contribuer puissamment à ouvrir les esprits, par l'éducation, aux impératifs de la solidarité internationale. Alors que les organisations internationales et les États nationaux se préparent à relever les challenges du XXIe siècle, la citoyenneté mondiale demeure un concept très éloigné des réalités et des perceptions concrètes. Le village-planète est pourtant notre horizon, au fur et à mesure que les interdépendances se multiplient et que les problèmes se mondialisent. La tension entre le global et le local s'exacerbe, faute d'une prise de conscience des mutations en cours. Dans cette perspective, il faut encourager toutes les initiatives venues de la base, développer les échanges et les dialogues, rester à l'écoute des hommes et des femmes au quotidien. L'action des organisations non gouvernementales revêt à cet égard une importance fondamentale, pour faire reculer les peurs et les incompréhensions, et tisser les liens multiples qui fonderont la société mondiale de demain. L'UNESCO, dont les ONG sont de longue date les partenaires privilégiées sur le terrain, a tout intérêt à faire de plus en plus appel à leur concours, qui enracine son action dans le réel.

Il convient de mettre l'accent, dans cette perspective, sur l'éducation pour la compréhension internationale, ainsi que sur l'apport essentiel des sciences sociales dans cette prise de conscience d'une solidarité planétaire. L'UNESCO pourrait, à titre d'exemple, encourager un vaste bilan interdisciplinaire, qui ferait le point des principales questions qui se posent aux sociétés humaines en cette fin du XXe siècle.

Forte de cette saisie directe du monde contemporain, l'UNESCO pourra exercer pleinement son magistère moral. La Commission estime en effet que la vocation éthique de l'UNESCO, à laquelle son Acte constitutif donne la priorité, se trouve aujourd'hui confortée par les nouvelles missions qui s'imposent à l'éducation dans le monde moderne, qu'il s'agisse de promouvoir le développement durable, d'assurer la cohésion sociale, d'encourager à tous les niveaux la participation démocratique ou de répondre aux impératifs de la mondialisation. Dans tous ces domaines, en effet, les finalités sociétales de l'éducation ne doivent jamais faire perdre de vue la primauté de l'être humain et des idéaux que la communauté internationale a proclamés lors de la fondation de l'Organisation des Nations unies. C'est en ce sens que l'exigence éthique, qui fut première, se révèle en dernière analyse être ce qui accorde le plus profondément l'action de l'UNESCO aux réalités des temps actuels, faits d'interrogations et d'incertitude. En ancrant cette action dans l'utopie d'une vision volontariste et équilibrée du progrès, elle l'oriente, à la veille du siècle nouveau, vers l'instauration d'une authentique culture de la paix.

Pistes et recommandations

- *La nécessité d'une coopération internationale – laquelle est à repenser radicalement – vaut aussi pour le domaine de l'éducation. Ce doit être l'affaire, non seulement des responsables des politiques de l'éducation et des enseignants, mais aussi de tous les acteurs de la vie collective.*
- *Au plan de la coopération internationale, promouvoir une politique fortement incitative en faveur de l'éducation des jeunes filles et des femmes, dans l'esprit de la Conférence de Beijing (1995).*

- *Infléchir la politique dite d'assistance dans une perspective de partenariat, en favorisant notamment la coopération et les échanges au sein d'ensemble régionaux.*
- *Affecter un quart de l'aide au développement au financement de l'éducation.*
- *Encourager les conversions de dettes afin de compenser les effets négatifs, sur les dépenses d'éducation, des politiques d'ajustement et de réduction des déficits intérieurs et extérieurs.*
- *Aider au renforcement des systèmes éducatifs nationaux en encourageant les alliances et la coopération entre les ministères au niveau régional, et entre pays confrontés à des problèmes similaires.*
- *Aider les pays à accentuer la dimension internationale de l'enseignement dispensé (programme d'études, recours aux technologies de l'information, coopération internationale).*
- *Encourager de nouveaux partenariats entre les institutions internationales qui s'occupent d'éducation, en lançant, par exemple, un projet international visant à diffuser et mettre en œuvre le concept de l'éducation tout au long de la vie, sur le modèle de l'initiative interinstitutions ayant abouti à la Conférence de Jomtien.*
- *Encourager, notamment par la création d'indicateurs appropriés, la collecte à l'échelle internationale de données relatives aux investissements nationaux dans l'éducation : montant total des fonds privés, des investissements du secteur industriel, des dépenses d'éducation non formelle, etc.*
- *Constituer un ensemble d'indicateurs permettant de faire apparaître les dysfonctionnements les plus graves des systèmes éducatifs, en mettant en rapport diverses données quantitatives et qualitatives, par exemple : niveau des dépenses d'éducation, taux de déperdition, inégalités d'accès, manque d'efficacité de différentes parties du système, qualité insuffisante de l'enseignement, condition enseignante, etc.*
- *Dans un esprit prospectif, créer un observatoire UNESCO des nouvelles technologies de l'information, de leur évolution et de leur impact prévisible non seulement sur les systèmes éducatifs mais aussi sur les sociétés modernes.*
- *Stimuler par l'entremise de l'UNESCO la coopération intellectuelle dans le domaine de l'éducation : chaires UNESCO, Écoles associées, partage équitable du savoir entre les pays, diffusion des technologies de l'information, échanges d'étudiants, d'enseignants et de chercheurs.*
- *Renforcer l'action normative de l'UNESCO au service de ses États membres, par exemple en ce qui concerne l'harmonisation des législations nationales avec les instruments internationaux.*

(épilogue)

Venus d'horizons différents et forts d'expériences variées, les membres de la Commission internationale ont beaucoup contribué à l'originalité de ses travaux par la diversité de leurs points de vue. De cette diversité a cependant pu naître un très large accord sur l'approche à adopter et les principales conclusions. L'élaboration du rapport a donné lieu à des débats approfondis, et même s'il est évident que chacun des commissaires, s'il avait personnellement tenu la plume, aurait choisi de formuler autrement tel passage ou même tel chapitre, la substance comme les grandes lignes du texte ont fait l'objet d'un consensus. Toutefois, parce que le rapport ne traite que d'un nombre restreint de thèmes jugés particulièrement significatifs pour l'avenir de l'éducation, la sélection opérée a forcément laissé dans l'ombre, malgré leur importance, des questions d'un intérêt primordial pour certains. Aussi fut-il décidé, vers la fin des travaux, que chacun d'entre eux serait invité à apporter une contribution personnelle au rapport sous la forme d'un texte distinct afin de mieux rendre compte de la diversité des opinions sur les problèmes abordés et de la richesse des discussions. On trouvera dans les pages qui suivent la contribution individuelle de onze membres de la Commission.

(In'am Al Mufti)

L'excellence dans l'éducation : investir dans le talent

Nous sommes à un moment de l'histoire où le monde entier est le théâtre d'innovations scientifiques et technologiques capitales, de changements dans les domaines de l'économie et de la politique, et de transformations des structures démographiques et sociales. Ces bouleversements, qui vont sans doute s'accélérer dans l'avenir, sont appelés à créer des tensions considérables, en particulier dans les milieux de l'éducation, qui vont devoir répondre à des besoins grandissants et relever les nouveaux défis d'un monde qui change vite. Pour faire face aux exigences de notre époque, il nous faudra faire preuve à la fois de créativité, de courage, d'une ferme résolution d'opérer de réels changements et de la volonté de nous montrer à la hauteur des tâches qui nous attendent.

Pour répondre à cette situation, les plans nationaux ou internationaux de réforme de l'éducation doivent aller au-delà d'une bonne planification et d'une affectation rationnelle des ressources financières. Il faudrait que les politiques de réforme visent à l'excellence en matière d'éducation.

(L'éducation pour tous)

Au cours des vingt dernières années en particulier, les gouvernements et les organismes internationaux ont cherché à relever les défis du développement en axant de plus en plus leur action sur l'expansion des possibilités d'éducation. Il s'agissait ainsi pour les pays en développement d'atteindre l'objectif de l'« éducation pour tous » fixé par l'UNESCO. Mais le développement de l'éducation a consisté surtout à répondre à la demande croissante d'instruction scolaire, la qualité de l'éducation dispensée n'étant pas jugée prioritaire. D'où des écoles surpeuplées, des méthodes d'enseignement dépassées, à base d'apprentissage par cœur, et des enseignants devenus incapables de s'adapter à des méthodes plus modernes comme la participation démocratique à la classe, l'apprentissage coopératif et la résolution de problèmes faisant appel à l'imagination. Tous ces problèmes constituent maintenant autant d'obstacles à une meilleure éducation.

Fait significatif, cette vaste et rapide expansion du système éducatif et son alourdissement excessif dans bien des pays l'ont empêché de s'occuper suffisamment de l'équité dans l'éducation, qui veut que l'on offre des expériences d'apprentissage adaptées aux besoins d'élèves ayant des aptitudes variables. L'ambition qui primait tout d'assurer l'éducation pour tous a fait négliger les besoins des élèves très doués et appliquer un traitement identique à des élèves dont les aptitudes étaient différentes. Pour reprendre une formule de Jefferson, *« Il n'est rien de plus inégal que de traiter également des gens inégaux. »* Quelles que soient les bonnes intentions des politiques traditionnelles, priver les élèves très doués de possibilités d'éducation appropriées, c'est priver la société des ressources humaines les plus précieuses qu'elle possède pour parvenir à un développement réel et efficace.

Au seuil du XXIe siècle, les pays en développement se trouvent devant de multiples défis à relever dans leur quête de développement. Pour ce faire, ils ont besoin de dirigeants convenablement formés et préparés, capables de faire face aux besoins socio-économiques. Il faut reconnaître les besoins éducatifs particuliers des élèves très doués, les «dirigeants de demain», et y répondre.

(... s'attaquer à la situation)

Devant cette situation, il faut créer d'autres possibilités d'éducation, dont le contenu et les méthodes soient plus élaborés, pour répondre aux différences individuelles. Les enseignants devraient être formés à s'adapter aux besoins d'apprentissage différents des élèves brillants. L'une des grandes priorités de toute école, quelle qu'elle soit, devrait être d'élaborer et d'imposer des programmes stimulants qui offrent un vaste champ de possibilités d'apprentissage très poussé en vue de répondre aux besoins des élèves les plus doués. C'est de la plus haute importance pour la formation des futurs dirigeants qui prendront la tête de la marche vers un développement durable. Le programme scolaire ordinaire demande à être affiné pour offrir aux élèves brillants la possibilité de donner le meilleur d'eux-mêmes.

(L'excellence en matière d'éducation)

Cette quête de l'excellence implique que l'on cherche à élaborer un programme d'enseignement plus riche, qui soit fonction des dons et des besoins divers de tous les élèves, à permettre à chacun d'entre eux de réaliser ses possibilités et à cultiver et entretenir les dons exceptionnels. Il est aussi très important de veiller à ce que les enseignants soient mieux formés à la pédagogie des programmes de haut niveau. Sinon, le message de la société aux élèves ne serait que de viser à atteindre la norme, et non l'excellence, dans leurs études.

(... le rôle de la famille, de la communauté et des ONG)

Déceler et cultiver les dons sont une tâche qui ne relève pas seulement de l'école. Le rôle de la famille et de la communauté locale dans l'épanouissement des possibilités de l'élève est à la fois le support et le complément des efforts de l'école. Quant aux organisations non gouvernementales (ONG), elles peuvent jouer un rôle décisif en aidant les communautés à assumer leurs responsabilités sociales. Elles peuvent très utilement contribuer à la sensibilisation et à l'efficience, et promouvoir la participation de tous les membres de la communauté.

(... et, surtout, des femmes)

La clé de cette participation de la communauté demeure le renforcement de celle des femmes au processus de développement – problème qui est désormais au cœur du développement humain et dont on devra de plus en plus tenir compte dans l'avenir. Les femmes sont actuellement sous-représentées dans la quasi-totalité des programmes d'enseignement supérieur et dans la majorité des postes administratifs de haut niveau. **Le renforcement de la participation des femmes passe par l'éducation.** L'éducation des femmes est probablement l'un des investissements les plus payants qu'une nation puisse consentir. **Offrir davantage de possibilités aux femmes, et en particulier aux femmes et aux filles exceptionnellement douées, c'est ouvrir la voie à l'avènement d'une élite féminine** et permettre aux femmes d'apporter aux processus de décision une contribution précieuse pour le progrès de l'éducation et le développement durable.

(La solution jordanienne)

En Jordanie, il y a environ un million d'enfants scolarisés, soit 25 % de la population. L'éducation obligatoire et la progression spectaculaire des taux de scolarisation à tous les niveaux ont eu pour effet de surcharger le système éducatif national, qui n'a pas pu venir à bout du problème de l'équité en matière d'éducation. Pour remédier à la situation, la Jordanie mène depuis dix ans un vaste programme de réformes en vue d'améliorer la qualité de l'éducation. Le législateur s'est tout particulièrement intéressé au cas des élèves exceptionnellement doués et à la nécessité de développer les compétences et la formation des enseignants pour répondre à leurs besoins.

Après avoir constaté que l'excellence en matière d'éducation correspondait à un besoin national, la Fondation Noor al-Hussein (NHF) a lancé un projet pédagogique novateur pour tâcher d'y répondre. Cette organisation non gouvernementale à but non lucratif a été fondée en 1985 pour recenser et satisfaire différents besoins de développement dans toute la Jordanie, introduire des modèles novateurs et dynamiques de développement communautaire intégré et fixer des normes nationales d'excellence sur le plan du développement humain et socio-économique, de l'éducation, de la culture et des arts. La NHF a une vision qui se caractérise par une approche globale du développement, fondée sur la participation démocratique et la coopération intersectorielle à tous les niveaux.

Tout en travaillant avec les pouvoirs publics pour mettre en œuvre les directives du plan national de réforme de l'éducation et offrir des possibilités de faire des études aux jeunes qui sont doués, la NHF a fondé la *Jubilee School* en 1993, au terme de dix années de travaux – planification, recherches étendues, élaboration de programmes d'études et formation d'enseignants.

La *Jubilee School*, internat secondaire mixte, offre aux élèves une expérience d'apprentissage unique en son genre. Son programme est axé sur les besoins intellectuels des élèves, leurs capacités et leur expérience. Il offre un environnement éducatif qui motive les élèves et les pousse à donner la pleine mesure de leurs possibilités par la découverte, l'expérimentation, une manière originale de résoudre les problèmes, et même l'invention. Les candidats sont triés sur le volet suivant un système rigoureux faisant intervenir toute une batterie de critères, dont les résultats scolaires antérieurs, des indices de caractéristiques comportementales, le niveau intellectuel général, certaines aptitudes mathématiques et le degré de créativité.

Pour garantir l'égalité des chances indépendamment des origines socio-économiques, tous les élèves reçoivent une bourse d'études, et l'école s'attache tout spécialement à accueillir des enfants originaires des régions reculées et défavorisées du Royaume, où l'appareil éducatif n'est pas à même de remplir la difficile mission de répondre aux besoins des élèves doués. La

Jubilee School espère voir ses diplômés retourner dans leur communauté d'origine, après une formation ou des études complémentaires, pour y assumer des responsabilités et contribuer à son développement.

Attachée à un cadre d'apprentissage démocratique, l'école encourage la liberté de pensée et d'expression. Par l'expérience éducative qu'ils y vivent, les élèves apprennent à tirer utilement parti de leur savoir. L'école ne cherche pas seulement à les doter d'une solide formation générale, elle tâche aussi de fortifier leur caractère et de leur donner un sens profond des responsabilisé sociales.

En outre, la *Jubilee School* contribue à l'amélioration de la qualité de l'éducation des élèves doués de la communauté par l'intermédiaire de son Centre pour l'excellence dans l'éducation, qui travaille en coopération avec le ministère de l'Éducation, ainsi qu'avec les secteurs privé et public. Ce Centre a pour vocation d'élaborer des programmes d'enseignement et d'études, des manuels et des dossiers d'information qui puissent être utilisés par d'autres écoles dans toute la Jordanie. Il contribue aussi à la mise au point et à la diffusion de démarches novatrices et de perfectionnements en mathématiques, sciences et lettres, à l'intention des enseignants du secondaire. Le Centre remplit aussi les fonctions de centre de documentation et d'information et de service de recherche pédagogique. En outre, il parraine des ateliers, programmes et activités de formation à l'intention des enseignants et des élèves doués de toutes les régions du pays, qui visent surtout à apprendre aux enseignants à appliquer les techniques pédagogiques les plus efficaces, à élaborer des programmes et à tenir compte des différences individuelles dans leurs propres classes. Les programmes de formation portent aussi sur les moyens d'élargir l'accès à l'éducation des jeunes enfants, les possibilités d'apprentissage des enfants particulièrement doués issus de milieux défavorisés ou de groupes minoritaires, ainsi que la définition de l'enfant doué, en observant les élèves dans des cadres qui leur permettent de déployer toutes leurs capacités, au lieu de s'appuyer uniquement sur les résultats de tests.

La *Jubilee School* et son Centre représentent une synthèse réussie de la recherche et de l'innovation axées sur la valorisation du potentiel humain, sur la modernisation des laboratoires de formation aux fins du développement national et sur la coopération et l'engagement des organisations publiques et privées au service de la société jordanienne dans son ensemble. Dès les deux premières années d'existence de l'école, ses élèves ont obtenu des résultats remarquables sur le plan des études comme de la formation sociale. Les propos de l'un d'entre eux en disent long sur la réussite de l'école :

« Avant, je considérais l'école comme une prison. Mais la *Jubilee School* est l'endroit où j'ai pu apprendre et me sentir totalement libre. C'est le lieu rêvé pour l'amitié, la science et l'imagination. Dans cette école, le professeur est un ami, le savoir est un ami et les livres sont des amis. »

(Isao Amagi)

Améliorer la qualité de l'enseignement scolaire

Les systèmes éducatifs modernes mis en place par les États-nations ont largement contribué à façonner les individus, mais aussi la société tout entière. Pour cette raison même, ils sont exposés aux critiques de l'opinion et soumis à des demandes injustifiées lorsque la société évolue.

Chaque pays doit de temps à autre procéder à une réforme de son système scolaire sur le plan des méthodes pédagogiques, des contenus et de la gestion. Néanmoins, si poussées que soient ces réformes, il est vraisemblable que l'enseignement scolaire conservera au siècle prochain les principales fonctions qui sont déjà les siennes aujourd'hui, sa survie dépendant sans doute essentiellement de notre capacité d'en préserver la « qualité » et la « pertinence ».

Les responsables de l'éducation devraient aborder le problème de la qualité de l'enseignement scolaire sous les trois aspects suivants :

I. Amélioration des compétences des enseignants, par l'adoption des six politiques ou mesures suivantes :

1) *Le niveau de la formation initiale des enseignants* est actuellement, dans certains pays, celui des études secondaires ; cette formation devrait y être revalorisée et relever désormais de l'enseignement supérieur, comme c'est le cas dans de nombreux pays industrialisés où les enseignants sont formés dans des instituts pédagogiques ou à l'université. Dans certains d'entre eux, il existe des cours de deuxième cycle préparant à l'enseignement de la pédagogie.

2) *Les certificats d'aptitude à l'enseignement* devraient préciser à quel niveau et à quel type d'éducation – primaire, secondaire, enseignement technique ou professionnel, éducation spéciale, etc. – la formation initiale du titulaire le destine.
3) *Le recrutement et l'affectation* des enseignants devraient refléter le souci d'assurer un juste équilibre entre les diverses matières, les enseignants expérimentés et ceux qui le sont moins, les zones urbaines et les zones rurales, etc.
4) *La formation en cours d'emploi* est une forme d'éducation permanente hautement recommandée pour permettre à tous les membres du corps enseignant d'améliorer leurs compétences pédagogiques, sur le double plan de la théorie et de la pratique. Cette formation en cours d'emploi devrait tenir compte de l'élaboration des programmes et de ses aspects connexes (voir section II).
5) *Les conditions de travail* des enseignants – comme la taille de la classe, les heures ou les journées de travail et les moyens dont ils disposent – devraient être prises en considération.
6) *La rémunération des enseignants* devrait être suffisamment élevée pour inciter des jeunes de talent à embrasser la profession, et d'un niveau raisonnablement comparable à celui du traitement des autres membres de la fonction publique.

Les autorités compétentes devraient faire de la formulation d'une politique d'ensemble concernant les enseignants, combinée avec les mesures susmentionnées, l'une de leurs principales préoccupations.

II. Conception et élaboration des programmes d'études et aspects connexes : ils devraient faire l'objet d'une collaboration entre les autorités et les groupes professionnels intéressés. Les programmes scolaires doivent être en accord avec les contenus de la formation des enseignants.

Les méthodes pédagogiques, manuels, matériels et auxiliaires didactiques devraient être élaborés en même temps que les programmes. Il serait bon en particulier de recourir à l'ordinateur et à d'autres médias pour faciliter le processus de l'enseignement comme celui de l'apprentissage.

Les programmes devraient tenir compte des avancées de la recherche en sciences exactes et naturelles et en sciences humaines. Lors de l'élaboration des méthodes d'enseignement et d'apprentissage, il conviendrait de réfléchir également au rôle important des études expérimentales et à l'expérience qui s'acquiert en vivant et en travaillant au contact de la nature.

III. Gestion des écoles : c'est le troisième domaine dans lequel il est possible d'améliorer l'enseignement scolaire. L'école est une institution éducative fondamentale où des activités pratiques de caractère pédagogique sont organisées systématiquement. Même si, dans la plupart des cas, l'enseignant travaille seul dans sa classe, il fait partie d'une équipe dont les membres façonnent ensemble ce que l'on pourrait appeler la culture de l'école. Celle-ci peut difficilement offrir un enseignement de très haute qualité si elle n'est pas gérée de façon avisée par le chef d'établissement avec la coopération active des enseignants.

Enfin, *l'amélioration de la qualité de l'enseignement scolaire* sous les trois aspects que nous avons passé en revue devrait être un objectif fondamental des responsables politiques dans tous les pays, quelles que soient les données, au siècle prochain.

(Roberto Carneiro)

Éducation et communautés humaines revivifiées : une vision de l'école socialisatrice du siècle prochain

Si le siècle qui s'achève a révélé des blessures profondes, l'ère qui s'ouvre avec le XXIe siècle est placée sous le signe de l'espoir. Elle sera marquée à coup sûr par de nouvelles exigences sociales, parmi lesquelles l'art de *vivre ensemble* apparaîtra comme le moyen de cicatriser ces multiples blessures, fruits de la haine et de l'intolérance qui ont si souvent régné au cours du XXe siècle.

L'humanité ne parvient que difficilement à se reconnaître dans le miroir déformant où apparaissent comme autant de stigmates les maux dont souffrent nos sociétés. Le nouveau cours de l'histoire, qu'a provoqué en particulier, depuis 1989, le triomphe d'un logique économique implacable, fondée sur la loi du plus fort et soumise aux exigences d'un néolibéralisme sans âme, impose nécessairement *un sursaut de notre conscience, un réveil éthique* face à la question sociale fondamentale que constitue l'augmentation des inégalités dans la monde. Il s'agit d'une équation complexe, définie par un ensemble de variables dont les principales sont les suivantes :

1. Des symptômes préoccupants de *découragement social*, découlant de situations d'extrême pauvreté (*poverty fatigue*).
2. Une nouvelle misère, aux dimensions multiples, dans laquelle s'accélère l'effet de facteurs multiplicateurs de la paupérisation, sur le plan culturel, matériel, spirituel, affectif, ou sur celui de la citoyenneté.
3. L'importance déclinante du capital social dans une société qui cultive le risque et où dominent les pulsions

individualistes, destructrices de toute confiance dans les relations interpersonnelles.
4. Le caractère conflictuel et vertical des rapports sociaux, déterminés par une logique s'exerçant dans des sens multiples et correspondant à l'action de divers groupes d'intérêt, ainsi que le remplacement progressif de la lutte des classes par des conflits ethniques ou religieux-culturels, annonçant l'éclosion de mouvements tribaux de grande ampleur.
5. L'abandon de l'espace civique, fondateur de civilisation, à un mercantilisme exacerbé, générateur de dualisme et d'exclusion.

Le XXe siècle se trouve ainsi confronté à un défi majeur : celui de la *reconstruction des communautés humaines*. Les signes d'impatience sont nombreux ; les sociétés humaines pressentent qu'une projection linéaire des tendances lourdes du siècle qui touche à son terme n'augure pas d'un destin de bonheur. À la massification et à l'individualisme qui ont caractérisé la première génération des technologies de l'information et de la communication, en portant à son paroxysme le modèle économique triomphant, succède à présent une deuxième génération technologique où l'on commence à retrouver l'idée d'interactions en réseau, ainsi que la valeur des relations de voisinage (virtuel). La société cognitive, qui se fonde sur une éthique de partage des connaissances et sur des phénomènes de cognition suscités par des relations interpersonnelles sans frontières, rendues possibles par la globalisation de la planète, semble devoir favoriser l'émergence de valeurs postmatérialistes.

Ainsi la solidarité et le nouvel esprit communautaire peuvent à nouveau, et de façon naturelle, apparaître comme un principe organique, organisateur de vie, et comme une alternative à l'exclusion et à la dévitalisation suicidaire du tissu social. Dans ce contexte, des instances de socialisation, fondamentales et stables, comme la famille et l'école, sont appelées à assumer à nouveau leur rôle de noyau dur, à partir duquel peuvent être établies les fondations durables de la société du futur.

Éduquer a toujours été, et est encore aujourd'hui, une tâche éminemment sociale. L'épanouissement de la personnalité de chacun résulte tout autant du renforcement de l'autonomie personnelle que de la construction d'une altérité solidaire, ou, si l'on préfère, du processus de découverte de l'autre en tant qu'attitude morale. L'humanisation, conçue comme une croissance intérieure de l'individu, trouve son plein épanouissement au point où se rencontrent de façon permanente les chemins de la liberté et ceux de la responsabilité. Les systèmes éducatifs sont à la fois source de *capital humain* (Becker), de *capital culturel* (Bourdieu), et de *capital social* (Putnam). Des cendres de l'*homme loup pour l'homme – homo homini lupus* – peut alors naître l'*homme ami de l'homme – homo homini amicus*– grâce à une éducation restée fidèle à la visée communautaire qui est la sienne.

La tâche est immense, mais un tel mandat ne peut pas être repoussé, car la construction de l'ordre social du siècle à venir en dépend. Mais par-dessus tout, c'est une *formation pour la justice* qui permettra de reconstituer le noyau dur d'une éducation morale des consciences, qui suppose une culture civique faite de non-conformisme et de refus de l'injustice, et qui prépare à une citoyenneté active, dans laquelle la responsabilité d'intervention se substitue à une simple citoyenneté par délégation. De fait, c'est bien par l'appropriation du sens de la justice abstraite (équité, égalité des chances, liberté responsable, respect des autres, défense des plus faibles, appréciation de la différence) que se créent des attitudes psychologiques qui prédisposent à agir de manière concrète pour la justice sociale et la défense des valeurs démocratiques.

En partant ainsi du principe que l'éducation est un bien public (ou pour le moins, un bien quasi public), l'école doit être considérée avant tout comme une institution sociale, ou plus exactement comme une institution appartenant à la société civile. En d'autres termes, l'école ne peut plus être une simple pièce à l'intérieur d'un rouleau compresseur économique qui réduit à néant les liens fragiles de la solidarité humaine.

Si l'on se réfère à la théorie philosophique d'Hannah Arendt, il existe trois sphères de la vie sociale : *la sphère publique, la sphère du marché et la sphère privée.* Alors que la sphère publique doit promouvoir les valeurs d'*équité*, Arendt estime que le marché et le monde du travail conduisent à la discrimination, tandis que la sphère privée se caractérise par l'exclusion, qui est le corollaire de choix individuels.

À partir de ces concepts fondamentaux, l'*école*, indépendamment de son statut spécifique – privé, coopératif ou gouvernemental –, se définit comme *sphère d'action publique*, comme environnement et *locus* de socialisation, tout en apportant une contribution à la sphère économique et à la sphère privée par l'accumulation des qualifications et du capital humain qu'elle produit. Dans des sociétés toujours plus complexes et plus diversifiées sur le plan culturel, l'émergence de l'école en tant que sphère publique met l'accent sur le rôle irremplaçable qu'elle joue pour promouvoir la cohésion sociale, la mobilité humaine et l'apprentissage de la vie en communauté.

En fin de compte, rien de ce qui se passe au sein de l'espace scolaire n'est sans incidences sur le processus de construction de sociétés stables.

En effet, c'est par l'édification de *communautés éducatives plurielles*, gouvernées par des règles de participation démocratique, où l'on privilégie la méthode de la négociation entre les différents points de vue et où l'on refuse toute forme de résolution des conflits naturels par la violence ou l'autoritarisme, que l'on éduque pour une citoyenneté à part entière. Dans le cadre de cette éducation, la tolérance passive fait place à une discrimination positive à l'égard des minorités, dans la mesure où l'objectif qui est à la base de la formation démocratique est l'accès équitable de tous aux droits politiques fondamentaux.

C'est dans une école de ce type, pilier essentiel de *l'éducation tout au long de la vie*, que s'acquièrent les compétences indispensables pour une socialisation permanente, c'est-à-dire pour une consolidation des cultures qui leur permette de résister aux processus d'exclusion en s'appuyant sur des attitudes proactives, susceptibles de réinventer à chaque étape de la vie des rôles sociaux inédits et mobilisateurs. *L'éducation et la socialisation vont de pair tout au long de la vie.*

Le siècle nouveau est, par nature, synonyme d'horizon pour une *espérance nouvelle*. Une espérance qui, parce qu'elle est éminemment humaine et humanisatrice, fait de la priorité éducative son alliée incontournable.

(Fay Chung)

L'éducation en Afrique aujourd'hui

Plus qu'aucun autre continent, l'Afrique a besoin de repenser ses systèmes éducatifs en fonction, d'une part, de la mondialisation de l'économie et, d'autre part, des situations concrètes sur le terrain. De surcroît, les systèmes hérités de l'ère coloniale ont bien trop souvent été conservés plus ou moins intacts, en général dans l'idée de « préserver les normes », pourtant moins réelles qu'illusoires, de toutes petites élites recevant une formation identique à celle qui est dispensée dans les métropoles, tandis que la grande majorité était privée de toute forme d'éducation moderne. Le contraste est saisissant entre l'incapacité de ces élites instruites de transformer les structures sociales féodales et l'agriculture de subsistance traditionnelle de leurs pays, et le succès avec lequel leurs homologues de l'Asie de l'Est sont parvenues à rendre les économies de cette région plus efficaces que leurs modèles occidentaux initiaux. Il y a lieu de s'interroger sur cette faillite d'un côté, cette réussite spectaculaire de l'autre. Il convient de se demander également quel rôle l'éducation a joué dans l'un et l'autre cas.

L'Asie de l'Est a été fortement influencée par le modèle japonais. L'enseignement primaire a été rendu obligatoire pour tous les enfants japonais dès 1870, durant l'ère Meiji. Cela acquis, l'effort se porta sur la généralisation de l'enseignement secondaire, et au lendemain de la Seconde Guerre mondiale, l'enseignement supérieur devint accessible au plus grand nombre. De plus, dès le XIXe siècle, les Japonais étaient tout à fait conscients de la nécessité, pour leur survie même en tant que nation, d'assimiler les mathématiques, la science et la technologie de l'Occident, tout en en rejetant la culture et les valeurs sociales. Non sans arrogance, ils affirmèrent la supériorité de leur langue, de leur littérature, de leur culture et de leur religion, qu'ils préservèrent jalousement. Dans le même temps, avec une humilité tout aussi déterminée, ils entreprirent d'imiter la science et la technologie occidentales, et même, plus tard, de les surpasser.

L'Afrique n'a pas fait un tel choix délibéré. Introduite par les missionnaires chrétiens, l'éducation occidentale y a formé des élites plus versées dans la théologie, l'histoire, la littérature et la culture que dans la science et la technologie, et cette préférence marquée pour les sciences humaines s'observe encore de nos jours. Le symptôme le plus patent de cette orientation occidentale est sans doute le fait que les langues africaines ont été bannies des systèmes éducatifs. Aujourd'hui encore, ces langues ne sont pas enseignées dans la plupart des pays francophones ou lusophones, et même certains pays anglophones en ont critiqué l'utilisation comme étant un « facteur de division » ou une manifestation de « tribalisme ». Au contraire du Japon, l'Afrique n'a pas consciemment refusé la culture et les valeurs occidentales. Elle n'a pas non plus adopté volontairement la science et la technologie de l'Occident. L'Africain converti au christianisme ne voyait dans sa propre culture que superstition et archaïsme, et il la rejetait en bloc comme étant « non civilisée ». En d'autres termes, les Africains instruits ont fait leur la conception que les Européens avaient de la culture africaine traditionnelle.

Non seulement l'éducation continue de reposer en Afrique sur des systèmes et des structures datant de l'époque coloniale, mais elle reste extrêmement élitiste. Très peu de pays africains sont parvenus à généraliser l'enseignement primaire, bien qu'une trentaine d'années se soit écoulée depuis l'accession à l'indépendance de beaucoup d'entre eux. Le bilan est encore plus négatif en ce qui concerne l'enseignement secondaire : nombreux sont les pays d'Afrique où 4 à 5 % seulement des enfants en âge de faire des études secondaires en ont la possibilité. Dans la plupart de ces pays, moins de 1 % du groupe d'âge concerné a accès à une forme quelconque d'enseignement supérieur, contre 25 à 75 % dans les pays industrialisés. Et ceux-là mêmes qui parviennent à s'inscrire dans l'enseignement supérieur se spécialisent rarement dans une discipline scientifique ou technologique.

C'est sur la base de ce constat que nous devons réexaminer les rapports entre l'éducation et le développement économique d'une part, et entre l'éducation et les valeurs culturelles d'autre part. Le «développement» demande à être défini de manière beaucoup plus claire et beaucoup plus précise. La stratégie de développement de l'Afrique semble être presque exclusivement fondée aujourd'hui sur l'*ajustement structurel*, qui est pourtant, à l'évidence, une vision bien trop étroite et exclusivement économiste du développement, ne tenant aucun compte d'autres facteurs extrêmement importants, comme le niveau de développement des ressources humaines d'un pays ou le degré de diversification et d'industrialisation de son économie. Il importe de redéfinir également l'éducation, afin de ne plus perpétuer sans discernement des systèmes et des structures appartenant au passé. L'éducation doit être au service d'un but. À l'Afrique de décider quel est ce but. L'éducation doit jouer un rôle crucial dans le développement économique. Elle a un rôle tout aussi important à jouer dans l'instauration et la définition des valeurs qui feront de l'Afrique un continent politiquement et culturellement uni, harmonieux et tourné vers l'avenir. Ce n'est que lorsque le but de l'éducation aura été clairement identifié que l'Afrique pourra déterminer le type d'éducation le mieux adapté au développement. Ce but doit être décidé en ayant à l'esprit les réalités du *village planétaire* et du *marché mondial*. L'Afrique ne peut plus se permettre de perpétuer son double héritage colonial et féodal en conservant les systèmes et les structures d'éducation du passé sans se soucier de la mutation des autres pays de la planète en des économies industrielles technologiquement avancées. En revanche, étant la dernière à s'engager dans le processus de la modernisation, elle a la possibilité d'éviter les terribles ravages qui en résultent pour l'environnement et pour l'être humain. Ce continent, qui est le moins pollué et dont l'environnement a le moins souffert, doit mettre à profit ces atouts en entrant dans l'ère moderne exempt des effets néfastes que l'on observe ailleurs. Il doit également se préserver de la dégradation des liens humains et sociaux qu'entraîne une conception fausse du progrès. Toute la question est de savoir si l'Afrique est capable de s'industrialiser à un degré suffisant pour accéder enfin à l'indépendance économique, et dans le même temps de se doter d'un système sociopolitique apte à préserver le meilleur du passé tout en assimilant les valeurs universelles qui façonneront le XXIe siècle.

(Bronislaw Geremek)

Cohésion, solidarité et exclusion

Le XXe siècle s'achève sur ce constat un peu amer : les espérances nées en 1900 ont été déçues, et le remarquable progrès technologique et scientifique qui a marqué le siècle n'a pas amené plus d'équilibre entre l'homme et la nature, ni plus d'harmonie entre les hommes. À l'aube du siècle suivant, il importe de définir les défis et les tensions actuels pour proposer une orientation pour l'éducation et les stratégies éducatives. C'est dans cette perspective qu'il convient de situer la cohésion sociale comme l'une des finalités de l'éducation.

Le concept même de cohésion sociale contient une certaine ambiguïté axiologique. Les processus de modernisation présentent des différences très grandes dans l'espace et le temps – dans la zone euro-atlantique, ils font leur chemin entre le XVIe et le XIXe siècle, dans le reste du monde ils se situent au XXe siècle et continuent encore –, mais partout ils se caractérisent par l'intervention grandissante du pouvoir étatique dans les rapports entre les hommes. Le service militaire et l'obligation scolaire, l'ordre public ou les nécessités sanitaires justifiaient tout effort de l'État moderne pour établir – ou imposer – la cohésion sociale qui devait en être le fondement. Mais le XXe siècle a aussi amené l'expérience totalitaire, avec toutes ses contraintes idéologiques et politiques : une pédagogie sociale dans laquelle fonctionnait le système scolaire devait imposer la cohésion sociale et l'uniformisation culturelle. Cela concerne non seulement le couple fascisme-nazisme, ainsi que le communisme, mais aussi certains régimes autoritaires : la tentation totalitaire semble être omniprésente au XXe siècle, s'opposant à l'universalisation des principes démocratiques.

C'est à la suite du constat d'échec des systèmes totalitaires et autoritaires que le dernier quart du XXe siècle a rétabli la prépondérance des droits de l'individu, par rapport aux droits de l'État en particulier. La philosophie des droits de l'homme est devenue une référence universellement admise, l'ingérence directe de l'État dans l'économie ou dans la vie sociale a été considérée comme suspecte et superflue, la liberté individuelle a été reconnue comme une valeur et comme une orientation politique prioritaire. L'année 1989, marquée par le bicentenaire de la Révolution française et la révolution non violente dans les pays de l'Est, était l'aboutissement de cette tendance individualiste. Mais dans le climat de cette fin de siècle apparaissait avec force l'appel à la solidarité – dès 1980 un syndicat polonais s'est opposé au système communiste en prenant le nom de « Solidarité », dans la composition du gouvernement français on trouvait un « ministère de la Solidarité » –, et de cette façon disparaissait la contradiction entre l'individualisme et l'intégration sociale. Bâtir la cohésion de nos sociétés veut dire de nos jours, tout d'abord, respecter la dignité de l'être humain et tisser les liens sociaux au nom de la solidarité. Aucune philosophie particulière ni aucune tradition culturelle ne peuvent s'approprier une telle approche : elle apparaît comme une des aspirations universelles qui définissent l'orientation de l'éducation au tournant du siècle.

La recherche de la cohésion sociale caractérise l'action de l'État dans différents domaines. Il est vrai que l'État est l'émanation d'une identité collective dans laquelle il trouve sa justification, et que toute son action vise à soutenir cette identité – nationale ou civique – en la fondant sur la mémoire d'un passé commun ou sur la défense d'intérêts communs. L'État peut aussi considérer la solidarité comme le fondement et comme l'objectif de ses différentes politiques : politique sociale cherchant à aider les faibles ou à diminuer les inégalités matérielles, politique scolaire assurant le libre accès au savoir et créant les possibilités de communication entre les hommes, politique culturelle soutenant l'activité créatrice et la participation à la vie culturelle. Mais le devenir de l'intégration sociale dépend également de l'action menée par les sociétés elles-mêmes – de l'effort des organisations non gouvernementales, des institutions de la société civile, des rapports entre le capital et le travail, des attitudes et des sensibilités humaines. C'est une éducation tout au long de la vie, comprenant non seulement l'école mais aussi la famille, l'entreprise, les syndicats ou l'armée qui peut les enseigner et les former. « Apprendre à être » à l'aube du XXIe siècle renvoie au respect primordial de la personne humaine dans les rapports sociaux et politiques, dans la relation entre l'homme et la nature, dans la confrontation des civilisations et des économies. En cherchant à comprendre le réel – l'homme et le monde –, il faut apprendre les interdépendances qui créent le besoin de solidarités. Ces solidarités ne sont pas du domaine des bonnes intentions, mais elles résultent des contraintes du temps présent. Elles se situent à des niveaux différents et correspondent à des communautés de tailles diverses. Le phénomène de mondialisation qui apparaît aujourd'hui avec force dans tous les domaines de la vie humaine permet d'envisager sous cet angle les rapports entre le Nord et le Sud, les problèmes de la coopération internationale, ou les stratégies de la paix.

La cohésion sociale et la solidarité apparaissent dans la philosophie éducative du XXe siècle finissant comme autant d'aspirations et de finalités indissolublement liées, en harmonie avec la dignité de la personne humaine. Le respect des droits de l'individu va de pair avec le sens de la responsabilité et incite les hommes et les femmes à apprendre à vivre ensemble. À l'ordre du jour des principales questions auxquelles le monde actuel doit faire face figure pourtant le poids croissant des exclusions.

Les exclusions ne sont pas une invention de la fin du XXe siècle. Elles accompagnent toute histoire de l'humanité, placée sous le signe de Caïn. Les mythologies et les écritures saintes des grandes religions les décrivent, l'anthropologie culturelle et l'histoire sociale les analysent dans le passé et dans le présent. Néanmoins, au cours du dernier tiers du XXe siècle, depuis les événements des années 60 en Europe et aux États-Unis, elles sont devenues un concept courant des sciences humaines et du langage politique. On peut y voir le signe qu'elles sont devenues un problème de société, ou que le phénomène a pris une dimension inconnue jusqu'alors, ou enfin que le besoin de cohésion sociale l'a rendu plus dramatique. En tout état de cause, les exclusions sont devenues l'un des grands défis de la fin de ce siècle, et l'éducation du siècle prochain se doit d'y répondre.

Les historiens de la pauvreté ont démontré que les processus de modernisation ont, à différents moments de l'histoire, amené les sociétés à considérer les pauvres comme des exclus. Ce phénomène apparaît à la fin de ce siècle, d'abord dans la dimension dramatique de la misère croissante dans les pays subsahariens, ensuite dans le chômage qui s'installe de manière durable à l'intérieur des économies capitalistes, et — *last but not least* — dans les migrations vers les pays riches de populations qui fuient la misère et le manque d'espoir qui caractérisent leur pays d'origine. L'expérience des dernières décennies du siècle prouve qu'il n'y a d'autre remède à ces maux que la croissance économique, et l'on sait bien le rôle fondamental que joue l'éducation à cet égard. Mais c'est surtout le problème des attitudes sociales à l'égard de la pauvreté qui est préoccupant : au lieu de compassion et de solidarité on n'observe qu'indifférence, peur et haine.

Il importe de s'efforcer de changer ces attitudes. Un enseignement portant sur l'histoire universelle, sur les sociétés et les cultures du monde entier, associé avec une véritable éducation civique, peut être efficace et conduire à une meilleure compréhension de l'altérité sociale. Pour faire face au problème du chômage, il faudrait repenser notre conception actuelle de l'éducation, briser les cadres contraignants de la scolarité des enfants et dépasser les limites de la scolarité obligatoire pour prévoir, dans la perspective d'une éducation tout au long de la vie, plusieurs périodes d'apprentissage. Le concept de société éducative devrait conduire aussi à réduire l'écart entre le travail qualifié et le travail non qualifié qui est, dans le monde actuel, l'une des sources fondamentales d'inégalité. Le passage de technologies exigeant une grande quantité de main-d'œuvre à des technologies qui économisent le travail humain conduit inévitablement à faire porter l'accent sur la qualité du travail, donc sur l'éducation, mais offre aussi à chacun la possibilité de consacrer plus de temps à apprendre. Le problème du chômage n'en est pas pour autant résolu, mais il n'a plus le même caractère de rupture dramatique avec une société fondée sur le travail.

La question de l'immigration ne se laisse pas analyser seulement en termes de marché du travail, et l'hostilité à l'égard des immigrés ne se réduit pas à la crainte de la concurrence. Dans la plupart des cas, ils occupent dans les pays d'accueil des emplois pour lesquels on ne trouve pas de candidats sur place, parce qu'ils correspondent à des travaux peu qualifiés ou dépréciés. L'altérité prend aussi l'allure de la différence culturelle. Les sociétés traditionnelles disposaient de canaux d'acculturation qui rendaient possible l'urbanisation des ruraux : apprentissage dans les corporations, vie commune dans les confréries, service dans les familles. Les sociétés contemporaines doivent former des instruments d'acculturation qui permettraient d'insérer les immigrés dans le tissu social existant. La prise de conscience de ce problème devrait influencer les systèmes éducatifs contemporains et les rendre aptes à former aussi les adultes, en leur donnant des qualifications, en leur apprenant à apprendre, en leur assurant des structures d'accueil culturel.

Si l'éducation veut jouer un rôle déterminant dans la lutte contre l'exclusion de tous ceux qui, pour des raisons socio-économiques ou culturelles, se trouvent marginalisés dans les sociétés contemporaines, son rôle semble encore plus grand dans l'insertion des minorités dans la société. Les normes juridiques concernant le statut des minorités sont déjà établies et attendent leur application, mais le problème concerne plus la psychologie sociale que le domaine légal. Pour changer les attitudes collectives à l'égard de l'altérité, il faudrait envisager un effort éducatif conjoint de l'État et de la société civile, des médias et des communautés religieuses, de la famille et des associations, mais aussi – sinon en premier lieu – des écoles. L'enseignement de l'histoire et des sciences sociales au sens large, toutes les formes de l'éducation civique devraient former les jeunes esprits à la culture de la tolérance et du dialogue, pour que l'aspiration légitime à préserver des traditions et à conserver une identité collective ne soit jamais conçue en opposition avec l'esprit de fraternité et de solidarité, et pour que le maintien de la cohésion sociale ne soit jamais synonyme de repli sur soi et d'intégrisme.

L'enseignement tout au long de la vie s'oppose tout naturellement à la plus douloureuse des exclusions – l'exclusion par l'ignorance. Les changements que connaissent les technologies de l'information et de la communication – que l'on désigne parfois par le terme de révolution informatique – renforcent encore ce danger et attribuent à l'enseignement un rôle crucial dans la perspective du XXIe siècle. Toutes les réformes éducatives devraient par conséquent s'accompagner d'une prise de conscience des dangers de l'exclusion et d'une réflexion sur la nécessité de préserver la cohésion sociale.

(Aleksandra Kornhauser)

Créer l'occasion

Pour tous les membres de la Commission internationale sur l'éducation pour le XXIe siècle, ce fut un plaisir que de participer à l'entreprise qui s'achève avec la publication du présent rapport. Mais ce qui compte vraiment à présent, ce n'est pas la satisfaction du travail accompli, c'est la réflexion à conduire sur la mise en œuvre des idées et des recommandations.

Le miroir de l'expérience nous renvoie l'image d'un monde qui se trouve dans une situation dramatique. L'appel à l'optimisme que lance le rapport est plus que justifié : si, en effet, ceux qui sont aux postes de commande se montrent pessimistes et cyniques dans leur approche du problème, quel espoir reste-t-il au plus grand nombre ? Il faut nous armer d'enthousiasme pour mener l'action destinée à surmonter les situations critiques si nous voulons vraiment attendre les nobles objectifs exposés dans le rapport.

Il ne suffit pas de saisir les occasions à mesure qu'elles se présentent. Nous devons les créer. L'article ci-après vise, au moyen de trois exemples puisés chez les pays en transition, à énoncer quelques idées et à définir quelques initiatives à retenir pour mettre nos recommandations en œuvre.

(Comprendre la notion de développement humain durable)

Dans la pratique éducative, cette notion reste beaucoup trop souvent vague. On explique généralement qu'elle correspond au besoin urgent de protéger l'environnement par la réduction de la consommation mondiale, notamment la consommation de ressources non renouvelables. Le monde développé n'est en réalité pas très enthousiaste face à une telle obligation. Quant aux pays en développement, ils s'y opposent dans la pratique en disant, et l'argument est parfaitement justifié, qu'ils vivent depuis longtemps sans consommer davantage que le strict nécessaire et qu'ils ont donc le droit de s'adjuger à l'avenir une plus large part des ressources. Semblable est la situation des pays en transition, où l'effondrement de l'économie a provoqué une crise sociale extrêmement grave et où les problèmes du développement futur sont relégués au second plan par la lutte quotidienne pour la survie. Les limites du modèle n'engendrent donc pas l'enthousiasme.

Il est besoin d'une autre approche du développement humain durable. Le « développement » doit être la promesse optimiste d'une vie meilleure pour tous. « Humain » devrait faire référence à un autre système de valeurs, qui donne plus de poids aux richesses non matérielles et à la solidarité, et devrait aussi montrer la voie d'une plus grande responsabilisation de l'humanité vis-à-vis de l'environnement. Enfin, « durable » devrait avant tout avoir le sens de « meilleur », c'est-à-dire que ce développement devrait permettre à tous d'atteindre un niveau de vie plus élevé en consommant moins. Autrement dit, le développement humain durable devrait s'entendre dans le sens du progrès obtenu par l'amélioration de la qualité de toute activité humaine.

Pour accéder à une meilleure qualité de vie, nous devons améliorer nos connaissances. Il nous faut progresser dans les domaines de la science et de la technologie, des sciences sociales et des sciences humaines. Ces connaissances doivent être intégrées dans l'expertise nationale et locale. Pour être sûrs que la qualité existe sur le plan humain, nous avons besoin aussi d'améliorer notre système de valeurs. C'est l'intime alliance des connaissances et des valeurs qui fait la sagesse.

Le rapport consacre une grande place aux valeurs dont le XXIe siècle aura besoin. Les valeurs trouvent place dans les cultures locales et nationales et aussi dans la culture mondiale. Nous devons rouvrir le dialogue entre gens de science et gens de culture. Le fossé qui sépare les uns et les autres aujourd'hui n'a rien de naturel ni d'historique. Cette aliénation, qui est essentiellement caractéristique du XXe siècle, est due pour une bonne part à l'indifférence de l'éducation pour l'intégrité de la personne humaine.

Comment pouvons-nous mettre en pratique ces idées de développement humain durable revêtant donc la forme d'un mouvement d'aspiration à la qualité ? Pour avoir participé à des activités de l'UNESCO et du PNUD visant à catalyser la conception et l'exécution de programmes nationaux de développement humain durable, je peux donner ici un exemple.

Dans plusieurs pays en transition d'Europe centrale et orientale, la stratégie suivante a été proposée, et est déjà partiellement mise en œuvre : il est constitué (ou il est proposé de constituer) un conseil national, au niveau de la présidence ou du Parlement, composé de personnalités du monde politique, du monde économique, de la science et de la culture. Ce conseil est chargé de définir les orientations générales de la politique à suivre, de lancer des initiatives et d'élaborer des stratégies d'exécution. Il incite à l'action et il évalue les tendances. Il dispose d'un organe d'exécution, sous la forme d'un comité exécutif de coordination composé de représentants de tous les grands secteurs : les pouvoirs publics, la production, le commerce, la science, l'éducation, la culture, les ONG et les médias. Le comité exécutif de coordination doit prendre des initiatives et appliquer les stratégies, mobiliser les secteurs appelés à prêter leur concours, intégrer les actions, évaluer les résultats et promouvoir les pratiques jugées les meilleures. Chaque secteur crée ses propres groupes de travail en vue de projets particuliers.

Où intervient l'éducation dans cette initiative ? Partout ! Les universités et les académies des sciences (qui sont les unes et les autres des institutions éducatives intégrant connaissances et valeurs) jouent un rôle majeur au sein du conseil national et de son comité exécutif de coordination. Les pouvoirs publics ne peuvent pas maîtriser leurs nouvelles tâches sans connaissances nouvelles – il faut donc mettre au point et proposer à ce secteur un programme de cours qui lui apporte des idées et des exemples de pratiques souhaitables. Dans le secteur de la production, il faut adopter de nouveaux procédés de fabrication et de nouveaux produits qui soient propres (ou plus propres) par rapport à l'environnement. Les capitaux pouvant être investis étant limités, les procédés à forte intensité de connaissances sont largement prioritaires. Pour développer et transférer les connaissances, il faut que la recherche aille de pair avec l'éducation. Le commerce requiert la connaissance du marché mondial et des compétences dans le domaine de l'entreprise, connaissances et compétences qui font défaut aux pays en transition.

Là encore, c'est l'éducation (entendue au sens large) qui peut apporter ces compétences et intégrer les valeurs socioculturelles. Enfin, et ce n'est pas le moins important, il faut aussi éduquer les journalistes, les lecteurs et les téléspectateurs afin de motiver le grand public. La sensibilisation à l'environnement est plus souvent axée sur la protestation que sur la participation active à des actions de prévention de la dégradation et d'amélioration de l'environnement sur les lieux de travail et dans la vie quotidienne.

L'éducation sert de ciment à la construction du développement humain durable. Il faut élaborer des stratégies et des programmes d'éducation relative à l'environnement qui embrassent à la fois l'enseignement scolaire et l'éducation informelle, qui adoptent la perspective de l'éducation permanente et qui soient mis en œuvre par les pouvoirs publics, le secteur de la production, celui du commerce ainsi que par les communautés locales.

Certains trouveront peut-être que cette approche est trop complexe. Pourtant, elle semble donner de bons résultats dans plusieurs pays en transition. La tradition de l'économie planifiée favorise souvent au départ l'approche centralisée, qui va du sommet vers la base. Mais la nécessité de multiplier les possibilités suscite rapidement des initiatives à la base.

Dès que nous commençons à mettre en œuvre la notion de développement humain durable, le nouveau concept d'éducation que la Commission présente dans son rapport devient essentiel. L'expérience montre qu'il faut rechercher et promouvoir l'intégration des connaissances et des valeurs pour parvenir à une société plus humaniste, créer un sens très fort de responsabilité vis-à-vis de l'environnement local, national et mondial et aviver l'enthousiasme qui doit animer la volonté de vivre ensemble. La participation de personnalités du monde de la politique comme du monde de la production, de la science et de la culture aux programmes produits à cet effet pour les médias s'est révélée un puissant catalyseur.

Tolérance ou respect ?

Il y a une autre notion qui fait l'objet de maints débats, en particulier dans les pays en transition : celle de tolérance. Dans les années à venir, la tolérance ne suffira peut-être pas et il nous faudra pour vivre ensemble passer de la tolérance à une coopération active. Celle-ci implique des efforts communs pour protéger la diversité. On ne devra plus dire « je suis tolérant » mais « je respecte ».

L'effondrement des régimes politiques reposant sur la contrainte a été suivi de multiples exemples d'intolérance. Cet effondrement a suscité chez beaucoup de pays l'espoir d'accéder à la liberté, y compris la liberté de choisir de s'intégrer ou non à des ensembles plus vastes. Dans plusieurs pays, on s'est servi de cette situation pour semer l'intolérance et la haine, créant ainsi le danger de la guerre, voire la guerre elle-même. Ce qui est déplorable, c'est que des populations qui ont vécu pacifiquement ensemble pendant un demi-siècle au moins, dans le même pays ou dans des pays voisins, se haïssent aujourd'hui profondément. Pourquoi ont-elles donc accepté l'« explication » selon laquelle l'autre nation, l'autre religion ou l'autre culture les briment ou même menacent leur existence depuis des siècles ?

C'est l'éducation qui est responsable. Si elle n'était pas manipulée à des fins politiques de valeur douteuse, si elle était plus objective dans l'évaluation du passé, si elle intégrait les valeurs individuelles et locales dans les valeurs mondiales, les gens ne seraient pas si facilement trompés par la propagande.

Pour favoriser une meilleure compréhension mutuelle, il a été proposé de faire écrire les manuels d'histoire par des équipes d'historiens de pays voisins, mais les historiens eux-mêmes ont été nombreux à rire de cette idée. Pourtant, il nous faut poursuivre dans cette voie. Nous avons besoin d'idées « folles » comme celle-ci quand, manifestement, les approches habituelles ne donnent aucun résultat. Quel espoir pouvons-nous avoir dans l'avenir si on ne nous donne pas une représentation plus fidèle du passé ? Si les faits étaient présentés avec un plus grand souci d'exactitude, si l'explication qui en est donnée était moins nationaliste ou hégémoniste, si elle tenait davantage compte des valeurs humaines individuelles et universelles, il serait plus difficile de tromper l'opinion publique. Il faut faire progresser l'éducation sur deux autres plans au moins pour faire échec à cette manipulation de l'opinion publique : il faut utiliser davantage la méthode scientifique, qui repose sur l'observation objective et tire ses conclusions de données qu'il n'est pas facile de truquer ; et il faut mettre l'accent sur les valeurs culturelles universelles qui, au-delà de la tolérance, promeuvent le goût de la diversité culturelle. Nous avons déjà de bons programmes pour la protection de la diversité biologique. À l'aube du XXIe siècle, la protection de la diversité culturelle doit devenir un élément essentiel de tous les programmes d'éducation permanente.

Relier l'éducation au monde du travail

C'est là une autre tâche urgente. Or on considère souvent qu'inclure dans l'éducation des situations de travail, c'est s'engager sur une pente dangereuse quand on veut améliorer la qualité de l'éducation, en particulier dans les universités des pays en transition. Le fait que la structure de l'emploi évolue rapidement sert de prétexte pour éviter d'établir tout lien direct avec les futurs employeurs et pour affirmer que les connaissances de base suffisent à préparer l'individu à affronter un monde en mutation.

Les résultats positifs obtenus par beaucoup d'universités très respectées sur le plan international contredisent cette approche. La coopération avec l'industrie et avec l'agriculture a aussi fait la preuve qu'elle relève la qualité de l'enseignement du troisième degré dans les pays en transition et dans les pays en développement, en particulier quand elle a l'appui des autorités nationales.

Plusieurs projets université-industrie montrent que la participation directe d'étudiants et d'enseignants d'université au monde du travail est très bénéfique : on apprend à travailler en groupe ; on affronte des problèmes concrets qui font passer du domaine des idées au marché ; on constate que l'information la plus récente ne suffit pas vraiment pour soutenir la concurrence économique à l'échelle mondiale et qu'il faut se servir des systèmes d'information internationaux ; on apprend à acquérir et à organiser l'information puisée à différentes sources ; on recherche les systèmes de connaissances susceptibles de servir de base à la formation d'hypothèses ; on conçoit des interactions entre le traitement de l'information et la recherche expérimentale et on apporte son concours à des productions pilotes ; on recherche des créneaux et on apprend comment un marché se crée ; on identifie les possibilités de transfert de connaissances et de technologies et on établit la liste des technologies qu'il ne convient pas de transférer ; on intègre les normes environnementales dans les considérations technologiques et économiques ; on se dote des compétences nécessaires dans une entreprise ; on apprend à connaître les possibilités de travail indépendant, c'est-à-dire à remplacer « l'attente d'un emploi » par « la création d'emplois », etc.

Les valeurs font partie intégrante de tout projet université-industrie ou université-agriculture, surtout si sont pris en compte les paramètres technologiques et socio-économiques du développement humain durable. La mise au point de procédés de fabrication et de produits propres ou plus propres, la prévention de la pollution et la gestion des déchets sont des domaines qui offrent de multiples possibilités.

Apprendre à résoudre les problèmes concrets au moyen de méthodes pédagogiques liées à la recherche dans l'enseignement du troisième degré, et par les méthodes d'investigation au niveau préuniversitaire est particulièrement utile aux pays en transition et aux pays en développement où il est urgent d'améliorer le transfert de connaissances et de technologies à l'échelle nationale comme à l'échelle internationale.

Suivi

Le rapport est fondé sur les expériences recueillies et les espoirs exprimés dans le monde entier. Quel sera son avenir ? Va-t-il être une pierre angulaire du développement de l'éducation ? Va-t-il jeter les bases d'un nouveau départ, faire mieux prendre conscience de la nécessité d'apprendre à connaître, à faire, à être, à vivre ensemble ? Ou bien ce rapport ne sera-t-il qu'un événement de plus, qui aura peut-être quelque éclat, mais ne changera pas grand-chose ? La réponse dépend d'abord de ce que feront les autorités nationales.

Pour ces dernières, l'appui de la communauté internationale sera crucial. Le danger majeur est que des idées nouvelles s'éteignent sous la pression des pratiques actuelles, avant d'avoir assez de force pour s'imposer dans des conditions souvent difficiles. Un programme international visant à assurer la reconnaissance et la diffusion des pratiques souhaitables, hors des habitudes ayant cours dans l'éducation, pourrait favoriser la survie et le développement des principaux éléments sur lesquels le rapport met l'accent.

(Michael Manley)

Éducation, autonomisation et réconciliation sociale

Je profite de la possibilité offerte à chaque membre de la Commission pour ajouter quelques brèves observations personnelles. Non point pour apporter quoi que ce soit de neuf au Rapport, qui est déjà très complet, mais pour insister sur certains points.

Je m'en tiendrai aux remarques suivantes :

En premier lieu, pour autant que nous puissions anticiper le futur à partir des enseignements du présent, le processus éducatif devra assurer à l'avenir une fonction contradictoire.

D'une part, le système éducatif est par définition le gardien de certaines normes : normes d'excellence intellectuelle, de vérité scientifique et de pertinence technologique. À ce titre, il a tendance a être exclusif, pour concentrer toutes les énergies sur les élèves qui montrent des capacités et des aptitudes cadrant avec les normes d'excellence, les autres étant en général relegués dans des filières de formation de second ordre, par un processus d'exclusion de ce que la société peut offrir de mieux.

D'autre part, nous vivons dans un monde de plus en plus déchiré par des divisions irréductibles. Ainsi, les États-Unis risquent de s'enfoncer dans une scission permanente entre une classe inférieure composée en grande partie de Noirs, et le reste de la société, à majorité blanche.

En Europe, le tissu social commence à se déchirer avec les tensions qui se font jour entre les populations de souche, majoritaires, et les travailleurs migrants minoritaires. Les conflits ethniques ont mis la Bosnie et le Sri Lanka en pièces, et des conflits semblables entre tribus ont des résultats analogues au Nigeria, en Angola et au Rwanda. Bref, le monde a désespérément besoin d'influences jouant dans le sens de l'intégration, de l'apaisement et de l'union. Celles-ci ne sauraient avoir quelque chance de succès si elles naissent d'une démarche politique. Bien souvent, en effet, ce sont ces tensions qui commandent le jeu politique. C'est vrai aussi des parents qui, par la force des choses, sont fréquemment à l'origine du problème. C'est le système éducatif, et en particulier l'école, qui offre les meilleures chances et peut-être le seul espoir d'amorcer le processus d'apaisement et d'intégration sociale.

Il faut que l'école sème dès à présent le bon grain du souci de l'autre, pour éviter que les classes défavorisées ne soient victimes d'une idéologie de l'exclusion. Il faut aussi qu'elle cultive l'idée d'une humanité transcendant les catégories sociales, où chacun occupe un rang égal dans un processus d'intégration permanente, qu'il soit brillant ou ordinaire, voire handicapé, qu'il soit musulman ou chrétien, haoussa ou ibo, irlandais catholique ou protestant.

En ce sens, il faut que l'école, qui doit aussi être la gardienne de certaines normes, serve de catalyseur de valeurs humaines aussi universelles que les vérités scientifiques, et qui doivent absolument être protégées. Bien plus, si nous ne parvenons pas à une percée générale, décisive, de l'éducation multiculturelle, nous nous apercevrons sans doute que les progrès de la transmission des connaissances techniques peuvent avoir finalement un impact négatif. Il n'est pas impensable qu'un jour nous nous retrouvions avec des élites formées pour se combattre avec des armes de plus en plus meurtrières. Ainsi, de nouveaux nettoyages ethniques encore plus efficaces pourraient être le prix à payer pour avoir négligé l'une des deux missions de l'éducation.

En second lieu, le rôle que l'éducation doit jouer dans l'autonomisation des individus peut s'envisager à deux niveaux, l'un très évident, l'autre, plus profond. Il va sans dire qu'un jeune sera son propre maître dans la mesure où son éducation lui aura donné des compétences monnayables sur le marché du travail. Mais cela implique aussi l'apprentissage de compétences sociales qui ne s'acquièrent qu'en comprenant comment fonctionnent les sociétés, quels sont les systèmes de pouvoir et les leviers qui les commandent, comment peser sur les décisions et à quel point la dynamique sociale compte dans tout cela : on pourrait multiplier les exemples quasiment à l'infini. Si le processus éducatif ne facilite pas tout cet apprentissage, les classes défavorisées des pays riches resteront prisonnières de leur impuissance, et les pays en développement ne pourront jamais se donner les moyens de progresser, parce qu'ils ne seront pas à même de profiter des possibilités qu'offre le marché mondial. Qui plus est, toutes les sociétés, quel que soit leur stade de développement, seront soumises à des tensions de plus en plus fortes, à mesure que la fracture entre riches et pauvres continuera à s'élargir et à devenir de plus en plus difficile à réduire.

Aujourd'hui, la situation dans le monde est dramatique et pourrait devenir désastreuse. Les programmes de réforme imposés par le Fonds monétaire international et les programmes d'ajustement structurel de la Banque mondiale ont pénalisé les pays en développement, les privant des moyens financiers d'améliorer quantitativement et qualitativement leur système éducatif. Les actions entreprises récemment pour corriger le tir sont beaucoup trop modestes et viennent beaucoup trop tard.

Ainsi, loin d'être le moteur d'une conquête individuelle et collective de l'autonomie, l'éducation se détériore dans de nombreuses parties du monde.

Le plus paradoxal est que l'UNESCO appelle à imaginer de nouveaux paradigmes pour le XXIe siècle, alors que les institutions financières multilatérales, qui sont elles-mêmes issues de Bretton Woods et du système des Nations unies, conspirent pour faire en sorte que le modèle omniprésent depuis quelques années se résume à la formule « compression et régression ».

Il nous faut réclamer instamment un renversement décisif de cette tendance, sans lequel nos recommandations perdent toute crédibilité. Les paradoxes inhérents aux deux premiers points évoqués plus haut amènent à la troisième question sur laquelle il faut insister. Pour être efficace, il faut que le système éducatif fonctionne dans le cadre d'un contrat social, compris et défendu par tous. Les gouvernements ont l'énorme responsabilité de faire accepter ce contrat, selon un processus qui devrait commencer au sein du corps politique lui-même. Il est indispensable que les dirigeants politiques l'approuvent pour que la société en général puisse le faire aussi. C'est le seul moyen pour nous de faire en sorte que l'éducation réponde à la fois à la nécessité de normes et à l'impératif d'un large consensus national sur la justice sociale.

(Karan Singh)

Éduquer pour la société mondiale

Alors que s'écoule la dernière décennie de ce siècle extraordinaire, marqué par des destructions sans précédent et des progrès dépassant l'imagination, par les massacres les plus cruels de mémoire humaine et des avancées stupéfiantes en matière de bien-être, par la mise au point d'armes d'une puissance jusque-là inconnue et l'exploration féconde de l'espace, nous voici parvenus à un point crucial de la longue et tortueuse histoire de notre espèce sur la planète Terre. Il est à présent tout à fait clair que l'humanité accouche dans les convulsions d'une société planétaire. Nous vivons dans un monde où les distances ne cessent de rétrécir et où nous devrons renoncer à l'héritage pernicieux du passé, tout de conflits et de concurrence, au profit d'une nouvelle culture de la convergence et de la coopération, et combler le fossé alarmant entre pays développés et pays en développement si nous ne voulons pas voir les riches promesses du prochain millénaire s'évanouir dans les luttes et le chaos dont de nombreuses régions du globe sont déjà la proie. Tel est fondamentalement le défi que l'éducation aura à relever au XXIe siècle.

Non que les ressources intellectuelles ou économiques nous fassent défaut pour nous attaquer aux problèmes. Les percées de la science et les inventions technologiques nous ont donné les moyens de surmonter toutes ces difficultés. Ce qui nous manque pour les utiliser de manière créative, c'est la sagesse et la compassion. Le savoir progresse, mais la sagesse languit. Ce gouffre béant devra être comblé avant la fin du siècle pour que s'inverse enfin l'actuelle tendance qui mène au désastre, et c'est en cela que l'éducation, comprise au sens le plus large du terme, revêt une importance vitale. Les systèmes éducatifs nationaux sont presque invariablement fondés sur des principes découlant de croyances antérieures à l'ère nucléaire et planétaire, de sorte qu'ils sont incapables d'offrir le nouveau modèle de pensée qu'exigent aujourd'hui le bien-être et la survie de l'humanité. Des orthodoxies d'un autre âge et des orientations dépassées continuent d'empêcher les jeunes générations de prendre conscience de manière adéquate de l'unité fondamentale du monde qui les a vues naître. De fait, en encourageant des attitudes négatives à l'égard d'autres groupes ou nations, elles freinent l'avènement d'une pensée mondialiste.

Il est rare que le formidable potentiel que représentent les moyens de communication prodigieux, tissant aujourd'hui leur réseau autour de la planète, soit mis à profit pour propager des valeurs universelles et forger une conscience plus attentive et compatissante à l'égard d'autrui. Au contraire, les médias ne sont que violence et horreur, cruauté et carnage, consommation effrénée et promiscuité impudique, avec pour effet non seulement de déformer les jeunes esprits, mais encore de nous rendre insensibles à la souffrance et à la douleur humaines. Il est par conséquent urgent que nous entamions une révolution créative de nos politiques de l'éducation et de la communication. Nous devons mettre en place, à l'échelle du globe, des programmes soigneusement structurés, fondés sans ambiguïté sur l'idée que la survie de l'humanité dépend du développement d'une conscience mondialiste capable de créativité et de compassion. La dimension spirituelle doit être au cœur de notre réflexion nouvelle sur l'éducation.

Il nous faut avoir le courage de penser à l'échelle planétaire, de rompre avec les modèles traditionnels et de plonger résolument dans l'inconnu. Nous devons mobiliser toutes nos ressources intérieures et extérieures pour entreprendre délibérément de bâtir un monde nouveau fondé sur la solidarité et non plus sur la destruction mutuelle. Citoyens du monde soucieux de la survie et du bien-être de notre espèce, nous devons utiliser l'arsenal le plus moderne des méthodes pédagogiques novatrices et interactives en vue de mettre sur pied un programme d'éducation mondial qui ouvrirait les yeux des enfants comme des adultes à l'avènement de l'ère planétaire, et leurs cœurs aux cris des opprimés et de ceux qui souffrent. Et le temps presse, car parallèlement à l'émergence de cette société planétaire, les forces sinistres du fondamentalisme et du fanatisme, de l'exploitation et de l'intimidation poursuivent leur œuvre.

Soyons par conséquent, sans perdre un instant, les pionniers et les propagateurs d'une philosophie holistique de l'éducation pour le XXIe siècle fondée sur les prémisses suivantes :

a) La planète Terre que nous habitons et dont nous sommes tous les citoyens est une seule entité bourdonnante de vie ; l'espèce humaine est, en dernière analyse, une famille étendue dont tous les membres sont solidaires – *Vasudhaiva Kuktumbakam* disent les Veda ; les différences de race et de religion, de nationalité et d'idéologie, de sexe et de préférence sexuelle, de statut économique et social – bien que significatives en soi – doivent être replacées dans le contexte plus général de cette unité fondamentale.

b) L'écologie de la planète doit être préservée des destructions inconsidérées et de l'exploitation sauvage, et enrichie pour le bénéfice des générations encore à naître ; il faut promouvoir un mode de consommation plus équitable sur la base des limites de la croissance, et non d'un gaspillage effréné.

c) La haine et le sectarisme, le fondamentalisme et le fanatisme, l'envie et la jalousie, entre individus, entre groupes ou entre nations, sont des passions destructrices dont il nous faut avoir raison au seuil du nouveau siècle ; l'amour et la compassion, le souci d'autrui et la charité, l'amitié et la coopération doivent être encouragés au moment où notre conscience s'éveille à la solidarité planétaire.

d) Les grandes religions du monde en quête de la suprématie doivent cesser de se combattre et coopérer pour le bien de l'humanité, afin de renforcer, à la faveur d'un dialogue permanent et créatif entre les différentes confessions, le fil d'or que constituent leurs aspirations spirituelles communes, en renonçant aux dogmes et anathèmes qui les divisent.

e) Un élan puissant et concerté sera nécessaire pour éliminer le fléau de l'analphabétisme dans le monde entier d'ici à l'an

2010, en faisant tout spécialement porter les efforts sur les femmes, en particulier dans les pays en développement.

f) L'éducation holistique doit prendre en compte les multiples facettes – physique, intellectuelle, esthétique, émotionnelle et spirituelle – de la personnalité humaine, et tendre ainsi à la réalisation de ce rêve éternel : un être humain parfaitement accompli vivant dans un monde où règne l'harmonie.

(Rodolfo Stavenhagen)

L'éducation pour un monde multiculturel

Grands sont les défis que l'éducation est appelée à relever dans un monde de plus en plus multiculturel. Alors que la mondialisation se fait plus tangible pour les habitants de la planète, l'idée s'impose brusquement que « mon voisin n'est peut-être plus quelqu'un comme moi ». Pour beaucoup, cette découverte peut être un choc, car elle remet en question les conceptions traditionnelles du voisinage, de la communauté et de la nation, jusque-là immuables ; elle bouscule des modes de relation avec les autres établis de longue date et marque l'irruption de la diversité ethnique dans la vie quotidienne.

D'une part, la mondialisation de l'économie amène les producteurs et les consommateurs de continents et de régions différents à nouer des relations fonctionnelles. Les sociétés transnationales modernes sont organisées de telle manière qu'il arrive qu'un même produit soit fait d'éléments fabriqués par de multiples usines, toutes situées dans un pays différent. Les dirigeants et les employés de ces entreprises géantes passent souvent plus de temps à voyager d'un pays à l'autre qu'à partager la vie de leur famille et de leurs amis, un peu comme les mercenaires du temps jadis. Il serait naïf de croire que l'actuelle restructuration des relations économiques mondiales est sans conséquences sur les attitudes et les valeurs personnelles de tous les individus concernés – depuis l'ouvrier non qualifié travaillant à la chaîne dans un pays pauvre jusqu'au consommateur qui constate sur les étiquettes que les produits qu'il achète sont fabriqués dans de lointains pays.

D'autre part, l'expansion rapide des réseaux de communication, en particulier dans le domaine des médias audiovisuels, fait surgir des événements que l'on avait coutume de considérer comme étrangers et lointains dans l'intimité de millions de foyers, dans les grandes métropoles, les bidonvilles ou les villages reculés. L'exotique n'est plus distant, et le distant devient toujours plus familier. Comme les industries culturelles propagent les styles de vie des classes moyennes, urbanisées et industrielles, de l'Occident par le truchement des antennes paraboliques et des distributeurs de cassettes vidéo, le monde multiculturel tend à s'uniformiser et les valeurs culturelles propres à ces styles de vie deviennent, en quelque sorte, des normes internationales à l'aune desquelles les populations locales (en particulier les jeunes) mesurent leurs acquis et leurs aspirations.

La mondialisation a pour contrepoint les mouvements massifs de population à travers les frontières internationales. Si, dans le passé, les colonisateurs européens ont essaimé dans les régions prétendument sous-développées, au cours des dernières décennies, ce sont les travailleurs migrants de toutes les anciennes colonies et des économies périphériques qui, avec leurs familles, ont afflué par millions dans les zones industrielles de l'Europe et de l'Amérique du Nord à la recherche d'une vie meilleure, et bien souvent aussi pour échapper à l'oppression politique et sociale. Au moment où les anciennes puissances industrielles commencent en fait à se « désindustrialiser » et à exporter une part importante de leurs activités manufacturières, l'afflux massif de populations de cultures diverses venues des pays du tiers-monde soumet à des tensions croissantes les marchés traditionnels de l'emploi et le tissu social des pays d'accueil.

La plupart des États-nations modernes sont bâtis sur l'hypothèse qu'ils sont, ou devraient être, culturellement homogènes. Cette homogénéité constitue l'essence de la « nationalité » moderne, dont découlent aujourd'hui les notions d'État et de citoyenneté. Peu importe que, dans la plupart des cas, la réalité démente ce modèle – de nos jours, les États monoethniques sont l'exception plus que la règle. Mais l'idée d'une nation monoethnique, culturellement homogène, est invoquée le plus souvent pour masquer le fait que de tels États mériteraient plutôt d'être qualifiés d'ethnocratiques, dans la mesure où un seul groupe ethnique majoritaire ou dominant parvient à y imposer sa vision propre de la « nationalité » aux autres composantes de la société. En pareil cas, les groupes ethniques qui ne se conforment pas au modèle dominant sont traités comme des « minorités », sur le plan numérique, mais aussi et surtout sociologique et politique. Il n'est pas rare que cette contradiction soit source de tensions et de conflits sociaux, dont on a assisté ces dernières années à l'escalade dans un certain nombre de pays. De fait, on constate que nombre de conflits ethniques aujourd'hui dans le monde ont leur origine dans des problèmes imputables à la manière dont l'État-nation moderne gère la diversité ethnique à l'intérieur de ses frontières.

Les politiques sociales, culturelles et éducatives adoptées par les États à l'égard des divers peuples, nations et groupes ethniques vivant sur leur territoire reflètent directement ces tensions. L'un des principaux rôles assignés à l'enseignement scolaire dans bien des pays a été de former de bons citoyens respectueux des lois, qui partageront une même identité nationale et se montreront loyaux envers l'État-nation. Si cette mission a, sans nul doute, servi de nobles buts, et a même été nécessaire dans certaines circonstances historiques, elle a aussi abouti dans bien des cas à la marginalisation – voire à la disparition – de quantité de groupes ethniques différents dont la culture, la religion, la langue, les croyances ou le mode de vie n'étaient pas conformes au prétendu idéal national.

Les minorités religieuses, linguistiques et nationales, comme les populations autochtones et tribales, ont souvent été subordonnées, parfois par la force et contre leur gré, aux intérêts de l'État et de la société dominante. Si beaucoup ont ainsi acquis une nouvelle identité et une nouvelle conscience nationale (en particulier les émigrants venus s'établir en terre nouvelle), d'autres furent contraints à abandonner leur culture, leur langue, leur religion et leurs traditions et à s'adapter à des normes et à des usages étrangers, renforcés et perpétués par les institutions nationales, et notamment les systèmes éducatifs et juridiques.

Dans de nombreux pays, les buts et les impératifs d'un système éducatif « national » entrent en conflit avec les valeurs, les intérêts et les aspirations de groupes culturellement distincts. Dans le même temps, notre monde caractérisé par une interdépendance croissante suscite des tendances antagonistes poussant dans des directions opposées : d'une part, la tendance à l'homogénéisation au niveau national et à l'uniformisation au niveau mondial, de l'autre, la quête de racines, d'une particularité communautaire qui pour certains ne peut exister que si l'on renforce les identités locales et régionales, en gardant une saine distance avec les « autres », parfois perçus comme une menace.

Une situation aussi complexe représente un défi pour le système éducatif et pour les politiques culturelles soutenues par l'État, ainsi que pour le fonctionnement des rouages du marché dans les domaines (notamment) de la communication et des loisirs – ces vastes réseaux où les industries culturelles planétaires mènent la danse. Ces dernières années, les politiques traditionnelles de l'éducation fondées sur le postulat d'une culture nationale homogène ont été soumises à un examen de plus en plus critique. Un nombre croissant d'États non seulement tolèrent les formes d'expression de la diversité culturelle, mais reconnaissent désormais que, loin d'être des obstacles gênants, le multiculturalisme et la pluriethnicité sont les véritables piliers d'une intégration sociale démocratique. L'éducation devra au XXIe siècle s'attaquer à ce défi, et les systèmes éducatifs (entendus au sens le plus large possible) auront à faire preuve de suffisamment de souplesse et d'imagination pour trouver le juste point d'équilibre entre les deux tendances structurelles que nous avons évoquées.

Une éducation véritablement multiculturelle devra être capable de répondre à la fois aux impératifs de l'intégration planétaire et nationale et aux besoins spécifiques de communautés particulières, rurales ou urbaines, ayant leur propre culture. Elle amènera chacun à prendre conscience de la diversité et à respecter les autres, qu'il s'agisse de ses proches voisins, de ses collègues sur le terrain ou des habitants d'un lointain pays. Pour qu'une telle éducation réellement pluraliste voie le jour, il sera nécessaire d'en repenser les objectifs – que signifie éduquer et être éduqué ? –, de remodeler les contenus et les programmes des établissements scolaires de type classique, d'imaginer de nouvelles méthodes pédagogiques et de nouvelles approches éducatives, et d'encourager l'émergence de nouvelles générations d'enseignants-apprenants. Une éducation réellement pluraliste se fonde sur une philosophie humaniste, c'est-à-dire sur une éthique qui voit les conséquences sociales du pluralisme culturel sous un jour positif. Les valeurs du pluralisme humaniste et culturel qui sont nécessaires pour inspirer une telle mutation de l'éducation font parfois défaut ; elles doivent être propagées par le processus éducatif lui-même, qu'elles renforceront en retour.

De nombreux observateurs sont toutefois profondément sceptiques à l'égard du pluralisme culturel et de son expression dans une éducation multiculturelle. Tout en se déclarant favorables à la diversité culturelle (qui pourrait la nier dans le monde d'aujourd'hui ?), ils doutent qu'il soit bien avisé de l'accentuer par l'éducation. Ils craignent que cela ne conduise à la cristallisation d'identités séparées, au renforcement de l'ethnocentrisme, à la prolifération des conflits ethniques et, pour finir, à la désintégration des États-nations existants. Certes, il ne manque pas d'exemples, de nos jours, de nationalismes ethniques excessifs poussant au séparatisme politique et à la décomposition sociale, pour ne rien dire des massacres allant jusqu'au génocide et des campagnes de purification ethnique nourries par la haine. Pourtant, la diversité ethnique ne disparaîtra pas par enchantement, et il n'est pas réaliste de blâmer les politiques multiculturalistes pour les nombreux conflits qui, bien souvent, ont précisément pour origine la non-reconnaissance de la diversité ethnique ou son anéantissement.

Les critiques adressées au multiculturalisme (terme qui revêt des significations différentes selon les contextes) émanent parfois de groupes ethniques nationalistes persuadés que des éléments étrangers (immigrants, minorités culturellement différenciées) mettent en péril l'« essence » de leur nation. Mais elles sont aussi le fait de libéraux bien intentionnés qui souhaiteraient édifier une nation « civique » où chacun, quelles que soient sa race, sa langue, ses origines, sa religion ou sa culture, serait considéré d'égale valeur. Ces libéraux pensent qu'en mettant l'accent sur les différences culturelles ou ethniques on érige des frontières et des murs entre des êtres humains par ailleurs égaux — sinon toujours semblables. Seule une éducation tendant vers une culture réellement civique partagée par tous parviendra à empêcher que les différences ne continuent à engendrer des inégalités, et les particularités à inspirer l'inimitié. Dans cette vision neuve du monde, l'identité ethnique relèvera de la sphère strictement privée (à l'instar de la religion dans l'État laïque moderne) et n'intéressera plus les politiques publiques. Bien qu'une telle vision soit éminemment respectable, nous voyons partout des groupes ethniques se mobiliser encore autour de croyances et de symboles culturels ; de fait, les systèmes éducatifs sont eux-mêmes en jeu dans ces « guerres culturelles » de notre temps. Que ces luttes soient profondément ancrées dans l'inconscient collectif (comme le prétendent certains) ou simplement le fruit des manipulations d'« entrepreneurs ethniques » opportunistes (comme d'autres le font valoir), ce n'est pas en les escamotant que l'on réussira à promouvoir des valeurs démocratiques humanistes. Assurément, le monde a atteint aujourd'hui une maturité suffisante pour être capable de susciter une culture civique démocratique, fondée sur les droits de la personne humaine et d'encourager dans le même temps le respect mutuel des cultures sur la base de la reconnaissance des droits collectifs de tous les peuples, grands ou petits, de la planète, dont chacun a autant de mérites que tous les autres.

Tel est le défi que devra relever l'éducation au XXIe siècle.

(Myong Won Suhr)

Nous ouvrir l'esprit pour mieux vivre tous

Nous naissons tous égocentriques. Mais dès le plus jeune âge, chaque être humain se rend progressivement compte qu'il ou elle doit coexister avec d'autres pour survivre. Les contraintes qui procèdent de cet égocentrisme fondamental suscitent bien des difficultés, des conflits, des déceptions, voire des haines, y compris au sein d'une même famille, mais il n'en demeure pas moins que chacun doit apprendre à vivre avec les autres. L'observation quotidienne du monde animal illustre amplement cette vérité.

Voici quelques réflexions sur les raisons pour lesquelles il importe tant que, partout dans le monde, les systèmes d'éducation nous ouvrent l'esprit et nous aident à vivre en harmonie avec nos congénères, ainsi qu'avec la nature.

I. Vivre ensemble en harmonie, tel doit être le but ultime de l'éducation au XXIe siècle

Malheureusement, ce n'est pas là l'image que donne notre vie quotidienne, pas plus au foyer, ou à l'école, qu'au niveau communautaire ou national. À l'échelle internationale, la situation est même plus difficile encore. Les systèmes éducatifs sont généralement nationalistes ; lorsqu'ils le deviennent agressivement, ils mettent en péril la coexistence pacifique de par le monde. L'ethnocentrisme, qui existe partout sur la surface du globe, constitue l'un des plus grands obstacles à la paix mondiale.

Les progrès rapides de la science et de la technologie ont fait de nous les membres d'une communauté mondiale, les habitants d'un seul et même « village planétaire ». Or la plupart des gens n'en ont pas conscience, et ceux qui s'en rendent compte préfèrent souvent se consacrer aux menus détails de leurs affaires quotidiennes, et en particulier à l'acquisition ou à la préservation d'un prestige personnel.

Dans la république de Corée, l'examen d'entrée à l'université est l'obstacle le plus pernicieux à une « saine éducation ». Néfaste pour l'éducation à tous les niveaux, il l'est aussi pour la cause de la paix dans le monde. Le ministère de l'Éducation a essayé – vainement jusqu'ici – toutes sortes de mesures correctrices pour en limiter les effets négatifs. Chaque système nouveau a immédiatement suscité une autre contre-offensive.

II. Réformer l'éducation pour changer les choses

Pour le nombre des étudiants inscrits dans l'enseignement supérieur par rapport à l'ensemble de la population, la république de Corée vient en troisième position, juste après les États-Unis et le Canada. Du point de vue qualitatif, en revanche, il y a bien des faiblesses et des défaillances dans la formation de citoyens du monde capables de vivre en paix les uns à côté des autres au XXIe siècle. Plus précisément, la dimension éthique ou morale de l'éducation est aujourd'hui beaucoup plus pauvre qu'elle ne l'était dans l'ancien système. Si les étudiants ont maintenant davantage de connaissances factuelles, leur conduite morale est inacceptable pour leurs aînés. Cependant, tout en critiquant âprement le comportement des étudiants, l'opinion considère qu'il faut préparer les jeunes à l'examen d'entrée à l'université. Autrement dit, elle ne voit pas les contradictions inhérentes au système d'enseignement supérieur actuel.

Conscientes du problème, les universités du pays se sont mises récemment à modifier radicalement leurs programmes pour redéfinir les contenus de l'éducation : celle-ci, désormais, met l'accent sur la croissance économique (c'est-à-dire la science et la technologie) et insiste davantage sur le développement humain ou social, en s'inspirant de valeurs humanistes séculaires. À l'heure actuelle, nous commençons en Corée à nous rendre compte que les politiques axées sur la croissance économique dans tous les domaines nous ont fait payer cher sur le plan moral l'oubli des valeurs traditionnelles.

III. La société ouverte et les craintes qu'elle suscite

D'après nos prévisions, la république de Corée sera une société ouverte dans un avenir proche. Mais bien des Coréens ne sont pas encore entièrement prêts à en accepter l'idée, et quelques-uns en appréhendent les incertitudes. À travers les siècles, les Coréens ont longtemps été à la merci des puissantes nations qui les entouraient, et la vieille loi de la survie des plus aptes pourrait valoir encore. Ainsi, l'Accord général sur les tarifs douaniers et le commerce (GATT) n'a pas bien été accueilli dans l'opinion, en particulier chez les agriculteurs coréens. Les esprits avertis font des réserves sur la mondialisation de la sphère intellectuelle et culturelle, craignant que l'éducation et les affaires culturelles ne deviennent la proie d'un « néo-impérialisme culturel » des grandes puissances économiques du monde. De même, l'opinion en général est assez réticente à l'égard de l'Organisation mondiale du commerce, qui vient de prendre la succession du GATT, à cause de la prééminence qu'y auront probablement les États-Unis, l'Union européenne et le Japon.

Au seuil du XXIe siècle, nous voyons bien qu'il faut, partout dans le monde, dispenser d'urgence à l'opinion publique une éducation et une information constructives pour dissiper l'appréhension que lui inspire le siècle à venir, et qui provient pour une large part des politiques de repli sur soi menées naguère par toutes les nations, y compris dans le domaine de l'éducation. La république de Corée ne fait pas exception à la règle. Peut-être même l'illustre-t-elle avec plus de force encore, en raison des souffrances qu'elle a endurées dans le passé, de la part de puissances étrangères.

IV. Un destin commun dans le village planétaire

Voilà déjà quelques années que nous soulignons l'importance de la compréhension mutuelle, entre l'Orient et l'Occident, pour la paix du monde. Mais à franchement parler, les Occidentaux en savent moins sur les Orientaux que l'inverse. Dans les pays d'Orient, cependant, les gens ne savent presque rien de leurs voisins proches, préférant, dans la quasi-totalité des cas, apprendre de l'Occident technologiquement avancé comment sortir de leur état de sous-développement.

Dorénavant, cette compréhension mutuelle entre l'Est et l'Ouest pourrait bien néanmoins devenir un facteur important d'épanouissement culturel autant que de prospérité économique dans le monde entier. Grâce à elle et par l'intermédiaire des organisations de coopération avec l'Occident, les nations d'Orient pourront contribuer à la fois à la paix mondiale et à une prospérité partagée avec leurs proches voisins.

Nous sommes entrés dans une ère où il n'y a pour ainsi dire plus de frontières nationales. Qu'ils le veuillent ou non, les peuples du monde doivent vivre ensemble. Nous devons tous en être conscients et éduquer en conséquence nos futurs citoyens du monde. Il incombe donc aux organismes gouvernementaux et non gouvernementaux de souligner l'importance de l'ouverture sur le plan politique et éducatif.

V. La méprise de l'Orient à l'endroit de la culture occidentale

En Orient, jusqu'à une période toute récente, l'idée était très répandue que la culture occidentale est matérialiste, tandis que la culture orientale est éthique ou spirituelle, et en général supérieure, et que, partout, il fallait se borner à acquérir les connaissances scientifiques et technologiques de l'Occident et se garder des autres aspects de sa culture. Il ne s'agit nullement là d'une opinion dont la république de Corée aurait eu l'exclusivité : on la retrouve aisément dans les ouvrages chinois et japonais.

Toutefois, ce postulat général est faux. Ce n'est qu'à condition de comprendre la logique, la pensée critique et la curiosité de l'Occident pour l'inconnu, ses méthodes expérimentales pour découvrir la vérité et son approche objective des problèmes que nous pouvons apprécier sa culture. Bien qu'il y ait en Orient un préjugé certain à son encontre, il n'est pas difficile de trouver dans la culture occidentale d'abondants exemples de l'amour purement désintéressé que les Occidentaux peuvent vouer à la vérité (notamment scientifique) à l'éthique et à la logique.

VI. L'hostilité envers les attitudes occidentales

Dans le domaine de la science et de la technologie, qui ont tant changé le monde et que l'Occident a si rapidement développées, les scientifiques occidentaux ont eu tendance à traiter la nature comme un territoire à conquérir par l'intelligence et les compétences humaines. Cette démarche a effectivement débouché sur de grandes découvertes et de grandes inventions, et par là même sur des civilisations avancées. Pourtant, toutes ces contributions au bien-être de l'humanité ont aussi entraîné dans leur sillage des problèmes majeurs : les dommages que la pollution de l'atmosphère, de l'eau et du sol causent à la nature sont déjà graves et ils le deviendront plus encore. La protection et la défense de notre environnement posent désormais un immense problème pour nous, pour nos enfants et pour nos petits-enfants.

En Orient, nos ancêtres n'ont pas voulu – ou pas osé – maîtriser la nature, estimant qu'il était essentiel de vivre en paix et en harmonie avec elle. Dans la mesure où ils considéraient les êtres humains comme partie intégrante de la nature, il n'y avait rien à combattre, à maîtriser ou à conquérir. Ces attitudes ont eu cours pendant des siècles et ont, dans une certaine mesure, retardé notre progrès matériel en raison du rythme très lent d'évolution de la nature, tandis que l'Occident, pour sa part, n'hésitait pas à se rendre maître de la nature, réalisant ainsi des changements plus rapides. Au XXIe siècle, la protection et la défense de l'environnement seront fondamentales pour le bien-être de tous les êtres vivants, y compris les animaux. Aussi tous les peuples de la terre seront-ils appelés à prendre une part active à cette entreprise, qui est d'une nécessité vitale.

Malgré l'égocentrisme évoqué plus haut qui caractérise tous les êtres humains au tout début de leur vie, j'ai donc une inébranlable confiance dans l'avenir de l'humanité. Notre trésor commun de sagesse et d'expérience peut nous permettre – et nous permettra sans nul doute – de trouver les moyens d'accroître notre bien-être spirituel et matériel et de vivre ensemble en harmonie.

(Zhou Nanzhao)

Interactions entre éducation et culture aux fins du développement économique et humain : un point de vue asiatique

L'éducation et la culture peuvent être appréhendées de multiples façons. Par rapport à la seconde, l'éducation pourrait être définie comme un processus consistant à inculquer aux jeunes les valeurs et les croyances héritées de la tradition et dûment modernisées qui sont au cœur d'une culture. L'éducation est le vecteur par lequel se transmet la culture, tandis que la culture définit le cadre institutionnel de l'éducation et occupe une place essentielle dans ses contenus. L'éducation, a-t-on remarqué, est au centre du système des valeurs, et les valeurs sont les piliers sur lesquels s'appuie l'éducation[1]. Mises au service des besoins de l'être humain en matière de développement, l'éducation et la culture deviennent, l'une comme l'autre, les moyens et les fins de ce développement.

Étudier les relations entre éducation et culture n'a de sens que par rapport au développement, processus multidimensionnel, mondial, évolutif et mobilisateur dont l'être humain est la fois l'origine, l'acteur et la finalité[2]. La présente communication se veut une réflexion, d'un point de vue asiatique, sur les interactions entre éducation et culture dans l'optique du développement. Nous y évoquons les effets aussi bien positifs que négatifs des traditions culturelles sur le développement de l'éducation et de l'économie en faisant ressortir la double nécessité de préserver ces traditions et de les rénover. À la lumière de la mondialisation croissante sensible dans toutes les sphères, nous examinons brièvement un certain nombre de valeurs universelles qu'il serait souhaitable de cultiver par l'éducation et la fécondation mutuelle des cultures de l'Orient et de

[1] *Notre diversité créatrice : rapport de la Commission mondiale de la culture et du développement*, p. 7, Paris, UNESCO, 1995.

[2] *La Dimension culturelle du développement : vers une approche pratique*, p. 130-131, Paris, UNESCO, 1994.

l'Occident. Enfin, nous montrons que l'éducation et la culture devront avoir pour visée ultime au XXIe siècle un développement centré sur l'être humain. Conscients de la grande diversité des cultures asiatiques, nous avons privilégié la tradition confucéenne, qui n'en représente qu'une facette en dépit de l'influence qu'elle a exercée dans toute la région. Pour ne pas tomber dans une simplification excessive, nous nous sommes gardés de toute généralisation.

Les traits des cultures asiatiques propices au développement de l'éducation et de l'économie

De nombreuses études ont exploré les relations entre éducation, culture et développement (parmi les plus récentes, citons : Singh, 1991 ; Petri, 1993 ; Dubbeldam, 1994 ; Commission mondiale de la culture et du développement, 1995). Voici quelques exemples des traits culturels qui ont favorisé le développement de l'éducation et de l'économie en Asie :

– *la foi profonde dans les vertus de l'éducation.* L'Asie a de tout temps accordé une grande importance à l'apprentissage. Confucius pensait que l'être humain est perfectible et que l'éducation, en particulier par les efforts personnels qu'il accomplit pour se former, par la réflexion intérieure, mais aussi par l'imitation de modèles extérieurs, peut l'engager dans le droit chemin[3]. Il soulignait la capacité de l'éducation d'améliorer la société et d'inculquer le civisme. Son idéal politique consistait à « gouverner l'État par l'exercice des vertus morales », qu'il appartenait à l'éducation de développer. Il alla même jusqu'à présenter l'éducation comme aussi nécessaire que des récoltes abondantes ou qu'une armée puissante pour défendre le pays. À la question « Que faut-il faire lorsqu'il est acquis que la population s'accroît ? » il répondit : « Assurer sa prospérité », et comme on lui demandait alors : « Et ensuite ? » il dit simplement : « L'éduquer[4] ». Au fil des siècles, l'éducation a formé l'assise de tous les aspects de la vie politique, sociale, économique et culturelle des peuples d'Asie. Travaillant courbées dans les rizières, les mères asiatiques ont toujours nourri dans leur cœur l'espoir que l'éducation épargnerait à leurs enfants la pauvreté dont elles-

[3] Fairbank, John King, *The US and China*, 3e édition. Harvard University Press, 1971.

[4] Confucius, *The Four Books*, Changsha, Hunan Press, 1992.

mêmes avaient souffert. L'image familière de la « mère éducatrice » japonaise pour qui l'éducation de ses enfants est le premier des devoirs, celle de la mère chinoise qui, sans ménager sa peine, fréquente de longues années durant les cours du soir afin d'éduquer elle-même son enfant handicapé en s'aidant des notes qu'elle a prises, ou celle des mères coréennes prêtes à vendre leurs vaches pour que leurs enfants puissent terminer leurs études, ainsi que les préceptes empreints de sagesse du grand poète indien Tagore et les réflexions du grand penseur politique Gandhi concernant les mérites de l'éducation sont autant d'illustrations du prix que l'Asie attache à l'éducation.
– *les attentes très vives auxquelles les jeunes doivent de ce fait répondre*. La chronique ancienne conte comment la mère de Mencius, le grand disciple de Confucius, changea trois fois de domicile pour que son fils reçoive une éducation de qualité au contact de bons professeurs, de bons voisins et de bons camarades. De nombreuses études montrent que l'exigence dont font preuve parents et enseignants a pour corollaires des programmes d'un niveau élevé, un plus grand nombre d'heures consacrées aux tâches d'apprentissage, des exercices rigoureux pour développer les facultés intellectuelles, une collaboration plus étroite entre parents et enfants au foyer, ce qui se traduit par de meilleurs résultats scolaires, en particulier dans des matières difficiles comme les mathématiques. Comme le quotient intellectuel est sensiblement égal chez la majorité des enfants et qu'aucun enfant n'est impossible à éduquer cette particularité culturelle explique en partie les performances relativement élevées de nombreux écoliers asiatiques.
– *la primauté du groupe sur l'individu*. Dans les cultures asiatiques, la collectivité prend traditionnellement le pas sur l'individu. Le confucianisme visait le développement de l'individu en tant qu'être social, membre d'une famille et de la société tout entière. L'apprentissage des règles de la vie en société était jugé indispensable pour atteindre à la maturité et devenir un élément responsable du corps social. Au fil des siècles, les intellectuels chinois demeurèrent fidèles à l'idéal éthique qui prescrivait de « supporter les malheurs du monde *avant* quiconque et de ne

goûter aux plaisirs de la vie qu'*après* tous les autres ». Cette attitude tournée vers le groupe, dont témoigne l'« esprit d'équipe » caractéristique des Japonais, a été un facteur déterminant de productivité économique et de cohésion sociale. Voilà qui explique en partie pourquoi de nombreux Asiatiques, malgré l'aversion que leur inspirent les rapports de rivalité, ont tendance à se montrer collectivement très compétitifs.

– *l'accent mis sur la dimension spirituelle du développement plus que sur sa dimension matérielle.* « Spirituel » signifie ici culturel, moral et éthique. La culture chinoise traditionnelle, fondée sur le confucianisme et le taoïsme, était avant tout affaire d'éthique, de formation morale de la personnalité. Tous les courants philosophiques, qu'il s'agisse des préceptes de Confucius, de l'élévation personnelle prônée par le taoïsme ou de l'ambition de l'école idéaliste de « préserver le rationnel en se débarrassant des désirs terrestres », avaient en commun de correspondre pour l'essentiel à une morale humaniste, qui considérait l'être humain d'un point de vue éthique et politique, et pour laquelle l'individu ne pouvait s'accomplir que dans ses rapports avec la collectivité (la famille et l'État). L'idée prévaut dans toute la région que l'éducation ne peut faire abstraction des valeurs, ni l'avenir être perçu autrement qu'à travers le projet implicite d'un ordre moral[5]. Aujourd'hui encore, dans leurs efforts de modernisation, de nombreux pays d'Asie font de l'édification d'une civilisation à la fois spirituelle et matérielle le double objectif du développement national et comptent sur l'éducation pour contribuer activement à sa réalisation. La Déclaration adoptée en 1993 à Kuala Lumpur par la sixième Conférence régionale des ministres de l'Éducation et des ministres chargés de la planification économique en Asie et dans le Pacifique a témoigné récemment de cette volonté de mettre de nouveau l'accent sur l'enseignement des valeurs morales.

– *la reconnaissance du mérite, sanctionné par les examens nationaux, plutôt que du pouvoir et de la richesse conférés par la naissance.* Le système d'examens institué en Asie pour sélectionner et recruter les administrateurs et fonctionnaires de l'État est le plus vieux du monde. En théorie, l'enseigne-

[5]Singh, Raja Roy, *Education for the Twenty-First Century: Asia-Pacific Perspectives*, p. 80, Bangkok, UNESCO/PROAP, 1991.

ment de type confucianiste avait pour fin de former l'individu sur le plan éthique ; dans la pratique, il s'agissait plus de préparer et de sélectionner l'élite dirigeante que de dispenser une éducation visant véritablement au plein épanouissement de la personnalité. Cette méritocratie fondée sur la réussite aux examens encourageait les gens de toutes conditions sociales à entreprendre des études et à progresser dans leur carrière ; toutefois, l'importance excessive accordée lors des examens à la connaissance des classiques confucéens étouffa la créativité de nombreux jeunes esprits brillants et dénatura le système éducatif en le subordonnant largement à ce qui aurait dû n'en être qu'un élément.

– *la légitimation de l'autorité.* Pour Confucius, l'éducation était un puissant instrument aidant l'élite à diriger l'État. Grâce à elle, les gouvernants devaient « apprendre à s'occuper du peuple », tandis que les gouvernés allaient « apprendre à obéir ». Cette sollicitude des puissants et cette docilité des faibles étaient censées assurer la stabilité de l'ordre social. L'autorité exercée par les parents au foyer et par le maître à l'école est l'une des raisons de la très grande discipline dont font preuve la plupart des élèves asiatiques. Dans la sphère politique et économique, la stricte autorité de l'État favorisa l'instauration de relations de coopération harmonieuses entre les milieux d'affaires et les pouvoirs publics, ainsi que la bonne application des politiques gouvernementales. Le respect de l'autorité est particulièrement propice à une saine croissance économique lorsque le gouvernement crée un environnement politique favorable à la libre entreprise et à la libre concurrence. L'existence en Asie du Sud-Est de gouvernements autoritaires modernes a été citée parmi les facteurs expliquant le miracle économique dans cette région.

Les aspects négatifs des traditions culturelles asiatiques qui font obstacle au développement de l'éducation et de l'économie : nécessité d'un renouveau culturel

En interférant avec le processus de «modernisation», certains éléments des traditions culturelles ont eu aussi des effets négatifs sur la vie économique et sociale. Il est tout à fait naturel de se demander pourquoi des économies bénéficiant de traditions culturelles si propices au développement ne connaissent une croissance rapide que depuis peu. Certains chercheurs ont même décrit le confucianisme comme « une force conservatrice, contraire à la modernisation[6] ». Même si un tel jugement est sans doute excessif et partial, il est exact qu'en dehors d'obstacles au développement plus fondamentaux d'ordre économique et politique, certains traits des cultures traditionnelles sont en partie responsables du retard ou du sous-développement du secteur industriel dans de nombreux pays d'Asie :

– *la « politisation » des valeurs éducatives et culturelles et le peu d'empressement des autorités à moderniser l'économie*. Les établissements éducatifs ont été réduits à n'être qu'un instrument du pouvoir politique et de simples appendices de l'appareil gouvernemental.

– *l'attention insuffisante accordée à l'individu.* Alors que l'on exaltait à l'extrême l'intérêt collectif et celui de la société, l'individu était cantonné dans un rôle purement instrumental. Dans le même temps, on ne lui reconnaissait pas des droits à la mesure de ses devoirs.

– *l'accent mis sur les relations sociales plus que sur la domestication de la nature*, avec pour résultat que les sciences positives, les disciplines de l'ingénieur et les applications technologiques ont longtemps marqué le pas.

– *l'importance excessive des examens fondés sur l'étude des classiques* pour sélectionner les personnes de talent et les futurs fonctionnaires.

– *le mépris du pragmatisme, de l'utilitarisme et des affaires.* L'idéalisme confucéen donnait à l'étude des textes classiques et à leur mémorisation une place démesurée dans les programmes scolaires au détriment des sciences et de la technologie. Il dissociait capacités intellectuelles et aptitudes manuelles, étude et artisanat. L'élite instruite était apte à gouverner du seul fait de sa « moralité supérieure », sans qu'il lui soit nécessaire d'acquérir de quelconques connaissances ou compétences pratiques. Tout ce qui présentait une valeur utilitaire était méprisé, et le

[6] Petri, Peter, A. *The Lessons of East Asia : Common Foundations of East Asian Success*, Washington D.C., Banque mondiale, 1993.

commerce considéré comme une activité subalterne. En partie à cause de ces partis pris culturels, l'enseignement technique et professionnel est resté peu développé, même de nos jours, dans beaucoup de pays en développement asiatiques.

– *la discrimination à l'encontre des femmes.* Confucius a déclaré un jour que « seuls les hommes mesquins et les femmes sont difficiles à éduquer ». Pendant des siècles, les femmes ont été cantonnées dans un rôle subalterne à la maison, et dans un rôle insignifiant dans la société. Ce préjugé caractéristique de nombreuses cultures asiatiques traditionnelles est à l'origine d'un cercle vicieux, les filles n'étant pas censées prendre part à l'activité économique familiale ou sociale, et recevant donc une éducation beaucoup moins poussée que les garçons. C'est pour cette même raison que les filles continuent de représenter une fraction élevée des millions d'écoliers qui, dans toute la région, abandonnent prématurément leurs études (deux écoliers sur trois entre 1985 et 1992). Comme ailleurs, le faible niveau d'instruction des femmes a pour conséquences un fort taux de mortalité infantile, un taux de croissance démographique élevé dans les zones rurales, des enfants mal nourris et en mauvaise santé, ainsi que la stagnation de l'économie.

La « crise des valeurs humaines » qui affecte l'ensemble du globe sévit également en Asie. L'éducation n'a pas seulement pour tâche de transmettre le patrimoine culturel aux nouvelles générations, mais aussi de moderniser les traditions. Les aspects négatifs des cultures traditionnelles appellent un effort de renouveau à la lumière de l'évolution socio-économique, et l'éducation a un rôle important à jouer à cet égard en suscitant une transformation positive des valeurs culturelles.

Les valeurs universelles que l'éducation doit cultiver pour promouvoir une éthique mondiale

Tout en s'efforçant de préserver leur identité et leurs traditions culturelles, les nations asiatiques ont pris de plus en plus conscience de l'interdépendance des différentes régions du

monde. Face à cette mondialisation croissante, les systèmes éducatifs d'Asie ont plaidé pour l'adoption d'un certain nombre de valeurs universelles fondamentales, et notamment :
– la reconnaissance des *droits de l'homme*, combinée au sens des *responsabilités sociales*. Il importe de ne pas dissocier droits et devoirs, de ne pas imposer une vision ethnocentrique des droits de l'homme empruntée à l'Occident, mais d'articuler ce concept aux traditions culturelles et aux contextes nationaux et régionaux, et de concilier les droits de l'individu et ceux de la collectivité.
– le souci d'*équité sociale* et de *participation démocratique* à la prise de décision et à la conduite des affaires publiques, qui doit être « l'objectif central dans toutes les sphères de l'existence[7] ».
– *la compréhension et la tolérance à l'égard des différences et du pluralisme culturels*, préalable indispensable à la cohésion sociale, à la coexistence pacifique et au règlement des litiges par la négociation plutôt que par la force et, au bout du compte, à la paix dans le monde.
– *la sollicitude envers autrui*, valeur décisive pour l'éducation de demain et manifestation intrinsèque de la compassion humaine, dont on doit faire preuve à l'égard non seulement des membres de sa famille et de ses collègues, mais aussi de toutes les personnes défavorisées, malades, pauvres ou handicapées, et qui va de pair avec le souci du bien-être de l'humanité et de notre planète.
– *l'esprit de solidarité*. La solidarité est d'autant plus nécessaire que la compétition est un phénomène quotidien et omniprésent, dans tous les domaines de l'existence. Comme l'a fait observer Jacques Delors, « Le monde est notre village : si l'une des maisons prend feu, les toits au-dessus de nos têtes à tous sont aussitôt menacés. Si l'un d'entre nous tente seul de rebâtir, ses efforts n'auront qu'une portée symbolique. La solidarité doit être notre mot d'ordre : chacun de nous doit assumer la part qui lui revient de la responsabilité collective[8]. »
– *l'esprit d'entreprise*, qualité requise non seulement pour être productif et compétitif dans le domaine économique, mais aussi pour faire face à toutes les situations de la vie.

[7] *Rapport sur le développement humain 1993*, (publié pour le PNUD), Paris, Economica, 1993.

[8] Delors, Jacques, allocution prononcée à la Conférence des Nations unies sur l'environnement et le développement, Rio de Janeiro (Brésil), juin 1992.

– *la créativité*, qui sera toujours nécessaire au progrès technologique, aux avancées sociales, à la dynamique économique et à toutes les entreprises humaines.
–*le respect de l'égalité entre les sexes*, que l'on a décrit comme « la clé du développement et de la lutte contre la pauvreté[9] » et comme « à la fois la porte ouverte au développement et une mesure de ce développement[10] ».
– *un esprit ouvert au changement*, seule chose qui ne changera pas, et la volonté non seulement d'accepter le changement, mais d'agir pour qu'il aille dans un sens positif.
– *le sens des responsabilités concernant la protection de l'environnement et le développement durable*, afin de ne pas hypothéquer l'héritage économique, social et écologique qui sera transmis aux générations futures.

Il y a lieu de noter que la plupart de ces valeurs universelles qui seront indispensables au XXIe siècle sont depuis longtemps inscrites dans les traditions culturelles millénaires des grandes civilisations. Elles ne font que refléter les conceptions morales et les idéaux de vérité, d'humanité, de beauté, de justice et de liberté prônés par nos lointains ancêtres et magnifiquement préservés dans les trésors de la pensée. C'est ainsi que la sollicitude à l'égard d'autrui n'est rien d'autre que ce que Confucius appelait la « bienveillance », Mo-tseu l'« amour réciproque » et Bouddha la « pitié ». Le respect de l'environnement fait écho aux préoccupations exprimées par les taoïstes dans la Chine ancienne au sujet des effets destructeurs du progrès technique sur les ressources naturelles, et au « retour à la nature » préconisé par eux. L'altruisme, fondé sur l'amour de ses semblables, est considéré en Asie comme la plus haute valeur humaine depuis des siècles. Au siècle prochain, l'humanité puisera sans doute encore dans la sagesse confucéenne des enseignements aussi précieux qu'il y a des milliers d'années. Aussi l'un des moyens de promouvoir les valeurs universelles sur lesquelles l'humanité devra s'appuyer au siècle prochain est-il d'inciter les jeunes à étudier les grands livres du passé et à perpétuer ses belles traditions.

[9] Power, Colin, allocution prononcée à l'occasion de la Journée internationale de l'alphabétisation, quatrième Conférence mondiale sur les femmes, Beijing, 8 septembre 1995.
[10] Mayor, Federico, allocution prononcée à l'occasion de la Journée internationale de l'alphabétisation, 8 septembre 1995.

Une autre façon de cultiver ces valeurs universelles fondant une éthique mondiale est de promouvoir, par l'éducation, l'enrichissement réciproque des cultures de l'Orient et de l'Occident. Loin d'être contradictoires et antagonistes, ces cultures se répondent et se complètent. L'aristocratie confucianiste (les « fonctionnaires lettrés ») unie par le mérite plutôt que par des privilèges héréditaires était fort proche du « gouvernement par les meilleurs » imaginé par les Grecs. L'Asie s'est inspirée de la culture occidentale sur le plan matériel (technologies modernes), sur le plan institutionnel (infrastructure politique) et enfin sur le plan psychosociologique (valeurs et croyances). C'est l'éducation qui a jeté des ponts entre les cultures orientales et occidentales. Lorsque l'Orient et l'Occident deviendront capables d'apprendre l'un de l'autre pour leur profit mutuel et d'adopter chacun ce que l'autre a de meilleur – en combinant, par exemple, l'initiative individuelle et l'esprit d'équipe, la compétitivité et la solidarité, les compétences techniques et les qualités morales –, alors les valeurs universelles que nous appelons de nos vœux s'imposeront peu à peu, et cet avènement d'une éthique mondiale sera à la fois un ressourcement radical de toutes les cultures et une immense contribution de l'éducation à l'humanité.

Un développement centré sur l'être humain, finalité de l'éducation et de la culture

Le développement, « plein épanouissement des potentialités humaines dans le monde entier », est l'objectif ultime de l'éducation comme de la culture. Dans la région Asie, l'éducation est conçue comme une « force vitale du développement », et la culture à la fois comme un moyen important d'assurer le développement et comme un de ses éléments fondamentaux. À l'instar d'autres régions, l'Asie conçoit de plus en plus le développement comme un processus dynamique complexe englobant les dimensions économiques, politiques, sociales, humaines, écologiques et culturelles.

Fondement matériel de toutes les activités relevant de la superstructure par lesquelles l'être humain cherche à assurer sa survie et la croissance, le développement économique revêt une importance primordiale pour l'éducation et pour la culture. On ne saurait trop insister sur l'enjeu que représente la modernisation de l'économie nationale pour l'éducation et la culture, en particulier dans les pays en développement. Alors que pas moins de 830 millions de personnes vivent dans un dénuement absolu dans la seule région Asie et Pacifique, la croissance économique devient un ingrédient essentiel de tout effort visant à éliminer la pauvreté et une condition préalable du développement tant culturel qu'éducatif. Faute d'une industrie et d'une agriculture nationales vigoureuses, les systèmes éducatifs ne disposeront pas des ressources nécessaires, et leur indépendance politique elle-même sera compromise. Sans la civilisation matérielle résultant du développement de la technologie et de l'infrastructure, la civilisation spirituelle se trouvera privée d'appuis solides, et l'identité culturelle des populations locales sera menacée par de nouvelles formes de colonialisme culturel bénéficiant des puissantes technologies de l'information. C'est la raison pour laquelle la plupart des pays d'Asie ont, à bon droit, fait de la modernisation de l'économie la première de leurs priorités et qu'ils déploient des efforts soutenus pour la mener à bien.

Cela étant, le progrès économique et technique perdra son véritable sens si les efforts en faveur du développement n'ont pas pour éléments et objectifs centraux les dimensions humanistes et culturelles. Au XXIe siècle, lorsque les industries s'appuieront davantage sur la technologie et que l'activité sociale fera toujours plus appel au savoir, les ressources humaines développées par l'éducation et la formation joueront un rôle de plus en plus crucial.

Depuis Confucius jusqu'aux penseurs contemporains, les Orientaux ont de tout temps chéri et poursuivi l'idéal d'un « monde uni et harmonieux » et d'une « société humaine cohérente fondée sur la paix universelle ». Les Occidentaux, de Platon jusqu'à la Déclaration d'Indépendance des États-Unis en passant par les philosophes français des Lumières et les humanistes anglais, se sont battus pendant des siècles pour imposer les idéaux d'égalité, de justice, de liberté et de dignité humaine.

L'humanité n'a jamais relâché ses efforts pour intégrer les dimensions économiques du développement et ses dimensions éducatives et culturelles. La conception du « développement *du* peuple *pour* le peuple *par* le peuple » défendue par le PNUD traduit bien notre façon d'interpréter les relations dialectiques entre l'éducation et la culture à la lumière des traditions asiatiques et de la mondialisation qui caractérise notre époque.

(annexe)

Les travaux de la Commission

La Conférence générale de l'UNESCO, en novembre 1991, a invité le directeur général « à convoquer une commission internationale chargée de réfléchir à l'éducation et à l'apprentissage pour le XXIe siècle ». Federico Mayor a demandé à Jacques Delors de présider cette commission, qui réunit quatorze autres personnalités de toutes les régions du monde, venues d'horizons culturels et professionnels divers.

La Commission internationale sur l'éducation pour le XXIe siècle a été créée officiellement au début de 1993. Financée par l'UNESCO, et servie par un secrétariat mis à sa disposition par celle-ci, la Commission a pu tirer parti des précieuses ressources dont dispose l'Organisation et de son expérience internationale, ainsi que d'une masse impressionnante d'informations. Mais elle a mené ses travaux et élaboré ses recommandations en toute indépendance.

L'UNESCO a publié par le passé plusieurs études internationales visant à faire le point sur les problèmes et les priorités de l'éducation. En 1968, déjà, dans *La Crise mondiale de l'éducation – une analyse des systèmes (1968)*, Philip H. Coombs, directeur de l'Institut international de planification de l'éducation (IIPE) de l'UNESCO, s'appuyait sur les travaux de cet institut pour analyser les problèmes auxquels se heurtait l'éducation dans le monde et recommander des actions novatrices.

En 1971, alors qu'au cours des trois précédentes années des mouvements étudiants s'étaient manifestés avec force dans de nombreux pays, René Maheu (alors directeur général de l'UNESCO) demanda à Edgar Faure, qui fut, en France, notamment président du Conseil et ministre de l'Éducation nationale, d'assumer la présidence d'un groupe de sept personnes à qui il confiait la tâche de définir les « finalités nouvelles qu'assignent à l'éducation la transformation rapide des connaissances et des sociétés, les exigences du développement, les aspirations de l'individu et les impératifs de la compréhension internationale et de la paix ». La Commission Edgar Faure était invitée à formuler des « suggestions quant aux moyens conceptuels, humains et financiers à mettre en œuvre pour atteindre les objectifs qu'elle avait fixés ». Paru en 1972 et intitulé *Apprendre à être*, le rapport de cette Commission a eu l'immense mérite de dégager le concept d'éducation permanente dans une période où les systèmes éducatifs traditionnels se trouvaient remis en question.

La première et sans doute la principale difficulté à laquelle a dû faire face la nouvelle Commission, présidée par Jacques Delors, en entreprenant la tâche qui lui était fixée, a résidé dans l'extrême diversité, à travers le monde, des situations, des conceptions de l'éducation et de ses modalités d'organisation. Autre difficulté, corollaire de la précédente : il existe une quantité énorme d'informations, dont la Commission ne pouvait de toute évidence assimiler qu'une petite partie au cours de ses travaux. D'où la nécessité impérative de faire des choix et de déterminer ce qui était essentiel pour l'avenir, dans une dialectique entre les évolutions géopolitiques, économiques, sociales et culturelles, d'une part, et, de l'autre, les contributions possibles des politiques de l'éducation. Il a été choisi six pistes de réflexion et de travail, qui ont permis à la Commission d'aborder sa tâche du point de vue des finalités (individuelles et sociétales) du processus éducatif : éducation et culture ; éducation et citoyenneté ; éducation et cohésion sociale ; éducation, travail et emploi ; éducation et développement ; éducation, recherche et science. Ces six pistes ont été complétées par l'étude de trois thèmes transversaux touchant plus directement au fonctionnement des systèmes éducatifs, à savoir : les technologies de la communication ; les enseignants et le processus pédagogique ; le financement et la gestion.

Au plan de la méthode, la démarche de la Commission a consisté à engager un processus de consultation aussi large que possible, compte tenu du temps imparti. La Commission s'est réunie en session plénière huit fois, et autant de fois en groupes de travail, pour examiner les grands thèmes retenus, ainsi que les préoccupations et problèmes de telle région ou tel groupe de pays. Les participants à ces groupes de travail étaient représentatifs d'une large gamme d'activités, de professions et d'organisations en rapport, direct ou indirect, avec l'éducation formelle ou non formelle : enseignants, chercheurs, étudiants, responsables gouvernementaux, membres d'organisations gouvernementales et non gouvernementales aux niveaux national et international. Une série d'auditions d'intellectuels et de personnalités de renom a permis à la Commission de procéder à des échanges de vues approfondis sur tout ce qui touche de près ou de loin à l'éducation. Des consultations individuelles ont également été menées sous forme d'entrevues ou par correspondance. Un questionnaire a été envoyé à toutes les commissions nationales de l'UNESCO, les invitant à communiquer de la documentation ou des matériaux inédits : leur réaction a été très positive, et les réponses ont été étudiées avec attention. Les organisations non gouvernementales ont été consultées de la même manière, et parfois invitées à participer à certaines réunions. Au cours des trente mois écoulés, les membres de la Commission, y compris son président, ont également pris part à une série de réunions gouvernementales et non gouvernementales qui ont été autant d'occasions de discuter de ses travaux et de procéder à des échanges de vues. Beaucoup de communications, sollicitées ou spontanées, sont parvenues à la Commission. Son secrétariat a analysé une documentation considérable et élaboré des synthèses sur divers sujets à l'intention de ses membres. La Commission propose à l'UNESCO de publier, en plus du rapport lui-même, les documents de travail qui ont jalonné et marqué sa réflexion.

Membres

Jacques Delors (France), président, ancien ministre de l'Économie et des Finances, ancien président de la Commission européenne (1985-1995).
In'am Al Mufti (Jordanie), spécialiste de la condition féminine, conseillère de Sa Majesté la reine Noor al-Hussein ; ancienne ministre du Développement social.
Isao Amagi (Japon), spécialiste de l'éducation, conseiller spécial du ministre de l'Éducation, de la Science et de la Culture et président de la Fondation japonaise pour les échanges éducatifs-BABA.
Roberto Carneiro (Portugal), président de TVI (Televisão Independente), ancien ministre de l'Éducation, et ancien ministre d'État.
Fay Chung (Zimbabwe), ancienne ministre d'État aux Affaires nationales, à la Création d'emplois et aux Coopératives, membre du Parlement, ancienne ministre de l'Éducation ; directrice de l'« Education Cluster » (UNICEF, New York).
Bronislaw Geremek (Pologne), historien, député à la Diète polonaise, ancien professeur au Collège de France.
William Gorham (États-Unis), spécialiste de politique publique, président de l'Urban Institute de Washington, D.C. depuis 1968.
Aleksandra Kornhauser (Slovénie), directrice du Centre international d'études chimiques de Ljubljana, spécialiste des rapports entre développement industriel et protection de l'environnement.
Michael Manley (Jamaïque), syndicaliste, universitaire et écrivain, Premier ministre de 1972 à 1980 et de 1989 à 1992.
Marisela Padrón Quero (Venezuela), sociologue, ancienne directrice de recherche de la Fondation Romulo Betancourt, ancienne ministre de la Famille ; directrice de la division d'Amérique latine et des Caraïbes (FNUAP, New York).
Marie-Angélique Savané (Sénégal), sociologue, membre de la Commission de gouvernance globale, directrice de la division d'Afrique (FNUAP, New York).

Karan Singh (Inde), diplomate et plusieurs fois ministre, notamment de l'Éducation et de la Santé, auteur de plusieurs ouvrages dans les domaines de l'environnement, de la philosophie et de la science politique, président du Temple de la compréhension, importante organisation internationale interconfessionnelle.
Rodolfo Stavenhagen (Mexique), chercheur en sciences politiques et sociales, professeur au Centre d'études sociologiques, El Colegio de México.
Myong Won Suhr (république de Corée), ancien ministre de l'Éducation, président de la Commission présidentielle pour la réforme de l'éducation (1985-1987).
Zhou Nanzhao (Chine), spécialiste de l'éducation, vice-président et professeur à l'Institut national chinois d'études pédagogiques.

La Commission tient à exprimer sa reconnaissance à Danièle Blondel, ancien directeur des enseignements supérieurs en France et professeur à l'université Paris-Dauphine, qui a exercé jusqu'en septembre 1995 les fonctions de conseiller spécial du président. Danièle Blondel a donné, dès leur début, une vive impulsion aux travaux de la Commission. Elle a fourni, notamment sous la forme d'études et de notes de synthèse, une importante contribution à sa réflexion et à la rédaction de certains chapitres du rapport.

Mandat

À sa première réunion (2-4 mars 1993), la Commission a examiné et accepté le mandat que lui proposait le directeur général de l'UNESCO :

« La Commission internationale sur l'éducation pour le XXIe siècle aura pour mission d'effectuer un travail d'étude et de réflexion sur les défis que devra relever l'éducation dans les années à venir et de présenter des suggestions et des recommandations sous la forme d'un rapport qui pourra servir de programme de rénovation et d'action aux décideurs et aux responsables officiels au plus haut niveau. Ce rapport devra proposer des approches de la politique comme de la pratique de l'éducation qui soient à la fois novatrices et réalistes, en tenant compte de la grande diversité des situations, des besoins, des moyens et des aspirations selon les pays et les régions. Il s'adressera principalement aux gouvernements, mais, l'un des ses objets étant de traiter du rôle de la coopération et de l'aide internationales en général et plus particulièrement du rôle de l'UNESCO, la Commission devra aussi s'efforcer d'y formuler des recommandations utiles aux organismes internationaux.

La Commission axera sa réflexion sur la question centrale qui englobe toutes les autres : quel genre d'éducation faudra-t-il demain, pour quel genre de société ? Elle étudiera les nouveaux rôles que l'éducation est appelée à jouer, de même que les exigences nouvelles auxquelles les systèmes éducatifs devront satisfaire dans un monde caractérisé par l'accélération du changement et une intensification des tensions de caractère économique, environnemental et social ; elle examinera les incidences des grandes évolutions de la société contemporaine sur l'éducation ; elle fera le point des connaissances et de l'expérience qu'offrent les meilleures pratiques éducatives observées dans différents contextes politiques, économiques et culturels, afin d'identifier les points forts et les points faibles des politiques contemporaines. Ce faisant, elle s'efforcera de maintenir au cœur de ses travaux ceux qui sont le plus intimement impliqués dans l'éducation : les apprenants de tous âges, au premier chef, et ceux qui contribuent à faciliter leur apprentissage, que ce soient les enseignants, les parents, les membres de la collectivité ou d'autres participants à l'éducation.

La Commission devra tout d'abord identifier une série de questions clés qu'elle examinera au fil de ses travaux ; ses réponses à ces questions constitueront les principales recommandations qu'elle présentera. Au nombre de ces questions figureront les sujets qui sont depuis toujours au cœur des préoccupations des gouvernements, des sociétés et des éducateurs et qui resteront importants au cours des années à venir. Il y aura aussi les questions posées par les nouvelles configurations de la société, les transformations de notre univers matériel et social. Ces dernières appelleront des priorités nouvelles, une réflexion nouvelle, une action nouvelle. Certaines seront peut-être universelles, liées aux réactions inévitables et indispensables à un univers en mutation ; d'autres seront propres à une région ou à un pays et tiendront compte de la situation économique, culturelle et sociale, qui varie considérablement d'un pays à l'autre.

Les questions qui ont trait à l'éducation et aux systèmes éducatifs relèvent, schématiquement, de deux grandes catégories. Entrent dans la première catégorie les questions relatives aux finalités, aux buts et aux fonctions de l'éducation, y compris les objectifs poursuivis par les individus eux-mêmes ainsi que le besoin et le désir de tout un chacun de s'accomplir. La seconde catégorie englobe les questions plus spécifiques qui touchent aux services d'éducation eux-mêmes, et notamment aux modèles, aux structures, aux contenus et au fonctionnement des systèmes éducatifs.

La Commission procédera à une vaste analyse aussi bien des éléments dont on dispose au sujet de la situation actuelle que des prévisions qui ont été faites et des tendances que révèlent les politiques et les réformes nationales de l'éducation appliquées dans les différentes régions du monde depuis vingt ans. Sur cette base, la Commission se livrera à une réflexion approfondie sur les grands infléchissements du cours du développement humain à la veille du XXIe siècle et sur les nouveaux impératifs qui en découlent pour l'éducation. Elle montrera de quelles manières l'éducation peut jouer un rôle plus dynamique et plus constructif dans la préparation des individus et des sociétés en vue du XXIe siècle.

Principes

Dans ses délibérations et ses travaux, la Commission s'efforcera de garder présents à l'esprit certains principes fondamentaux qui ont un caractère universel et qui sont sous-jacents aux buts poursuivis par toutes les parties prenantes du processus d'éducation : éducateurs, citoyens, décideurs et autres partenaires et participants.

Premièrement, l'éducation est un droit fondamental de la personne humaine et possède une valeur humaine universelle : l'apprentissage et l'éducation sont des fins en soi ; ils constituent des buts à poursuivre par l'individu comme par la société ; ils doivent être développés et assurés tout au long de l'existence de chacun.

Deuxièmement, l'éducation, formelle ou non formelle, doit être utile à la société en lui offrant un instrument qui favorise la création, le progrès et la diffusion du savoir et de la science et en mettant la connaissance et l'enseignement à la portée de tous.

Troisièmement, un triple souci d'équité, de pertinence et d'excellence doit guider toute politique de l'éducation ; chercher à associer harmonieusement ces trois objectifs est une tâche cruciale pour tous ceux qui participent à la planification de l'éducation ou à la pratique éducative.

Quatrièmement, la rénovation de l'éducation et toute réforme correspondante doivent reposer sur une analyse réfléchie et approfondie des informations dont on dispose au sujet des idées et des pratiques qui ont donné de bons résultats, et sur une bonne intelligence des conditions et des exigences propres à chaque situation particulière ; elles doivent être décidées d'un commun accord en vertu de pactes appropriés entre les parties intéressées, en un processus à moyen terme.

Cinquièmement, si la grande variété des situations économiques, sociales et culturelles exige à l'évidence des approches diversifiées du développement de l'éducation, celles-ci doivent toutes prendre en compte les valeurs et les préoccupations fondamentales sur lesquelles l'accord existe au sein de la communauté internationale et du système des Nations unies : droits de l'homme, tolérance et compréhension mutuelle, démocratie, responsabilité, universalité, identité culturelle, recherche de la paix, préservation de l'environnement, partage des connaissances, lutte contre la pauvreté, régulation démographique, santé.

Sixièmement, la responsabilité de l'éducation incombe à la société tout entière ; toutes les personnes concernées et tous les partenaires — en sus des institutions dont c'est la mission — doivent trouver leur juste place dans le processus éducatif.

Champ de réflexion, travaux, rapport

Le sujet tel qu'il sera examiné par la Commission devrait embrasser le concept d'éducation au sens le plus large du terme, de l'éducation préscolaire à l'enseignement supérieur en passant par l'enseignement scolaire, comprendre l'éducation formelle et non formelle, et englober l'éventail le plus large possible d'organismes et de dispensateurs. D'autre part, les conclusions et recommandations de la Commission seront orientées vers l'action et formulées à l'intention des organismes publics ou privés, des responsables de l'élaboration des politiques et des décideurs, et, d'une manière plus générale, de tous ceux à qui il incombe d'élaborer et de mettre en œuvre des plans et des activités d'éducation. Il est à espérer qu'elles susciteront de surcroît un vaste débat public sur la réforme de l'éducation dans les États membres de l'UNESCO.

La Commission mènera ses travaux pendant deux ans, selon un calendrier qui sera déterminé par elle, et présentera un rapport au début de 1995. Ce rapport devra jeter les bases d'un plan de rénovation de l'éducation et énoncer des principes directeurs pour l'action de l'UNESCO dans le domaine de l'éducation au cours des années à venir. Il sera communiqué aux organes directeurs de l'UNESCO, à ses États membres et aux commissions nationales ainsi qu'aux organisations gouvernementales et non gouvernementales avec lesquelles l'UNESCO coopère.

La Commission a à sa disposition un secrétariat fourni par l'UNESCO ; elle puisera en tant que de besoin dans les ressources intellectuelles et matérielles de l'UNESCO pour mener ses diverses tâches à bien. »

Conseillers extraordinaires

La Commission a fait appel au concours d'un certain nombre de personnalités éminentes et d'organisations prestigieuses qui se sont distinguées par des contributions particulièrement remarquables à la réflexion et aux réalisations dans divers domaines liés à l'éducation. Ces conseillers extraordinaires, dont la liste figure ci-après, ont été associés aux travaux de la Commission de diverses façons, notamment par des consultations écrites et par leur participation à des réunions.

Personnalités

Emeka Anyaoku, diplomate nigérian, secrétaire général, Secrétariat des pays du Commonwealth.

Jorge Allende, spécialiste de biochimie et de biologie moléculaire, professeur à l'Université du Chili, membre de l'Académie des sciences du tiers-monde, membre de l'Académie des sciences du Chili.

Margarita Marino de Botero, directrice exécutive du « Colegio Verde », Villa de Leyva (Colombie), ancienne directrice générale de l'Institut national des ressources naturelles et de l'environnement.

Gro Harlem Brundtland, Premier ministre de la Norvège, ancienne présidente de la Commission mondiale pour l'environnement et le développement.

Elizabeth Dowdeswell, directrice exécutive du Programme des Nations unies pour l'environnement (PNUE), Nairobi (Kenya).

Daniel Goeudevert, chef d'entreprise français, premier vice-président de la Croix-Verte internationale, ancien directeur de la marque Volkswagen, membre du conseil d'administration de l'International Partnership Initiative (IPI).

Makaminan Makagiansar, ancien sous-directeur général de l'UNESCO pour la culture, conseiller auprès du ministre de la Science et de la Technologie d'Indonésie.

Yehudi Menuhin, violoniste britannique, président et chef associé du Royal Philharmonic Orchestra, lauréat du prix Nehru pour la paix et la compréhension internationale (1970), membre de l'Académie universelle de la culture.

Thomas Odhiambo, scientifique kényan, président de l'Académie africaine des sciences, membre du Conseil international des unions scientifiques.
René Rémond, historien français, président de la Fondation nationale des sciences politiques, codirecteur de la *Revue historique*.
Bertrand Schwartz, ingénieur français, professeur d'université et spécialiste de l'éducation, membre du Conseil économique et social.
Anatoly Sobchak, maire de Saint-Pétersbourg (Russie), doyen de la faculté de droit de l'université de Saint-Pétersbourg, ancien ministre de l'Éducation.
David Suzuki, scientifique canadien, spécialiste de l'éducation, conférencier international et animateur d'émissions de télévision et de films à caractère scientifique, lauréat de nombreux prix dans des domaines en rapport avec la science et la radiodiffusion.
Ahmed Zaki Yamani, avocat, ancien ministre du Pétrole et des Ressources minérales de l'Arabie Saoudite, ancien secrétaire général et ancien président de l'Organisation des pays arabes exportateurs de pétrole.

Institutions

Association internationale des universités (AIU) ;
Conseil international d'éducation des adultes (CIEA) ;
Internationale de l'éducation (IE) ;
Université des Nations unies (UNU).

Secrétariat

De nombreux fonctionnaires, de l'UNESCO, à Paris et dans les bureaux hors siège, ont collaboré aux travaux de la Commission en formulant des observations écrites ou orales sur les études reçues ou sur les projets des différents chapitres du rapport. Par leur aide intellectuelle et logistique, les membres du personnel des bureaux des différents pays ont grandement facilité, dans la plupart des cas, l'organisation des réunions hors siège. Ils sont trop nombreux pour pouvoir être cités ici, mais la Commission n'aurait pu sans eux mener à bien ses travaux.

M. Colin Power, sous-directeur général de l'UNESCO pour l'éducation, a fourni à la Commission et à son secrétariat un soutien sans faille. Il a aussi présidé un comité directeur qui a assuré le suivi de la contribution apportée par l'UNESCO au travail de la Commission.

Ont participé aux travaux de la Commission et à l'établissement de son rapport final les membres du secrétariat et les consultants à temps partiel dont les noms suivent :

Alexandra Draxler, secrétaire de la Commission

Jean-Pierre Boyer, spécialiste du programme

Boubacar Camara, spécialiste adjoint du programme
Eva Carlson-Wahlberg, experte associée
Woo Tak Chung, expert associé
Jean Gaudin, consultant
Maureen Long, consultante (mise au point rédactionnelle)
Claude Navarro, consultante (mise au point rédactionnelle)
Brian Verity, consultant

Personnel administratif :
Rose-Marie Baffert
Michel Bermond
Catherine Domain
Karima Pires

Réunions de la Commission

Première session 2-4 mars 1993, Paris (France) : méthodes de travail et problématique
Deuxième session 20-24 septembre 1993, Dakar (Sénégal) : éducation et développement, financement et organisation de l'éducation
Troisième session 12-15 janvier 1994, Paris (France) : éducation et science
Quatrième session 13-15 avril 1994, Vancouver (Canada) : enseignants et processus pédagogique ; éducation permanente ; multiculturalisme

Cinquième session 26-30 septembre 1994, Santiago (Chili) : éducation, citoyenneté et démocratie
Sixième session 6-10 février 1995, Paris (France) : coopération internationale
Septième session 23-25 septembre 1995, Tunis (Tunisie) : éducation et culture
Huitième session 15-17 janvier 1996, New Delhi (Inde) : adoption du rapport final

À l'exception de la première, toutes les sessions de la Commission ont comporté l'examen en groupe de travail, avec la participation d'experts invités, des problèmes particuliers de la région où se tenait la réunion et du thème spécifique de la session. Les membres de la Commission et son secrétariat ont organisé une série de réunions et de conférences dont l'apport a été précieux pour la rédaction du rapport final, ou ont participé à de telles réunions. La Commission a organisé la réunion d'un groupe de travail sur la coopération internationale dans l'éducation (Banque mondiale, Washington, D.C., décembre 1993), ainsi qu'une rencontre entre le président de la Commission et la direction de l'Internationale de l'éducation (Bruxelles, mai 1994). Elle a apporté son concours à l'organisation, par la Commission espagnole pour l'UNESCO, d'un séminaire sur l'éducation et la cohésion sociale (Alicante, Espagne, novembre 1994), à celle d'un séminaire national sur l'éducation pour le XXIe siècle (New Delhi, Inde, janvier 1995) et à celle d'un séminaire sur le thème « Éducation, travail et société : crise actuelle et chemins de l'avenir », organisé à l'université Paris-Dauphine (mars 1995) par le conseiller spécial du président de la Commission. Des tables rondes sur les travaux de la Commission ont été organisées dans le cadre de la cinquième Conférence des ministres de l'Éducation des États arabes (Le Caire, juin 1994), de la douzième Conférence des ministres de l'Éducation du Commonwealth (Islamabad, novembre 1994), de la quarante-quatrième Conférence internationale de l'éducation du BIE (Genève, octobre 1994) et de la Conférence de l'American Comparative and International Education Society (Boston, mars 1995).

Personnes et institutions consultées

De nombreuses personnalités ont apporté directement ou indirectement une contribution aux travaux de la Commission. On trouvera ci-après la liste de celles qui ont participé à des réunions ou à des auditions, ou qui ont soumis des études ou des communications à la Commission, avec le titre qui était le leur lorsque le secrétariat a pris contact avec eux pour les consulter. Beaucoup d'autres encore ont été consultées ou ont pris contact spontanément avec le secrétariat ou les membres de la Commission. Bien que leur nom ne figure pas ici, la Commission leur sait gré des connaissances et des conseils dont elles l'ont fait bénéficier. Un grand nombre de Commissions nationales pour l'UNESCO ont fourni des matériaux et ont répondu à un questionnaire à questions ouvertes. La plupart des institutions du système des Nations unies ont offert un concours direct ou indirect (sous la forme de consultations ou autres communications), et un nombre appréciable d'organisations non gouvernementales ont envoyé spontanément une contribution. Il est impossible, là encore, de citer tous ceux qui ont ainsi manifesté leur intérêt pour les travaux de la Commission, mais leurs contributions ont servi de fondation au rapport final, et la Commission tient à leur exprimer sa reconnaissance.

Ibrahim Abu-Lughod, professeur de sciences politiques, vice-président, université de Birzeit (Cisjordanie)
Inés Aguerrondo, sous-secrétaire pour la gestion et la programmation éducative, ministère de l'Éducation et de la Culture, Buenos Aires (Argentine)
Virginia Albert, coordonnatrice pour les Caraïbes, Internationale de l'éducation (IE)
Neville E. Alexander, directeur, Projet pour l'étude de l'éducation alternative en Afrique du Sud, université du Cap (Afrique du Sud)
Haider Ibrahim Ali, professeur, Centre d'études soudanaises, Le Caire (Égypte)

Khaldoun H. Al Naqeeb, professeur associé, université de Koweït, Shuwaik (Koweït)
K.Y. Amoako, directeur, département de l'éducation et de la politique sociale, Banque mondiale
Fama Hane Ba, directrice du Bureau du FNUAP, Ouagadougou (Burkina Faso)
Hadja Aïcha Diallo Bah, ministre de l'Enseignement préuniversitaire et de la Formation professionnelle (Guinée)
Samuel T. Bajah, spécialiste en chef du programme (éducation pour la science, la technologie et les mathématiques), département de l'éducation, Secrétariat des pays du Commonwealth
Tom Bediako, secrétaire général, Organisation panafricaine de la profession enseignante
Monique Bégin, coprésidente, Commission royale sur l'éducation de l'Ontario (Canada)
Paul Bélanger, directeur de l'Institut de l'UNESCO pour l'éducation (IUE-Hambourg) ;
Olivier Bertrand, ancien chercheur, Centre d'études et de recherches sur les qualifications (CEREQ) (France)
Robert Bisaillon, président, Conseil supérieur de l'éducation du Québec (Canada)
Alphonse Blagué, recteur de l'université de Bangui (République centrafricaine), coordonnateur du Comité pour l'élaboration du programme d'ajustement du secteur éducation (CEPASE)
Wolfgang Böttcher, Gewerkschaft Erziehung und Wissenschaft (Allemagne)
Ali Bousnina, président de l'université des sciences, des techniques et de médecine de Tunis (Tunisie)
Mark Bray, Centre de recherches en éducation comparée, université de Hongkong (Hongkong)
Nicholas Burnett, économiste principal, département de l'éducation et de la politique sociale, Banque mondiale
Inés Bustillo, Commission économique pour l'Amérique latine et les Caraïbes (CEPALC)
Carlos Cardoso, directeur général, Institut national d'études et recherches (république de Guinée-Bissau)

Raúl Cariboni, coordonnateur pour l'Amérique latine, Internationale de l'éducation (IE)
Ana Maria Cetto, professeur, département de mathématiques, University College, Londres (Royaume-Uni)
Abdesselam Cheddadi, professeur à la faculté des sciences de l'éducation, université Mohammed V, Rabat (Maroc)
Chua Soo Pong, directeur, Institut de l'opéra chinois (Singapour)
Helen M. Connell, consultante
José Luis Coraggio, Conseil international d'éducation des adultes (CIEA)
Didier Dacunha-Castelle, professeur, département de mathématiques, université de Paris-Sud, Orsay (France)
Krishna Datt, Conseil des organisations d'enseignants du Pacifique
Goéry Delacôte, directeur exécutif de l'Exploratorium, San Francisco (États-Unis)
Michel Demazure, directeur du palais de la Découverte, Paris (France)
Souleymane Bachir Diagne, conseiller technique en éducation à la présidence de la République, professeur, département de philosophie, université Cheikh Anta Diop, Dakar (Sénégal)
Ahmed Djebbar, ministre de l'Éducation nationale (Algérie)
Albert Kangui Ekué, directeur, division de l'éducation, de la science et de la culture, Organisation de l'Unité africaine (OUA)
Linda English, économiste, Région Afrique, Agence canadienne de développement international (ACDI) (Canada)
Jan Erdtsieck, Internationale de l'éducation (IE)
Ingemar Fägerlind, directeur de l'Institut d'éducation internationale, université de Stockholm (Suède)
Aminata Sow Fall, responsable du Centre africain d'animation et d'échanges culturels, Dakar (Sénégal)
Yoro Fall, professeur, université de Dakar (Sénégal), membre de la Commission mondiale de la culture et du développement de l'UNESCO
Glen Farrell, président, Open Learning Agency, Colombie britannique (Canada)

Emanuel Fatoma, coordonnateur pour l'Afrique anglophone, Internationale de l'éducation (IE)
Mary Hatwood Futrell, présidente de l'Internationale de l'éducation (IE)
Ken Gannicott, professeur d'éducation, université de Wollongong, New South Wales (Australie)
Wolfgang Gmelin, Fondation allemande pour le développement (DSE), Bonn (Allemagne)
Danièle Gosnave, spécialiste en curricula d'éducation à la vie familiale, projet « Éducation à la vie familiale », ministère de l'Éducation nationale, Dakar (Sénégal)
François Gros, secrétaire perpétuel de l'Académie des sciences (France)
Ingmar Gustafsson, conseiller principal auprès du président (Ressources humaines), Agence suédoise d'aide au développement international (Suède)
Aklilu Habte, Fonds des Nations unies pour l'enfance (UNICEF)
Jacques Hallak, directeur de l'Institut international de planification de l'éducation (UNESCO-IIPE)
Janet Halliwell, président du Conseil de l'enseignement supérieur, Nouvelle-Écosse (Canada)
Alan Hancock, directeur du Programme pour le développement de l'Europe centrale et orientale (PROCEED), UNESCO
Mohammed Hassan, directeur exécutif de l'Académie des sciences du tiers-monde, Trieste (Italie)
Mary A. Hepburn, professeur et chef de la division d'éducation civique, Carl Vinson Institute of Government, université de Géorgie (États-Unis)
Abdelbaki Hermassi, ancien ambassadeur, délégué permanent de la Tunisie auprès de l'UNESCO
Steven Heyneman, chef du département technique, Ressources humaines et développement social, Régions Europe, Asie centrale, Moyen-Orient et Afrique du Nord, Banque mondiale
Herbert Hinzen, Conseil international d'éducation des adultes (CIEA)
Phillip Hughes, professeur, université de Tasmanie (Australie)
Alan King, professeur (philosophie de l'éducation), université Queen's, Ontario (Canada)

Verna J. Kirkness, ancienne directrice, First Nations House of Learning, Longhouse, université de Colombie britannique (Canada)
Fadia Kiwan, professeur, université des Jésuites, Beyrouth (Liban)
Alberto Rodolfo Kornblihtt, chercheur principal, Institut de recherches en ingénierie, génétique et biologie moléculaire, Buenos Aires (Argentine)
Wolfgang Kueper, chef de la division de l'Éducation et des sciences, Deutsche Gesellschaft für Technische Zusammenarbeit, Eschborn (Allemagne)
Gabeyehu Kumsa, délégué permanent adjoint de l'Éthiopie auprès de l'UNESCO, ancien directeur de la planification de l'éducation et des services extérieurs, ministère de l'Éducation (Éthiopie)
Diane Laberge, directrice générale, Institut canadien d'éducation des adultes, Montréal, Québec (Canada)
Augustin A. Larrauri, représentant de l'UNESCO au Canada, Bureau de l'UNESCO à Québec
Pablo Latapi, consultant, Centre d'études en éducation (Mexique)
Viviane F. Launay, secrétaire générale, Commission canadienne pour l'UNESCO (Canada)
Pierre Léna, membre de l'Académie des sciences, professeur, université Paris-VII, observatoire de Meudon (France)
Elena Lenskaya, conseillère auprès du ministre de l'Éducation (Fédération de Russie)
Henry Levin, professeur (David Jacobs) d'éducation et d'économie, université de Stanford, Californie (États-Unis)
Marlaine Lockheed, Banque mondiale
William Francis Mackey, professeur-chercheur, Centre international de recherche en aménagement linguistique, université Laval, Québec (Canada)
James A. Maraj, président, Commonwealth of Learning
Noel McGinn, membre de l'Institut de Harvard pour le développement international, professeur, Harvard School of Education (États-Unis)

Frank Method, conseiller principal en éducation, United States Agency for International Development (USAID), Washington, D.C. (États-Unis)
Erroll Miller, professeur, université des Antilles, Kingston (Jamaïque)
Peter Moock, département de l'éducation et de la politique sociale, Banque mondiale
Chitra Naik, membre (pour l'éducation) de la Commission de planification, New-Delhi (Inde)
J.V. Narlikar, professeur, Centre interuniversitaire pour l'astronomie et l'astrophysique, Pune (Inde)
Bougouma Ngom, secrétaire général, Conférence des ministres de l'Éducation des pays ayant en commun l'usage du français (CONFMEM)
Pai Obanya, directeur, UNESCO Dakar
Victor M. Ordoñez, directeur de la division de l'éducation de base, UNESCO
François Orivel, directeur de recherche au CNRS, IREDU, université de Bourgogne, Dijon (France)
Claude Pair, professeur, Institut polytechnique de Lorraine, Nancy (France)
Paul Pallan, vice-ministre adjoint, ministère de l'Éducation, Colombie britannique (Canada)
George Papadopoulos, ancien directeur adjoint chargé de l'éducation, OCDE
Serge Péano responsable du programme « Coût et financement de l'éducation », Institut international de planification de l'éducation (UNESCO-IIPE)
Jacques Proulx, vice-président, Sous-commission de l'éducation, Commission canadienne pour l'UNESCO, délégué à la Coopération internationale, université de Sherbrooke, Québec (Canada)
George Psacharopoulos, Banque mondiale
Ana Maria Quiroz, ancienne secrétaire-générale, Conseil international d'éducation des adultes (CIEA)
Germán Rama, consultant, Montevideo (Uruguay)
Luis Ratinoff, Banque interaméricaine de développement (BID), Bureau des relations extérieures

Fernando Reimers, chercheur associé, spécialiste en éducation, Institut de Harvard pour le développement international (États-Unis)
Norman Rifkin, directeur, Centre pour le développement des ressources humaines, United States Agency for International Development (États-Unis)
José Rivero, directeur p.i., UNESCO Santiago
Gert Rosenthal, secrétaire exécutif, Commission économique pour l'Amérique latine et les Caraïbes (CEPALC)
Antonio Ruberti, professeur, Dipartimento di Informatica e Sistemistica, Facoltà di Roma « La Sapienza » (Italie)
Nadji Safir, ancien responsable des affaires sociales, éducatives et culturelles, Institut national des études de stratégie globale (Algérie)
Mouna L. Samman, spécialiste du programme, Projet transdisciplinaire « Éducation et information en matière d'environnement et de population pour le développement » (ED/EPD), UNESCO
Alexandre Sannikov, UNESCO, secteur de l'éducation
Ernesto Schiefelbein, directeur, UNESCO-Santiago, ancien ministre de l'Éducation nationale (Chili)
Leticia Shahani, présidente du Sénat *(pro tempore)*, présidente du Comité de l'éducation, Manille (Philippines)
Adnan Shihab-Eldin, directeur, UNESCO-Le Caire
John Smyth, rédacteur en chef, Rapport mondial sur l'éducation (UNESCO)
Esi Sutherland-Addy, chargé de recherche, Institut d'études africaines, université de Ghana Legon, Accra (Ghana)
Robert Tabachnick, vice-doyen, professeur (curriculum et instruction), School of Education, université de Wisconsin-Madison (États-Unis)
Shigekazu Takemura, vice-doyen de la faculté de l'éducation, université d'Hiroshima (Japon)
Sibry Tapsoba, administrateur régional de programmes (politiques sociales), Centre pour la recherche en développement international, Dakar (Sénégal)
Juan Carlos Tedesco, directeur, Bureau international d'éducation (UNESCO-BIE, Genève)

Malang Thiam, chef de la division éducation et santé, Banque africaine de développement
Sakhir Thiam, professeur, université Cheikh Anta Diop, Dakar (Sénégal)
Mark Thompson, professeur, université de Colombie britannique, Vancouver (Canada)
David Throsby, professeur d'économie, université Macquarie, Sydney (Australie)
Alice Tiendrébéogo, ministre chargé de l'Éducation de base et de l'Alphabétisation des masses, Ouagadougou (Burkina-Faso)
Judith Tobin, directrice, Questions stratégiques, TV Ontario (Canada)
Rosa María Torres, Conseil international d'éducation des adultes (CIEA)
Carlos Tunnerman, conseiller spécial du directeur général de l'UNESCO
Vichai Tunsiri, conseiller du ministre de l'Éducation, Bangkok (Thaïlande)
Kapila Vatsyayan, directrice du centre artistique national Indira Gandhi, New-Delhi (Inde)
Marit Vedeld, Agence norvégienne pour le développement international, Oslo (Norvège)
A.E. (Ted) Wall, président de l'Association canadienne des doyens des facultés de sciences de l'éducation ; doyen de la faculté de l'Éducation, université McGill, Montréal (Canada)
Shem O. Wandiga, vice-chancelier, université de Nairobi (Kenya)
Bertrand Weil, professeur de médecine, centre hospitalo-universitaire Henri Mondor, Créteil (France)
Tom Whiston, professeur, unité de recherche en sciences politiques, université de Sussex (Royaume-Uni)
Graeme Withers, Conseil australien pour la recherche en éducation, Melbourne (Australie)
Davina B. Woods, responsable fédéral de l'éducation aborigène, Australian Education Union, South Melbourne (Australie)
Johanna Zumstein, analyste principale (Changement social), Direction générale de l'Afrique et du Moyen-Orient, Agence canadienne de développement international (ACDI) (Canada)

Suivi

Un secrétariat assurera le suivi des travaux de la Commission. Il publiera la documentation ayant servi de base à son rapport, ainsi que des études destinées à approfondir tel ou tel aspect de sa réflexion ou de ses recommandations ; il aidera les instances gouvernementales ou non gouvernementales, à leur demande, à organiser des réunions pour débattre des conclusions de la Commission ; enfin, il participera à des activités visant à mettre en pratique certaines des recommandations de la Commission. L'adresse reste la suivante :

UNESCO
Secteur de l'éducation
Unité pour l'éducation pour le XXIe siècle
7, place de Fontenoy
75352 PARIS 07 SP (France)
Téléphone : (33 1) 45 68 11 23
Télécopieur : (33 1) 43 06 52 55
Internet : EDOBSERV@UNESCO.ORG

CET OUVRAGE A ÉTÉ REPRODUIT
ET ACHEVÉ D'IMPRIMER SUR ROTO-PAGE
PAR L'IMPRIMERIE FLOCH À MAYENNE
EN MARS 1996

N° d'impression : 39331.
N° d'édition : 7381-0381-1.
Dépôt légal : mars 1996.
Imprimé en France.